A LUZ · QUE NOS · UNE

Uma PONTE
entre os que PARTIRAM
e os que FICARAM

LAURA LYNNE JACKSON
Autora do best-seller *Sinais*,
palestrante e médium credenciada pelo
Centro de Pesquisa Windbridge

A LUZ · QUE NOS · UNE

**Uma PONTE
entre os que PARTIRAM
e os que FICARAM**

ALTA BOOKS
GRUPO EDITORIAL
Rio de Janeiro, 2023

A Luz Que Nos Une

ISBN: 978-85-5082-185-6

Impresso no Brasil — 1ª Edição, 2023 — Edição revisada conforme o Acordo Ortográfico da Língua Portuguesa de 2009.

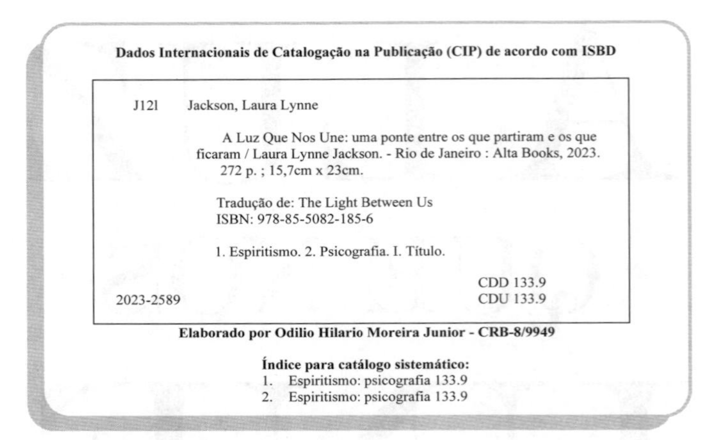

Dados Internacionais de Catalogação na Publicação (CIP) de acordo com ISBD

J121 Jackson, Laura Lynne

A Luz Que Nos Une: uma ponte entre os que partiram e os que ficaram / Laura Lynne Jackson. - Rio de Janeiro : Alta Books, 2023.
272 p. ; 15,7cm x 23cm.

Tradução de: The Light Between Us
ISBN: 978-85-5082-185-6

1. Espiritismo. 2. Psicografia. I. Título.

2023-2589 CDD 133.9
CDU 133.9

Elaborado por Odilio Hilario Moreira Junior - CRB-8/9949

Índice para catálogo sistemático:
1. Espiritismo: psicografia 133.9
2. Espiritismo: psicografia 133.9

Alta Life é um Selo do Grupo Editorial Alta Books

Produção Editorial: Grupo Editorial Alta Books
Diretor Editorial: Anderson Vieira
Editor da Obra: Ibraíma Tavares
Vendas Governamentais: Cristiane Mutüs
Gerência Comercial: Claudio Lima
Gerência Marketing: Andréa Guatiello

Assistente Editorial: Beatriz de Assis
Tradução: Carolina Freitas
Copidesque: Thais Cotts
Revisão: Carol Oliveira; Rafael de Oliveira
Diagramação: Cristiane Saavedra

Rua Viúva Cláudio, 291 — Bairro Industrial do Jacaré
CEP: 20.970-031 — Rio de Janeiro (RJ)
Tels.: (21) 3278-8069 / 3278-8419
www.altabooks.com.br — altabooks@altabooks.com.br
Ouvidoria: ouvidoria@altabooks.com.br

Editora **afiliada à:**

À minha mãe, Linda Osvald, que me ensinou a confiar na luz em mim e a honrar a luz que nos une. Mãe, qualquer beleza no mundo que passa por mim é graças a você: você é o cerne de tudo.

E a Garrett, Ashley, Hayden e Juliet, que encheram meu mundo de luz, alegria e propósito; vocês são minha motivação para tudo.

E a todos que leem isto — que iluminemos o caminho uns dos outros, sempre.

Há apenas duas formas de viver.

Uma é acreditar que nada é um milagre.

A outra é acreditar que tudo o é.

SUMÁRIO

PARTE TRÊS

Introdução

Estava na rodovia Jericho Turnpike, sentido oeste, quando as mensagens começaram a vir.

Apertei o volante do meu Honda Pilot e joguei o carro para a direita, entrando no estacionamento de uma loja. Pisei no freio e parei na metade de uma vaga.

Eu não estava pronta para elas. Pouco antes, respirei fundo tentando manter a calma, pois estava muito nervosa. Morrendo de medo, na verdade. Logo estaria em um cômodo cheio de pessoas angustiadas. Meu papel naquela noite seria tentar aliviar suas dores. Meu medo era piorar a situação.

Usava uma camisa preta básica e calças pretas. Não queria que ninguém se distraísse com estampas em minha camisa ou flores no meu vestido. Não havia jantado porque estava ansiosa demais para comer. Meu esposo, Garrett, ainda não tinha chegado do trabalho, então pedi à minha mãe para ficar com meus dois filhos pequenos até eu voltar. Estava atrasada e tentei me apressar, mas o trânsito estava engarrafado.

Foi quando começaram a vir até mim.

As crianças.

Apareceram de uma só vez, em grupo. Foi surpreendente. Era como estar sozinha em uma sala quando, de repente, a porta se abre e dez ou quinze pessoas entram. É possível que não as ouça ou veja, mas ainda sabe que estão ali – pode *senti-las*. Sabe que não está mais sozinho. Foi assim que me senti em meu Honda Pilot: sabia que não estava só.

Então, vieram palavras e nomes, histórias e pedidos, descrições e imagens, e todas as coisas que elas queriam compartilhar; a enxurrada foi tamanha que tive de fazê-los desacelerar.

– Só um minutinho – disse duas vezes, em voz alta, enquanto vasculhava minha bolsa em busca do meu caderno vermelho e de uma caneta. Comecei a escrever o mais rápido que podia, mas não conseguia acompanhar todas as mensagens que recebia. Estavam despejando tudo.

– *Diga e eles que ainda estou aqui* – disse um.

– *Diga a eles que ainda faço parte da vida deles* – disse outro.

– *Diga a eles: "Eu te amo e vejo tudo o que acontece".*

– *Por favor, não chorem por mim. Estou bem.*

– *Não estou morto. Ainda sou seu filho.*

– *Não pensem que parti. Não fui embora.*

– *Por favor, diga a eles que não desapareci!*

Sentada em meu carro mal estacionado, continuei escrevendo – era uma mulher cercada de crianças que ninguém mais podia ver.

Por fim, guardei as anotações na bolsa após alguns minutos, voltei à estrada e dirigi o mais rápido que pude para o hotel Huntington Hilton, na Broad Hollow Road. Passei correndo pelo saguão e encontrei a sala de reuniões onde o evento seria realizado. Uma placa do lado de fora indicava o que aconteceria naquela noite. Lia-se: "Como Ouvir Quando Seus Filhos Falam".

A sala era comum – cortinas marrom, lustres, tapete felpudo, cadeiras giratórias. No meio da sala tinha uma grande mesa retangular com dezenove pessoas sentadas eretas ao seu redor. Ao entrar, todos viraram-se para mim em completo silêncio. Seus semblantes estavam tristes e atormentados. Parece que se passou um minuto sem ninguém sequer respirar.

Estes eram os pais.

Os anfitriões da noite, Phran e Bob Ginsberg, diretores da Forever Family Foundation [Fundação Família Eterna, em tradução livre], quebraram o gelo. Abraçaram-me e ofereceram-me uma cadeira. Agradeci e recusei; de forma alguma conseguiria sentar. Estava nervosa demais. Bob se pôs de frente para a sala e pigarreou.

— Esta é Laura Lynne Jackson — disse, à meia-voz. — Uma Médium Certificada pela Forever Family Foundation e está aqui para nos ajudar a aprender como falar com nossos filhos.

Ele se afastou e concedeu-me a fala. Respirei fundo e olhei para baixo, para a mão que segurava o caderno repleto de anotações. Os pais me encaravam, aguardando. Não sabia o que dizer ou como começar. Outro longo momento se passou, trazendo de volta o silêncio denso e pesado.

Ninguém sabia o que aconteceria, muito menos eu.

Finalmente, olhei para cima e disse:

— Seus filhos estão aqui — disparei. — E eles têm algo a dizer.

Meu nome é Laura Lynne Jackson e sou esposa, mãe e professora de inglês do ensino médio.

Também sou médium sensitiva.

Provavelmente não sou o que a maioria pensa quando imagina médiuns sensitivos. Não leio folhas de chá ou cartas de tarô e não trabalho na frente de uma loja. Não sou uma advinha tampouco tenho uma bola de cristal (okay, veja bem, eu tenho uma pequena, que é decorativa, mas só porque não consegui resistir de comprá-la quando vi em uma loja). Simplesmente possuo um dom que é mais focado em mim do que nos outros.

Sou clarividente, o que significa que tenho a habilidade de adquirir informações sobre pessoas e eventos de outras formas além dos cinco sentidos. Também sou clariaudiente — posso perceber sons sem o uso dos ouvidos — e clarisciente, o que me permite sentir coisas por meios não humanos.

Posso, por exemplo, sentar numa mesa de restaurante e sentir a energia distinta de pessoas que estiveram ali antes de mim, como se deixassem dezenas de impressões digitais energéticas eletrizantes. E se essa energia ressoa em mim de forma negativa e educadamente digo à *hostess* que preferiria sentar em outro lugar ou, se for a última mesa disponível, digo que terei de partir. O que nem sempre é bem recebido por meu esposo e filhos. Ou pela *hostess*, no caso.

Além das minhas habilidades como sensitiva, também sou médium, o que significa que consigo me comunicar com pessoas que já não estão mais aqui.

Se sua primeira pergunta for como me tornei quem sou, minha primeira resposta é: Não sei. Passei a vida tentando descobrir.

Na minha busca por respostas, sujeitei-me a testes rigorosos – primeiro o da Forever Family Foundation, um grupo sem fins lucrativos e baseado em ciência que ajuda pessoas enlutadas, e então o da Windbridge Institute for Applied Research in Human Potential [Instituto Windbridge de Pesquisa Aplicada do Potencial Humano, em tradução livre], do Arizona, onde passei por uma seleção de oito passos, cujo método era quíntuplo-cego (método onde existem cinco examinadores, mas nem eles nem o examinado tem noção das variáveis do estudo), ministrada por cientistas para me tornar membro do grupo seleto de Médiuns Pesquisadores Certificados.

E, ainda assim, mesmo enquanto procurava respostas – buscando o meu verdadeiro propósito –, tinha o cuidado de esconder minhas habilidades do resto do mundo. Ainda não sabia onde ou como minhas habilidades se encaixariam em minha vida. Não sabia o que deveria fazer com elas. Durante a maior parte da vida, tentei trilhar um caminho que não envolvesse ser médium sensitiva.

No último ano da faculdade, fiz intercâmbio em Oxford e estudei Shakespeare, determinada a me aprofundar nos estudos. Após a graduação, considerei me tornar uma advogada e fui aceita em duas faculdades de direito renomadas, mas decidi seguir minha paixão por ensinar. Por um longo tempo pensei em mim como professora antes de qualquer coisa. Não havia espaço para leituras de aura e comunicação com espíritos em minha vida acadêmica.

E assim tive uma vida dupla secreta por quase vinte anos.

Durante o dia, ensinava *Macbeth* e *As Vinhas da Ira* a adolescentes, mas à noite, enquanto meu esposo estava com as crianças, eu ficava no meu quarto, no andar de cima, em conversas privadas por telefone com celebridades, atletas, astronautas, políticos, CEOs e todo tipo de pessoa, dando-lhes um vislumbre de algo além das barreiras aceitáveis da experiência humana.

Mas eis uma coisa impressionante que descobri conforme experienciava uma vida dupla: não sou tão diferente assim. Embora minhas habilidades me fizessem sentir que não sou como outras pessoas, que eu não era "normal", percebi que ter um "dom" destes não era o dom em si.

O belo dom que me foi dado, a consciência de que estamos conectados por poderosos fios de luz e amor, tanto na terra como no Outro Lado, é um presente que nos pertence.

Como minha vida, este livro é uma viagem das trevas para a luz. Conta a história da jornada que percorri em direção à compreensão do meu verdadeiro propósito e das formas que estamos conectados ao mundo ao nosso redor. O que espero acima de tudo é que você encontre algo em minha jornada que ressoe na *sua* vida.

Porque se o fizer, é possível que tenha a mesma percepção que tive de que os laços poderosos que nos conectam aos nossos entes queridos, aqui e do Outro Lado, podem melhorar de forma imensurável a maneira como vivemos e amamos se abrirmos nosso coração e nossa mente para eles hoje.

Mas mesmo após chegar a essa conclusão, nunca pensei em compartilhá-la com o mundo. Não tinha planos de escrever um livro. Então, um dia, no colégio onde leciono, enquanto supervisionava os corredores, senti um repentino e imenso download de informações e insights vindos do universo. Senti como se tivesse sido atingida por um raio que trouxe claridade instantânea. E a instrução básica era simples.

Seu propósito é compartilhar sua história.

Não era sobre mim, mas sobre a mensagem. As lições de vida que emergiam das consultas que fazia não deveriam ser mantidas em segredo. Estavam destinadas a ser expostas ao mundo.

Não considero que este seja um diário da minha vida, mas vejo minha história como um meio de compartilhar algumas das consultas mais poderosas e profundas que fiz durante esses anos. Consultas que conectaram pessoas a seus entes queridos no Outro Lado e, no processo, ajudaram a curar velhas feridas, superar o passado, reimaginar a vida e, finalmente, entender seu caminho verdadeiro e propósito neste mundo. Essas consultas foram imensamente comoventes e informativas para mim.

Minhas consultas e minha história de vida perpassam pela mesma questão: a missão intrépida e implacável da humanidade em busca de respostas. Como estudante de literatura, fui encorajada a mergulhar nas questões mais profundas de todas: Por que estamos aqui? O que significa existir? Qual o nosso propósito nesta vida? Não afirmo que descobri todas as respostas para essas questões. Tudo que posso fazer é contar minha história. E compartilhar minha crença de que, se sequer considerarmos a possibilidade de um pós-vida – se não olharmos para a riqueza de evidências que vieram à tona nos últimos anos sobre a conservação da consciência –, estaremos nos fechando para uma fonte de grande beleza, conforto, cura e amor. Mas, se estivermos abertos a ter essa conversa, poderemos nos tornar pessoas mais iluminadas, mais felizes e mais autênticas. Estaremos mais próximos da nossa verdade. Do nosso eu verdadeiro. Da melhor versão de quem somos. A versão que nos permite compartilhar o melhor de nós com outros e assim mudar o mundo.

Eis o que desejo: conversar. Quero mostrar a possibilidade de que haja algo além da nossa forma tradicional de ver o mundo. Quero explorar o que eu vi diversas vezes em minhas consultas – que o universo opera no princípio da sincronicidade, uma força invisível que conecta acontecimentos e permeia tudo o que fazemos de significado.

Quero que entenda que este mesmíssimo livro chegou às suas mãos por essa razão.

Acima de tudo, quero discutir uma verdade impressionante que se tornou visível para mim através do meu trabalho: que fios de luz brilhantes nos conectam aqui na Terra e nos conectam ainda mais com nossos entes queridos que partiram.

Posso ver esses fios de luz. Posso ver a luz que nos une.

E devido a essa luz que está ali, unindo-nos, entrelaçando nossos destinos, e porque extraímos poder da mesma fonte de energia, sabemos que há outra verdade.

Ninguém experiencia uma vida pequena.

Ninguém é esquecido pelo universo.

Podemos iluminar o mundo profundamente.

O que acontece é que alguns ainda não reconheceram o quanto são poderosos.

Não espero que minhas ideias sejam aceitas sem resistência. Fui professora por quase duas décadas e não sou persuadida facilmente por teorias meia-boca ou argumentos sensacionalistas. Sempre ensino meus alunos a serem pensadores críticos — a investigar, analisar e questionar — e é assim que abordo a questão do meu dom. Tive minhas habilidades testadas por cientistas e pesquisadores. Falei com vanguardistas corajosos e sábios intelectuais. Acompanhei os desenvolvimentos científicos do último ¼ de século que nos dão panoramas novos e impressionantes sobre a capacidade humana.

Consegui compreender quantas situações marcantes em minha vida são compatíveis e podem ser explicadas pelo que acabamos de descobrir sobre poder e conservação da consciência humana.

Mesmo assim, as lições mais importantes deste livro não vêm de cientistas, pesquisadores ou aventureiros. E com certeza não vêm de mim. Não sou um profeta ou um oráculo. Sou apenas um veículo.

As lições mais importantes vêm de falanges de seres iluminados que se comunicam conosco do Outro Lado.

Como médium sensitiva, fiz sessões para centenas de pessoas, algumas ricas e famosas, mas a maioria não era. Nessas consultas, conectei-os às pessoas queridas que não estão mais nesta terra. Estes entes queridos que fizeram a passagem nos oferecem uma perspectiva milagrosa da existência e do universo.

O primeiro passo de nossa jornada é fácil – requer apenas abrirmos nossa mente para a possibilidade de que a existência é mais do que aquilo que pode ser facilmente captado pelos nossos cinco sentidos.

A esmagadora maioria já acredita nisso. Muitos creem em um poder superior, independente do nome que usam para descrevê-lo. Refiro-me a ele como universo. Outros chamam de Deus. Fui criada para acreditar em Deus e ainda creio, mas, para mim, as religiões são como um grande prato que foi quebrado em muitos pedaços. Todos os pedaços são diferentes, mas ainda são parte do mesmo prato. As palavras que usamos para descrever nossas crenças não são tão importantes quanto as crenças em si.

E assim, já estamos abertos a acreditar em algo maior que nós – algo que não podemos provar, explicar ou sequer compreender por completo. Não temos medo de ir por esse caminho. Mas se damos o *próximo* passo – a crença de que nossa consciência não acaba na morte, mas perdura em uma jornada muito maior –, então algo verdadeiramente incrível acontece.

Porque se podemos acreditar no pós-vida, então devemos admitir a possibilidade de nos conectarmos a ele.

Para ser sincera, se as coisas fenomenais que aconteceram em minha vida não tivessem acontecido, não tenho certeza se acreditaria que são possíveis. Mas aconteceram comigo, então sei que não só são possíveis como são reais.

E eu sei que, quando abrimos nossa mente para as formas em que tudo está interligado – uma parte do mesmo todo, compreendendo passado, presente e futuro –, começamos a ver conexões, significados e luz onde antes tudo o que víamos era escuridão.

PARTE UM

1
Vovô

Quando eu tinha 11 anos, durante uma tarde ensolarada em uma quarta-feira de agosto, minha irmã, meu irmão e eu brincávamos na piscina de plástico de mil litros nos fundos de nossa casa em Long Island, Nova York. Como faltava poucos dias para o começo das aulas, tentamos nos divertir ao máximo. Minha mãe saiu de casa para dizer que visitaria nossos avós em Roslyn, que fica a cerca de cinquenta minutos de carro. Há anos, eu viajava com ela para ver meus avós; sempre amei acompanhá-la. Mas, ocasionalmente, conforme crescia e envolvia-me com outras atividades, minha mãe ia sozinha, deixando-nos para trás. Neste belo dia de verão, ela sabia que não tinha chance de nos tirar da piscina.

– Divirtam-se, crianças – exclamou. – Volto mais tarde. – E esse deveria ser o fim da conversa.

Mas então, de repente, surtei.

Senti intensamente nos ossos um pânico inexplicável e congelante. Atirei-me na piscina e gritei pela minha mãe.

– Espera! – gritei. – Preciso ir com você!

Minha mãe riu.

– Não tem necessidade, fique aí – disse ela. – Aproveite, o dia está lindo.

Mas eu já nadava furiosamente para a beira da piscina, enquanto meus irmãos se perguntavam o que tinha de errado comigo.

– Não! – berrei. – Quero ir com você! Por favor, por favorzinho, me espera.

– Laura, está tudo bem...

– Não, mãe, eu tenho que ir com você!

Ela parou de rir.

– Tudo bem, se acalme – disse ela. – Entre e se troque. Vou esperar.

Corri para dentro, pingando, vesti uma roupa qualquer, saí, também correndo, e entrei no carro meio encharcada; ainda em pânico. Uma hora depois, estacionamos na entrada da casa de meus avós e avistei meu avô – a quem chamava de Vovô – acenando para nós da varanda dos fundos. Apenas quando o vi e pude abraçá-lo, o pânico cedeu. Passei as horas seguintes na varanda com ele, conversando, rindo, cantando e contando piadas. Na hora de partir, dei-lhe um beijo e um abraço, e disse:

– Eu amo o senhor.

Nunca mais o vi vivo.

Não sabia que meu avô se sentia fraco e cansado. Os adultos nunca me diriam algo assim. Quando estávamos juntos naquele dia, ele se comportou como sempre – foi afetuoso, engraçado, brincalhão. Meu avô deve ter reunido todas as forças para parecer saudável para mim. Três dias depois da minha visita, consultou-se com seu médico, que deu a notícia devastadora que ele tinha leucemia.

Três semanas depois, ele se foi.

Quando minha mãe fez com que eu, minha irmã e meu irmão sentássemos no sofá e gentilmente nos contou que nosso avô tinha partido, senti um turbilhão de emoções. Choque. Confusão. Descrença. Raiva. Tristeza profunda. Uma sensação intensa e horrível de já sentir saudades dele.

O pior é que senti uma terrível e devastadora sensação de culpa.

No instante que descobri que meu avô tinha partido, entendi exatamente o porquê do pânico para vê-lo. Sabia que ele morreria.

Claro, não tinha como *saber* de fato. Nem sabia que ele estava doente. E, ainda assim, de alguma forma, eu sabia. Por que mais eu teria de vê-lo?

Mas, se soubesse, por que não teria tentado articular isso – para meu avô, minha mãe ou até para mim mesma? Não havia formulado um pensamento claro ou mesmo dado indício de que algo estava errado com meu avô, e não fui visitá-lo sabendo que seria a última vez que o veria. Misteriosamente, eu sabia. Não entendia o que se passava, mas isso fazia com que me sentisse horrivelmente desconfortável, como se eu fosse, de alguma forma, cúmplice no falecimento dele. Senti que tinha certa conexão com as forças cruéis que tomaram sua vida e isso fez com que me sentisse inimaginavelmente culpada.

Comecei a pensar que algo estava muito errado comigo. Nunca conheci quem pudesse sentir quando uma pessoa morreria, então, quando aconteceu comigo não consegui entender. Tudo que sabia é que era uma coisa horrível de se saber. Eu me convenci de que não era normal; estava amaldiçoada.

Uma semana depois tive um sonho.

No sonho, eu já tinha crescido e era atriz. Morava na Austrália. Usava um vestido longo, colorido, no estilo do século XIX e me sentia bonita. De repente, senti uma preocupação desconcertante com minha família – a mesma família que eu tinha na vida real. Neste sonho, senti meu coração parar e desabei no chão. Tinha noção de que estava morrendo.

Ainda assim, não acordei – o sonho continuou. Senti que deixava meu corpo físico e tornava-me uma consciência flutuante, capaz de observar tudo ao meu redor. Vi minha família reunida ao redor do meu corpo no cômodo onde caí, em prantos. Estava tão triste de vê-los em tal sofrimento que tentei falar com eles.

– Não se preocupem, estou viva! A morte não existe! – disse.

Mas foi em vão, porque eu não tinha mais voz – eles não conseguiam me ouvir. A única coisa que podia fazer era projetar meus pensamentos na direção deles. E então comecei a me distanciar, como um balão de gás hélio que alguém soltou, e flutuei bem, bem acima deles, em direção ao escuro – uma penumbra densa e pacífica com luzes belas e cintilantes por todos os lados. O forte sentimento de calma e contentamento passou sobre mim.

E exatamente neste momento, vi algo incrível.

Vi o meu avô.

Ele estava ali, no espaço à minha frente, ainda que não em seu corpo físico e sim em espírito – que era belo, inegável e inteiramente dele. Minha consciência de imediato reconheceu a dele. Era um ponto de luz, como uma estrela brilhante na escuridão do céu noturno, mas a luz era poderosa e magnética, impelindo-me em sua direção, preenchendo-me de amor. Era como se eu estivesse vendo sua versão verdadeira – não seu corpo terreno, mas ao invés disso, visse o brilho maior, interno, que era ele de verdade. Via a energia de sua alma. Entendi que ele estava a salvo e em um lugar bonito, abundante em amor. Entendi que ele estava em casa e, naquele instante, também entendi que este era o lugar de onde nós viemos, o lugar onde pertencemos. Tinha voltado para o lugar de onde veio.

Ao perceber que este era o meu avô e que ele ainda existia de alguma forma, fiquei menos triste. Senti muito amor, conforto e, naquele momento de reconhecimento, grande felicidade. E, antes de ser atraída para casa junto com ele, senti algo me cercar e puxar-me de volta.

Então, acordei.

Sentei-me na cama. Meu rosto estava úmido. Estava chorando. Mas não estava triste. Eram lágrimas de alegria. Estava chorando, pois tive a chance de ver meu avô!

Deitei e chorei por um longo tempo. Foi-me mostrado que a morte não significa perder quem amamos. Sabia que ele ainda estava presente em minha vida. Sentia-me muito grata pelo meu sonho!

Foi apenas após muitos, muitos anos mesmo, que adquiri experiência o suficiente para entender o que a passagem de meu avô e os eventos que aconteceram durante esse tempo significaram na minha vida.

O que eu senti na piscina foi o começo da viagem de sua alma para outro lugar. Por amá-lo tanto – por estar conectada a ele de forma tão poderosa –, minha alma pôde sentir que a dele embarcaria em uma jornada. E sentir isso não era uma maldição, de forma alguma. Permitiu-me passar aquela última tarde mágica com ele. Se isso não é um dom, o que seria?

E o sonho?

O sonho me convenceu de uma coisa – que meu avô não se foi. Apenas estava em outro lugar. Mas onde exatamente?

Não podia responder aos 11 anos. Porém, com o passar do tempo, percebi que estava no Outro Lado.

O que quero dizer com Outro Lado?

Tenho uma analogia simples para explicar isso. Pense que seu corpo é um carro – novo no início e depois mais velho, muito velho. O que acontece com os carros quando envelhecem muito? São descartados.

Mas nós, humanos, não somos descartados como carros. Seguimos em frente. Só continuamos. Somos superiores ao carro e nunca fomos definidos pelo dito objeto. Somos definidos pelo que levamos conosco quando deixamos o carro para trás. Duramos mais que o carro.

A minha experiência me mostra que existimos além de nosso corpo. Seguimos. Continuamos. Somos superiores ao nosso corpo. O que nos define é o que levamos quando deixamos nosso corpo – nossas alegrias, nossos sonhos, nossos amores, nossa consciência.

Não somos corpo com alma.

Somos alma com corpo.

Nossa alma é conservada. Bem como nossa consciência. E a energia que nos fortalece. O Outro Lado é, então, o lugar onde nossa alma vai quando nosso corpo se exaure.

Isso traz muitas perguntas à tona. O Outro Lado é um lugar? É uma esfera? Um reino? É material ou espiritual? É um lugar de passagem ou um destino? Qual sua aparência? Como é o sentimento de estar lá? É cheio de nuvens douradas e portões iridescentes? Lá tem anjos? Deus está lá? É o paraíso?

Adquiri minha compreensão sobre o Outro Lado devagar e, mesmo hoje, tenho certeza de que sei apenas uma pequena porção do que se conhece sobre isso. Mas não preciso imaginar ou entender o Outro Lado para receber grande conforto dele. De fato, muitos já acreditam que nossos entes queridos que fizeram a passagem ainda estão conosco – em espírito, em nosso coração, trazidos de volta à nossa vida pelas memórias. E essa crença prospera sem previsão de fim.

A realidade do que acontece com nossos entes queridos que se vão, no entanto, é infinitamente mais reconfortante do que as pessoas percebem, porque as almas que partiram estão mais próximas do que pensamos.

Aqui estão as duas primeiras verdades que aprendi através do meu dom:

1. Nossa alma é conservada e volta ao lugar que chamamos de Outro Lado e
2. O Outro Lado é realmente muito próximo.

Quão próximo? Tente isso: pegue uma folha de papel. Agora a segure à sua frente, como se a estivesse lendo. Perceba como ela se torna uma fronteira que divide nitidamente o espaço em que se encontra. Pode ser ínfima e frágil, um punhado de fibras de celulose juntas em uma trama, mas, ainda assim, é inegável que seja uma fronteira. De fato, como uma fronteira, a folha divide uma grande quantidade de moléculas, átomos e partículas subatômicas. Quando a segura na sua frente, você e bilhões de coisas estão no mesmo lado e bilhões de outras coisas – cadeiras, janelas, carros, pessoas, parques, montanhas e oceanos – estão do outro.

E, ainda assim, do seu lado da folha, você pode ver, ouvir e acessar o outro lado com bastante facilidade – na verdade, alguns dos seus dedos já estão lá, segurando o papel. Os lados podem estar separados mas, na prática, são a mesma coisa. O outro lado papel está *logo ali.*

Conforme esbarrar no termo "Outro Lado" durante este livro, tenha em mente aquela folha de papel. Pergunte-se: "*E se a fronteira entre a vida terrena e o pós-vida for tão fina e permeável como uma folha de papel?*"

"E se o Outro Lado estiver logo ali?"

2
A Moça do Mercado

Muito antes do incidente da piscina, eu já era uma criança peculiar.

Era hiperativa e instável. Tinha reações extremas a coisas corriqueiras. "*Quando Laura está feliz, ela é a criança mais feliz que já vi*", minha mãe escreveu no diário do bebê sobre meu primeiro ano de vida. "*Mas, quando está triste, ela é mais infeliz do que qualquer criança poderia ser*".

Muitas crianças são inquietas e enérgicas, mas eu tinha um motor interno que estava em constante agitação e que era impossível desligar. Na primeira semana do 1° ano, minha mãe recebeu uma ligação da enfermeira da escola.

– Darei a boa notícia primeiro – disse a enfermeira. – Conseguimos parar o sangramento.

Dei de cara na escada no playground, o que resultou um corte profundo na testa. Minha mãe me levou ao médico, que me deu sete pontos.

Na semana seguinte, fiz uma birra gigantesca no meu quarto porque minha irmã foi convidada para ir à piscina do vizinho e eu não. Derrubei a escada da beliche, que era pesada e de madeira, e ela me acertou na parte de trás da cabeça. Minha mãe me levou de novo ao médico, que me deu mais três pontos, sentou-se com ela e começou a fazer perguntas complicadas.

Eu era um tiquinho de gente, pequena e magricela para minha idade; uma fofinha de cabelo loiro com franja que podia ser um terror. Minha mãe tinha de me segurar pelo braço ou pela perna para conseguir me vestir. Se ela me soltasse por um segundo, eu sumia. Constantemente, batia de cara nas coisas – portas, paredes, caixas de correio, carros estacionados. Minha mãe tirava os olhos de mim por um instante e em seguida ouvia o baque da colisão. A princípio, ela me abraçava e acalentava-me, mas, depois de um tempo, seu discurso se tornou um: "*Poxa, Laura Lynne deu com a cara na parede outra vez*".

Quando me irritava com a minha irmã mais velha, Christine, batia os pés no chão e baixava a cabeça, correndo em sua direção como um touro. Ou me chocava contra ela e a derrubava, ou ela pulava para longe e eu saía voando.

– Vá para o seu quarto – dizia minha mãe – e não volte até agir como gente de novo.

No entanto, o pior castigo de todos era mandar eu ficar sentada.

Quando eu fazia algo particularmente ruim, minha mãe me fazia sentar em uma cadeira e não me mexer. Não era durante uma hora ou sequer dez minutos; ela me conhecia bem. Minha punição era ficar sentada por um minuto.

E, mesmo assim, era muito tempo. Eu nunca conseguia.

Pensamos em nós mesmos como sólidos, estáveis, seres materiais. Mas não somos.

Como tudo no universo, somos compostos de átomos e moléculas que estão constantemente vibrando de energia e, portanto, em constante movimento. Tais átomos e moléculas vibram em diferentes intensidades. Quando olhamos para uma cadeira maciça não parece que os átomos e as moléculas que a compõem estão se movendo. Mas estão. Toda a matéria, a criação, a vida é definida por esse movimento vibracional. Não somos tão sólidos quanto pensamos ser. Basicamente somos energia. Creio que minha movimentação vibracional quando jovem era mais intensa do que a de outras crianças.

Fora isso, tive uma infância bastante normal. Cresci em uma vila de classe média, adorável e arborizada, chamada Greenlawn, em Long Island. Meu pai é um imigrante húngaro de primeira geração que lecionava francês para o ensino médio, e minha mãe, cujos pais vieram da Alemanha, foi uma professora de inglês de ensino médio que ficou em casa para criar seus três filhos antes de voltar ao trabalho.

Não éramos pobres, mas o dinheiro era contado. Tinha de esperar para cortar o cabelo e usava as roupas de segunda mão da minha irmã. Minha mãe se dedicou a nos dar a infância mais maravilhosa possível. Se ela não conseguisse custear brinquedos novos, fazia carros, trens e cidades em papelão pintados com cores brilhantes. Todos os dias, ela desenhava cenas e personagens na embalagem do nosso lanche. Nos feriados e aniversários, ela decorava a casa. Em uma das festas de Christine, confeccionou lindas boinas para ela e todos seus amigos. Ela nos manteve longe da TV e nos encorajou a ser criativos. Christine e eu desenhávamos e pintávamos e, certa vez, abrimos nossa galeria de arte (dez centavos por obra-prima). Minha mãe fez nossa infância parecer mágica.

Ainda assim, não há como negar que eu era difícil e diferente.

Um dia, aos 6 anos, minha mãe foi ao mercado comigo. Enquanto esperávamos na fila, fui acometida por uma emoção. Queria explodir de chorar. Era como estar em uma praia e ser atingida por uma onda enorme de emoção que me derrubou, por seu caráter forte e inquietante. Fiquei ali, sentindo-me insuportavelmente triste e confusa. Não comentei com a minha mãe. Então minha atenção foi atraída para a caixa.

Ela era jovem, talvez estivesse no início de seus 20 anos, e de aparência comum. Não franzia o rosto ou chorava, parecia entediada. Mas eu sabia que não era só tédio. Ela era a fonte da tristeza horrível que eu estava sentindo.

Foi inegável que eu estava absorvendo a tristeza da caixa. Não sabia o que isso significava ou o porquê disso acontecer. Não sabia nem se era incomum ou não. Tudo que sabia é que sentia sua tristeza, que era extremamente desconfortável e confusa, e que eu não sabia como interromper a sensação.

Eu viria a ter muitas experiências como esta. Às vezes, enquanto andava ao lado de um estranho na rua, era acometida de uma forte carga de raiva ou ansiedade. Outras vezes, eu absorvia as emoções dos meus amigos e colegas. A maioria dessas experiências foram difíceis e infelizes. Mas também conseguia sentir emoções felizes.

Quando estava perto de alguém particularmente feliz, sentia-me exultante de forma positiva. Era como se as emoções não só migrassem para mim, mas também se intensificassem quando as recebia. Às vezes, sentia alegria pura e desenfreada, que claramente precisava de uma resposta menos extasiante. Momentos simples e felizes, como compartilhar um sorvete com os amigos, nadar em um dia de verão, sentar com a minha mãe sorridente, poderiam me inundar de euforia e fazer meu ânimo ir às alturas.

Hoje ainda consigo evocar esses momentos de felicidade e minha tendência à hiper-reatividade ainda está ali. Por vezes, apenas ouvir uma música, ler um poema, ver uma pintura ou mesmo morder algo delicioso, faz com que sinta explosões de alegria e bem-estar. É como se nesses momentos simples, sentisse minha conexão com o mundo mais intensamente.

Na infância, isso significava ir de extrema felicidade à depressão, dependendo de quem estivesse por perto. Tinha quedas abruptas, seguidas por uma subida exuberante, seguida de outro mergulho – era uma montanha-russa de mudanças de humor. Comecei a me preparar para essas mudanças emocionais e aprendi a esperar que passassem, até ser capaz de recuperar o equilíbrio.

A percepção de que absorvia os sentimentos de outras pessoas foi um grande passo para entender por que eu sentia emoções tão voláteis. Mas se passariam anos até que eu descobrisse que essa minha estranha habilidade na verdade não era tão estranha e tinha um nome: empatia.

Empatia descreve nossa capacidade de entender e compartilhar as emoções dos outros. Houve experimentos científicos revolucionários, em particular o de dois neurocientistas, Giacomo Rizzolatti e Marco Iacoboni, que demonstraram que o cérebro de alguns animais e de quase todos os humanos contém células chamadas neurônios-espelho, que são ativadas tanto durante a execução quanto na percepção de uma atividade.

– Você me ouve com voz embargada devido ao sofrimento emocional, pois os neurônios-espelho em seu cérebro simulam minha angústia – explicou Iacoboni. – Você sabe como me sinto porque literalmente sente o que eu sinto.

A empatia é uma das formas que estamos profundamente conectados enquanto seres humanos. É a razão pela qual sentimos alegria quando nosso time favorito ganha – porque, embora não estejamos disputando, rapidamente absorvemos o júbilo dos jogadores. É a razão que nos motiva a doar dinheiro para vítimas de tragédias a um mundo de distância – porque podemos nos colocar no lugar de um estranho e sentir seu desespero.

Em outras palavras, seres humanos estão conectados de forma significativa e crucial. Existem caminhos reais e vitais entre nós.

A princípio, experimentei esses caminhos como tristeza e alegria compartilhadas. Mais tarde, podia ver fios de luz nos unindo. Minha compreensão de que estamos conectados começou naquele dia no mercado e cada experiência que se sucedeu aprofundou minha compreensão sobre a luz entre nós.

3
Austrália

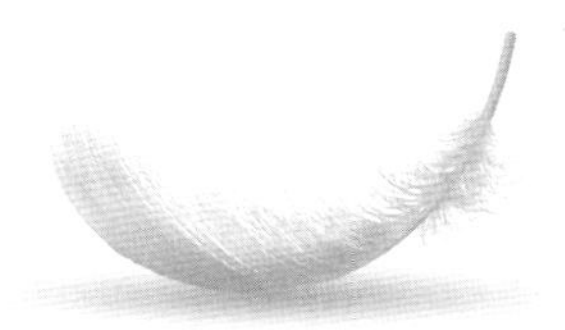

Na época em que meu avô faleceu, eu já tinha percebido minha intensa conexão com as pessoas ao meu redor — era tão forte que eu não conseguia evitar os sentimentos e as emoções deles. Mas, após a sua morte, quando o vi naquele sonho, comecei a notar que também estava, de alguma forma, conectada às pessoas que já fizeram a passagem.

Tudo isso era muito confuso. Embora vê-lo de novo tenha sido um presente, minhas habilidades ainda pareciam mais uma maldição do que uma benção. Elas me confundiam e com frequência me sobrecarregavam. O que significavam os fios e por que podia notá-los? Será que eu era só estranha e diferente? Ou algo mais estava acontecendo? Precisava de um nome para descrever o que havia de errado comigo. Foi quando, sem saber de fato o que a palavra significava, consegui um diagnóstico. Aproximei-me da minha mãe quando ela colocava os pratos na lava-louças e disse:

— Mãe, acho que sou sensitiva.

Não lembro quando ou como descobri o que significava ser sensitiva. Talvez em um programa de TV ou lendo um livro. É fato que não entendia bem o que isso significava, mas saber que um sensitivo poderia prever acontecimentos era o suficiente para mim. Não era isso o que eu era capaz de fazer?

Minha mãe parou o que estava fazendo e fitou-me. De repente, as palavras saíram uma atrás da outra — contei-lhe tudo. Sobre saber que o vovô faleceria, como o vi em um sonho e sobre a culpa e o medo que nutria. Conforme falava, comecei a chorar.

– O que tem de errado comigo? – perguntei. – Sou uma pessoa ruim por saber disso? A morte dele foi minha culpa? Estou amaldiçoada? Por que não posso só ser normal?

Minha mãe pôs a mão em meu ombro e me fez sentar à mesa da cozinha. Então segurou minhas mãos entre as dela.

– Escuta – disse, – a morte do seu avô não é sua culpa. Você não está amaldiçoada e não tem por que se sentir culpada. Você tem uma habilidade extra, só isso.

Foi a primeira vez que ouvi alguém se referir à minha condição dessa forma.

– Essa é apenas uma parte sua, mas todas são bonitas – disse minha mãe. – É algo natural, não sinta medo disso. O universo é maior do que pensamos.

Então minha mãe me contou algo que mudou tudo. Parece que as habilidades que tenho compõem seu lado familiar há gerações.

Sua mãe, Babette, a quem conheço como Omi, foi uma entre dez crianças criadas em um vilarejo entre montanhas na Baviera. Quando Omi era jovem, tempestades intensas ficavam presas entre as montanhas e descarregavam sua fúria no vale. Com frequência, os pais de minha avó a acordavam no meio da noite para que se vestisse e estivesse pronta para fugir caso um raio caísse na casa deles.

Por sua vila ser isolada, o contato de Omi com o mundo externo era limitado. Não havia telefones nem rádios. Ela foi criada com lendas, folclore e superstições. Aprendeu que ver uma aranha antes do café da manhã significava um longo dia de má sorte. Passar à esquerda de uma ovelha era boa sorte enquanto o oposto acontecia se passasse pela direita. Nunca colocava seus sapatos sobre a mesa para não atrair novidades ruins e se durante o dia ela ligasse as luzes sem motivo, faria os anjos chorarem. Se esquecesse algo em casa, o melhor a se fazer era girar três vezes, sentar e contar até dez antes de continuar sua jornada após recuperar o item.

O pior de tudo era encontrar um pássaro dentro de casa. Era indicativo de morte certa de alguém próximo.

Desde cedo, Omi aprendeu a confiar no poder dos sonhos. Descobriu que, às vezes, uma mesma presença aparecia em seus sonhos – uma figura sombria que colava o rosto à janela e levantava três dedos. Ela odiava esses sonhos. No dia seguinte ao sonho, ela anunciava que algo ruim aconteceria em três dias. E quase sempre estava certa: havia um contratempo, acidente ou morte.

– Já esperava por isso – dizia ela. – Pelo menos agora acabou.

Omi por fim se mudou para os Estados Unidos e criou uma família que incluía minha mãe, Linda, e minha tia Marianna. Mas os sonhos a seguiram desde o outro lado do oceano. Certa noite, um sonho apavorante no qual um amigo íntimo da Alemanha morreu a acordou. Ela anotou a data e a hora. Pouco tempo depois, recebeu uma carta com código postal da Alemanha, notificando-a sobre a morte dessa pessoa, que havia sido no mesmo dia e hora que anotara.

Em outra manhã, Omi estava sentada na cozinha trançando os cabelos de Marianna, que tinha 9 anos na época. Minha mãe era dois anos mais nova. De repente, o telefone tocou.

Antes que ela pudesse atender, Marianna danou a falar:

– Estão ligando da Alemanha para dizer que o tio Karl morreu.

– Shh! – Omi ralhou com ela. – Isso é algo horrível para se dizer!

Ela atendeu o telefone, ouviu por um minuto e então seu rosto empalideceu. A ligação era da Alemanha. O irmão de Omi, Karl, havia morrido.

Minha mãe se perguntou como Marianna poderia saber disso. Ela e a irmã sequer sabiam que tinham um tio Karl. Mas essa previsão nunca foi discutida a fundo. Durante a infância de minha mãe, Omi teve um baralho que mantinha escondido. Era alemão e muito velho, semelhante a cartas de tarô. De vez em quando, geralmente durante tardes de domingo, quando um de seus primos ia visitá-la e pedia que pegasse as cartas, ela as colocava sobre a mesa e as interpretava, na busca pelo destino da pessoa, fosse ele bom ou ruim.

Ainda assim, toda vez que pegava o baralho, ela o fazia com um aviso severo: não se brinca com as cartas, porque toda vez que as usa seus anjos guardiões o abandonam pelos próximos três dias.

Minha avó acreditava que energias de outro mundo e comunicação por sonhos eram reais. Quase sem exceção, as mensagens que vinham eram sobre morte, doença ou problemas. Por serem avisos sobre coisas ruins que estavam prestes a acontecer, não eram bem recebidos ou celebrados, apenas aceitos.

Anos mais tarde, quando anunciei para minha mãe que era sensitiva, ela me contou sobre os próprios sonhos. Uma vez, quando estava na faculdade, tinha se deitado e estava adormecendo quando ouviu – com clareza – seu pai chamar o nome de sua mãe, mas, de alguma forma, o jeito que disse passava a sensação de urgência. Era evidente que algo estava errado! Minha mãe se sentou, trêmula e confusa. Nada assim tinha acontecido com ela antes. Era muito tarde para telefonar para sua casa, mas, no dia seguinte, bem cedo, ela ligou para perguntar se o pai estava bem. Ele estava terminando a construção do porão, colocando painéis de madeira nas paredes. Usava uma serra potente para cortar as madeiras de que precisava e, na noite anterior, conforme manuseava a tábua em direção à serra, algo escorregou e ele cortou profundamente o dedo. E, naquele exato momento, gritou pedindo auxílio da minha avó. Estava bem, mas o corte foi horrível.

Quando estava um pouco mais velha, sonhou que um vizinho sofreu uma queda horrível no mercado. Quando acordou, teve o ímpeto de ligar para ver se o vizinho estava bem, mas não o fez. Mais tarde, naquele dia, descobriu que o vizinho tinha caído e faleceu.

Também sonhou com um telefone vermelho.

– No sonho, havia um telefone vermelho que tocava, alto e com urgência, e eu tentava desesperadamente atender, mas não conseguia – disse minha mãe.

– No dia seguinte, descobri que o tio do seu pai morreu na Hungria. Veja bem, a Hungria era um país comunista e comunismo é associado ao vermelho. Era por isso que o telefone em meu sonho era vermelho.

Explicou que frequentemente havia simbolismo nos sonhos e visões sensitivas.

Tia Marianna tinha as próprias histórias a compartilhar comigo após minha confissão. Contou-me que, com frequência, antes do Natal, tinha visões momentâneas e sabia com exatidão qual seria seu presente. Certa vez, ela teve uma dessas visões sobre um tapete no formato de um girassol e, três dias depois, foi exatamente isso que achou sob a árvore de Natal.

Marianna também tinha fortes presságios de que algo ruim aconteceria. Sem falhas, alguns dias depois acontecia a dita situação e ela dizia, assim como Omi:

— Ai Deus, estou feliz que acabou.

Mas minha tia também tinha visões boas e positivas. Pouco depois que Omi faleceu, Marianna viu uma joaninha e reconheceu nela uma mensagem de sua mãe. Com o passar dos anos, quando sentia que precisava de amor materno, uma joaninha aparecia magicamente. Minha mãe também as vê e, como minha tia, crê que são sinais de sua mãe. Ela viu uma joaninha voar no cômodo pouco antes de minha tia ir ao hospital fazer uma cirurgia. No Natal passado, encontrou uma joaninha andando no chão da cozinha — o que foi marcante porque não se vê muitas joaninhas no inverno de Nova York. Tanto minha tia como a minha mãe aceitaram que nossos entes queridos que se foram estão na terra todo o tempo, tentando se comunicar conosco.

A longa carreira da minha tia como enfermeira reforça sua crença de que os nossos entes queridos do Outro Lado estão cuidando de nós e trazendo-nos conforto. Com frequência, pacientes adoentados lhe diziam coisas como:

— Minha mãe está sentada ao meu lado.

Ou os ouvia falando com pessoas que estavam no mesmo cômodo, mas que ninguém mais podia ver, pessoas que faleceram anos antes. Marianna sempre sabia o que isso significava: aquelas pessoas fariam sua passagem em breve. Ela não considerava estranho ver tais situações. Ao invés disso, ela se sentia reconfortada, pois validava a ideia de que nossos entes queridos com frequência vêm nos ajudar a fazer a passagem para o Outro Lado. Então, quando seus pacientes lhe diziam que um parente veio visitar, minha tia apenas dizia:

— Bem, dê “oi” a ele por mim e diga que é bem-vindo.

A cada história que minha tia e minha mãe compartilhavam comigo, eu transbordava algo parecido com alegria. Elas não eram de forma alguma céticas sobre esses sonhos, essas visões e mensagens. Essa foi a razão pela qual minha mãe aceitou tão bem minha premonição sobre meu avô.

Anos depois, quando eu era adolescente, minha mãe e minha tia me deram um presente, que vinha em uma antiga bolsinha cinza de feltro. Coloquei a mão em seu interior e puxei algumas cartas — era o baralho especial de Omi.

Era colorido, vibrante e composto por desenhos encantadores. Havia espadas, escudos, reis e elefantes. Um querubim segurando uma caneca de cerveja. Um urso carregando um cachorro. Fiquei fascinada por quão únicas e vívidas eram essas imagens. Quando minha tia e eu sentamos para conversar, ela me explicou o significado simbólico de cada carta, reconheci que aquilo que segurava em minhas mãos era uma linguagem totalmente nova. Uma forma de encontrar significado onde não existia antes.

Não usei muito as cartas naquela época e ainda não as uso, porque aparentemente tenho uma conexão diferente com o Outro Lado. Mas as cartas podem ser ferramentas válidas para certas pessoas. Podem aquietar a mente e nos ajudar a focar uma nova linguagem de percepção para receber informação. Eu acredito que é como Omi as usava.

Ao me dar o baralho elas estavam, em suma, encorajando-me a explorar o mundo, mergulhar nele e buscar sentido. E, desta forma, queriam que soubesse que não sou uma aberração, que não há nada de errado comigo e que o dom que tenho é algo profundamente enraizado na história da família.

— Cada parte sua é legítima — disse minha mãe, certa vez. — E merece ser explorada. Não tenha medo de sua habilidade, ela é real e é parte de quem você é.

No dia em que terminei o 6° ano, nove meses após a morte do meu avô, minha mãe me deu outro presentinho.

— Vovô te deu esse presente — disse ela.

Congelei. O que ela queria dizer, que o presente era dele? Eu sabia que, em vida, ele sempre se orgulhara de comprar belos presentes para nós para celebrar ocasiões especiais. Sempre celebrava a vida de alguma forma diferente. Mas como esse presente poderia vir dele?

Minha mãe percebeu a minha expressão e explicou que meu avô tinha comprado o presente antes de falecer. Planejava dá-lo para mim quando me formasse no ensino fundamental.

Segurei o presente. Era uma caixa pequena e delicada, empacotada em papel pardo e atado com um barbante – da forma amorosa que meu avô embrulhava tudo. Sentei-me e abri-o cuidadosamente.

E quando vi o que era, fiquei em choque.

Era um lindo bracelete prateado com diversas imagens nele. Cada uma carregava o nome de uma cidade na Austrália.

Coloquei o bracelete no pulso e toquei o nome das cidades. Seria apenas uma coincidência que tanto o bracelete quanto meu sonho sobre ele estavam relacionados com a Austrália? Ou havia algum significado mais profundo? No fim das contas, nenhum de nós dois tinha estado lá. Parecia totalmente aleatório. E, ainda assim, nos conectava mesmo após sua morte.

Foi uma maneira do meu avô dizer: "*Ainda estou ao seu lado, menina*"?

Mesmo após todos esses anos, ainda tenho sonhos vívidos com meu avô, que parecem especialmente reais, como se estivessem acontecendo de verdade. Chamo-os de sonhos 3D. Neles, sinto-me leve como o ar, como se não estivesse mais presa ao corpo. Meu avô está irradiando alegria e luz como sempre. Nos vemos, conversamos, passamos um tempo juntos e, apesar de não lembrar sobre o que falamos, sem dúvidas me recordo que estar com ele é lindo.

Sempre que desperto estou chorando. Um pouco de tristeza por ainda sentir sua falta, mas principalmente de alegria, amor e felicidade, porque sei que nós ainda estamos *conectados*.

4
O Rapaz De Quem Gostava

Quando eu tinha 12 anos, Arlene, uma amiga da minha mãe foi nos visitar. Corri para a porta para cumprimentá-la. Gostava dela; era engraçada, alegre e sempre ficava feliz ao me ver. Mas naquele dia fui pega de surpresa quando ela entrou.

No instante em que a vi, ouvi um som bastante único – um tilintar suave e agradável, como um vitral dançando ao vento. No entanto, não havia vitral e nem vento. Então, quando ela disse oi, vi uma bela e rodopiante mistura de cores vívidas ao seu redor.

Não tinha ideia do que ouvia ou via.

Quando minha mãe e Arlene se sentaram, contei a elas o que houve.

– Ah – disse Arlene, com um sorriso no rosto. – Você é bem sensitiva, não é?

E essa foi sua reação. As duas voltaram a conversar e a rir. Eu não sabia se elas não tinham acreditado em mim ou se só não achavam que era importante. Mas para mim era porque agora eu não apenas sentia a energia das pessoas, como também ouvia e via.

Dali em diante eu tinha a habilidade de ver as pessoas em cores. Nem sempre acontece, mas é frequente o suficiente para que eu tenha me acostumado a isso. Existe um nome técnico para este fenômeno: sinestesia. De acordo com a revista *Scientific American*, sinestesia é "uma combinação de sentidos anômala, na qual o estímulo de uma modalidade produz, simultaneamente, uma sensação em uma modalidade diferente". Por exemplo, alguns sinestésicos ouvem cores; já outros sentem sons ou o gosto de formas.

De acordo com algumas estimativas, é um fenômeno raro presente em uma a cada 20 mil pessoas. Mas alguns cientistas acreditam que é bem menos incomum e pode ocorrer com uma a cada duzentas pessoas. Um sinestésico pode ouvir a nota de uma música e sentir gosto de brócolis, ou ler uma fileira de números em preto e branco e enxergar nela diversas cores. Não sabia nada sobre isso aos 12 anos. Tudo o que sabia era que tinha mais uma habilidade esquisita.

De alguma forma, meu cérebro estava sobrepondo as cores à realidade palpável. Era como se olhasse para um objeto através de uma janela pintada – a cor está no vidro e não no objeto. Além disso, as cores não duravam muito; elas apareciam por um instante e sumiam da mesma forma. A habilidade é inofensiva e, às vezes, até engraçada.

– Aquela pessoa é azul – diria a mim mesma enquanto ria. Ou então – Será que aquela moça sabe que está roxa?

Por fim, descobri que tinha maior chance de me sentir atraída por alguém que fosse azul do que, por exemplo, alguém que fosse vermelho. Os tons azulados faziam com que me sentisse em paz e feliz, enquanto o vermelho passava uma sensação negativa e de raiva. E, sendo assim, comecei a perceber que as cores me proporcionavam uma leitura rápida e conveniente das pessoas, de forma que podia avaliar sua energia e decidir se queria tê-las por perto. Era como ter um sentido extra que me ajudava a desbravar o mundo. Afinal, eu decidia que roupa usar baseado em sua cor. Isso é algo que todos fazemos. Certas cores fazem com que nos sintamos bem, outras não.

A única diferença para mim é que, assim como suéteres, as pessoas também eram coloridas.

Nessa época, tive uma paixonite por um rapaz chamado Brian, que era da minha turma do 6° ano. Sempre que estava perto dele, sentia que gostava muito de sua energia, muito mesmo. Era um sentimento novo e empolgante.

Gostei dele em segredo por um tempo, até que contei aos meus amigos, que contaram aos amigos de Brian e depois presumi que sabia que eu gostava dele. Mas então chegou até mim, através desse mesmo telefone sem fio, a informação de que Brian não gostava de mim e sim da minha amiga Lisa. Fiquei devastada.

Também estava muito confusa. Não fazia sentido me sentir tão atraída por ele sem reciprocidade no sentimento. *Mas eu realmente gosto da sua aura*, pensava com meus botões. *Como isso não* significa *nada para ele?* A decepção e a frustração foram muito dolorosas. Sei que todo sentimento unilateral é devastador para meninas e meninos desta faixa etária, mas o que eu senti ia além de apenas gostar de alguém – eu me sentia conectada a Brian.

Em certo momento, superei e no 7° ano tive uma paixonite de igual intensidade por um colega chamado Roy. E, mais uma vez, chegou a mim a notícia de que ele gostava da minha amiga Leslie e não de mim. Desta vez, a confusão e decepção foram insuportáveis. Não conseguia entender por que a atração que sentia não resultava em nada recíproco; como podia me sentir tão conectada se a relação com ele não daria certo? Noite após noite sentava em meu quarto escuro e tentava ignorar os sentimentos, mas não conseguia. Só queria desaparecer porque assim não teria mais sentimentos tão intensos.

Conforme crescia, a intensidade desses sentimentos começou a ser uma via de mão dupla. Se um rapaz gostava de mim e eu não retribuía o sentimento, sentia-me completamente infeliz. É uma situação desconfortável para todos, mas para mim era mais do que saber que um rapaz gostava de mim: sentia sua energia e absorvia sua tristeza. Eu não tinha o luxo de deixar para lá – essas interações típicas de adolescentes me sobrecarregavam e às vezes até me incapacitavam.

E assim, ao entrar na adolescência e desenvolver relacionamentos fora da família, minhas habilidades ficaram ainda mais confusas, mesmo que não fossem sempre negativas. No primeiro dia do oitavo ano, na aula de artes, senti meu foco se direcionar a uma garota com cabelo castanho e olhos verdes. Era como se algo ou alguém estivesse me puxando. O nome da garota era Gwen, e não era alguém de quem eu aproximaria normalmente. Estava absorta na conversa com sua amiga Margie e franzia o rosto. Ainda assim, senti uma conexão, como se nossas energias tivessem se combinado, então levantei, fui até ela e disse: "olá". Ela me olhou, intrigada, como se dissesse: "*Quem é você e por que está falando comigo?*" Mas eu não fui embora.

E pouco tempo depois viramos melhores amigas.

Nossa amizade continuou durante o ensino médio e além dele. Até hoje ela é minha amiga mais antiga e ainda somos parte da vida uma da outra. Nós nos animamos e confortamos mutuamente quando as coisas não vão bem. Gostamos de dizer que somos duas "metades da laranja".

Quando tinha 15 anos, minha família viajou para uma estação de esqui no Monte Sutton, em Quebec, que ficava cerca de nove horas de distância de onde morávamos. Fomos com amigos da família: o Sr. Smith, professor de inglês que trabalhava com meu pai (a quem chamávamos de tio Lee), sua esposa, Nancy, e seus filhos, Damon e Derek, além de um amigo de Damon chamado Kevin. Este era dois anos mais velho que eu, tinha 1,80m de altura, cabelos loiros e era esbelto. De cara, já amei sua aura. Era feliz, humilde, afetuosa, gentil e segura. Sentia que o conhecia, ainda que tivéssemos acabado de nos conhecer.

Hospedamo-nos em um condomínio próximo à estação de esqui e numa noite fomos ao pequeno bistrô vizinho ao prédio em que estávamos. Kevin e eu nos sentamos lado a lado e começamos a conversar e enquanto falávamos, tudo ao nosso redor pareceu calar e senti uma união incrível de energia. Era como se algo tivesse sido determinado. A energia do espaço entre nós se movia e encaixava-se, e eu sentia algo que parecia ser a atração de um imã. Era chocante. Nunca tinha sentido nada assim antes.

Então chegou a hora de ir embora. Sentia minha energia rodopiando loucamente dentro de mim, mas tentei me equilibrar e transparecer calma. Na porta, assim que estávamos prestes a sair para a noite fria, Kevin me encarou, sorriu levemente, inclinou-se em minha direção e beijou-me. Na boca.

Foi meu primeiro beijo. E meu mundo explodiu.

O beijo foi a porta de entrada, um convite para imergir no campo energético de Kevin. Além disso, era a primeira vez que isso acontecia – sempre tinha que lutar contra as emoções de outras pessoas, mas não com as de Kevin; com ele eu acolhi a energia. O sentimento era de euforia; apaixonei-me intensamente.

Tivemos muitos momentos felizes como namorados. Ainda assim, apesar de nossa conexão intensa, meu acesso ao interior de Kevin revelava algo inesperado: não permaneceríamos juntos. Desde o início, podia sentir que o caminho da vida dele, inevitavelmente, divergiria do meu. Enquanto me apaixonava pelos livros e pela leitura, Kevin gostava de analisar motores de carro e aparelhos eletrônicos. Ainda o amava e era capaz de ver que ele era uma alma bela e carinhosa, mas sabia que trilharíamos caminhos separados.

Talvez isto seja algo que muitas pessoas conseguem sentir, mesmo que estejam em um relacionamento com amor. Mas comigo era mais do que sentir – eu sabia, com o que parecia ser certeza.

Meu término não foi especialmente dramático e até hoje ainda o amo pela pessoa que é. Ele foi meu primeiro amor e isso em si já o torna muito especial para mim.

Meu romance juvenil, todavia, também me ofereceu uma lição de vida importante: amar alguém e sentir que ele ou ela é sua alma gêmea e afeiçoar-se àquele espírito não significa que vocês estejam destinados a estar juntos para sempre.

Às vezes, o fim de um relacionamento não é um erro e sim uma libertação para que ambos possam trilhar seus verdadeiros caminhos individuais. Alguns relacionamentos existem apenas para nos ensinar lições sobre o amor.

Também aprendi que podemos deixar as pessoas seguirem seu caminho e ainda assim desejar amor a elas. Não precisa ter amargura, culpa e raiva. Com o passar dos anos, encontrei Kevin algumas vezes; saber que ele está feliz, casado e é pai de três crianças lindas sempre enche meu coração de alegria. Kevin tem uma vida que ama e isso é tudo que desejei que encontrasse.

Pouco tempo após terminar com Kevin, apaixonei-me novamente. Chamava-se Johnny e era da minha turma no primeiro ano do ensino médio em Long Island. Ele era o bad boy da turma. Tinha 1,80m, era pálido, com cabelo castanho e olhos azuis. Era um piadista, sempre rindo e fazendo pegadinhas, mas também era durão e envolvia-se em muitas brigas. Parecia mais confiante, vivo e aventureiro do que a maioria dos rapazes na sua faixa etária. E, por conta disso, todos eram atraídos por ele.

A primeira vez que nos falamos foi numa noite de Halloween, quando eu estava com um grupo de amigos no point local que chamávamos de "El

Streets" – o cruzamento entre as ruas Elmundo e Elkhart. Eu não usava uma fantasia; provavelmente por me considerar descolada demais para tal. Johnny usava uma jaqueta de couro preta. Nossos olhares se cruzaram, ele veio até mim e conversamos; conforme nos falávamos, senti sua energia positiva e poderosa tocar-me dos pés à cabeça. Eu estava entregue. Johnny não teve nem que me beijar para escancarar as portas de suas emoções; tudo o que fez foi parar perto de mim.

Mergulhada em seu campo energético, percebi que as emoções de Johnny eram um livro aberto, de uma forma que nunca tinha experimentado – podia lê-lo completamente. Era capaz de dizer que, sob sua fachada hiper masculina, tinha feridas muito profundas. Descobri que seus pais se divorciaram quando ele era jovem e cresceu recebendo pouca atenção de ambos. Foi negligenciado por todos os adultos em sua vida e precisava desesperadamente sentir-se amado.

Desvendei de primeira seu papel de cara durão. Quando percebeu quão sintonizada eu estava com quem ele era no fundo, desatou a falar tudo para mim – sua origem, seus medos e sonhos. Não foi surpresa alguma termos nos apaixonado.

Meu relacionamento com Johnny revelou outra faceta preocupante de minhas habilidades. Devido à minha capacidade de sentir claramente sua dor e seu sofrimento, também sentia uma necessidade avassaladora de consertar essas coisas.

Contei à minha mãe que estava namorando Johnny e ela, que era professora de inglês na escola onde eu estudava, disse:

– Aquele rapaz? Não ouse namorá-lo. Ele me deu o dedo do meio quando eu supervisionava os alunos no ônibus escolar.

Mas quando levei Johnny para casa e minha mãe falou com ele, rapidamente também começou a amá-lo. Ela via, assim como eu, o filhotinho de cervo ferido dentro dele – a parte que era solitária e ferida, e quis ajudá-lo de qualquer forma. Durantes os próximos anos, Johnny se tornou um membro da família.

Nosso relacionamento durou uns dois anos, mas como qualquer casal de pombinhos do ensino médio, tínhamos nossas dificuldades. O que me atraiu nele – sua dor e seu tormento escondidos – também foi o que tornou as coisas instáveis. Nós terminávamos, voltávamos e então terminávamos de novo. Era a natureza de nosso relacionamento. Mesmo nossa conexão de almas profunda não era o suficiente para nos salvar.

Por fim, percebi que estava tão conectada ao seu panorama sentimental que nosso relacionamento sempre seria insuportavelmente complicado. Sabia que não tínhamos chance de nos entender e percebi que nosso tempo juntos tinha acabado.

Ainda penso em Johnny com amor. O tempo que passamos juntos aprofundou minha percepção de que as pessoas são trazidas ao nosso caminho por uma razão. Sempre há algo a ser ensinado ou aprendido, seja por um de vocês ou ambos. Fico feliz em dizer que o caminho dele o levou a um casamento feliz e à paternidade de duas crianças. Meu coração se enche de alegria por saber disso.

Minhas habilidades não facilitaram minha vida amorosa, mas me ajudaram a começar a entender a perspectiva mais ampla das coisas. Lentamente eu comecei a mapear minhas habilidades em um tipo de inventário. Eu não tinha nome para elas e não entendia por completo o que significavam ou como usá-las. Mas, cada vez que descobria uma nova habilidade, meu autoconhecimento aumentava.

De alguma forma, conseguia ler a aura das pessoas e absorver suas emoções. Podia ver cores ao redor das pessoas e usá-las para me ajudar a entender o mundo ao meu redor. Eu tinha a habilidade de descobrir coisas sobre a vida delas e, assim, saber quantos irmãos tinham ou se seus pais eram divorciados. Tinha sonhos que eram irreais de tão vívidos e que estavam cheios de mensagens que significavam algo para mim no mundo real.

Hoje, eu conheço o nome dessas habilidades, mas na época eu só as reconhecia como algo que tornava minha vida confusa e, frequentemente, com uma intensidade esmagadora. Eu nem sabia se eram únicas ou se todos as tinham.

O inegável é que conforme os anos da adolescência passavam, a energia dentro de mim se tornava mais intensa. Procurava maneiras de diminuir a intensidade do meu incansável motor interno, mas nada parecia funcionar. Esta energia, suponho, teria consumido cada parte de minha vida se eu não tivesse encontrado uma válvula de escape improvável: o futebol.

Quando estava no quarto ano, comecei a jogar futebol. Rapidamente se tornou minha salvação. Fui jogada no meio de um grande campo, onde mandaram eu correr até ficar satisfeita. Jogar futebol me deu um sentimento de liberdade e honestidade e, no processo, permitiu que eu gastasse um pouco da minha energia inesgotável.

Consegui me tornar muito boa nisso. Jogava em uma liga itinerante e no fundamental II consegui chegar ao time principal. Ainda que fosse uma miniatura de gente, dei conta do recado. O futebol significava mais para mim do que para as outras crianças. Não era apenas um hobby; eu não tinha escolha exceto ser implacável em campo. Mas eu tinha outra vantagem — minhas habilidades.

Descobri que podia ler a energia de jogadoras do time adversário. Eu ia para um dos lados do campo e olhava para a zagueira mais próxima e, em um instante, eu sabia algo sobre ela que me ajudava a decidir minha próxima ação. *Aquela garota é realmente agressiva*, pensava. *Vou disparar na direção dela e fazer finta, ela vai cair na jogada e passarei por ela.* Ou via uma zagueira e sentia que ela era mais passiva e pensava: *Vá pela esquerda e ela não conseguirá acompanhar.* Às vezes, o time adversário em campo parecia aberto e convidativo para mim, então eu driblava pela esquerda e alcançava o gol facilmente. Marquei muitos gols dessa forma.

Era trapaça? Às vezes, parecia que sim. Mas, no fim, não tinha nada que eu pudesse fazer para evitar isso. Eu sabia o que eu sabia e era assim que era. Não conseguia desligar minhas habilidades, então por que não usá-las para algo construtivo? Fiquei tão boa nisso que com frequência era mencionada no jornal local.

"Laura correu de uma ponta a outra do campo hoje", diria o artigo. "A energia dela nunca acaba."

Ah, se eles soubessem...

5
John Moncello

Graças ao futebol, consegui suportar o colégio. Ainda não sabia como controlar minhas habilidades, mas com o tempo aprendi a ocultá-las. Ninguém sabia da enxurrada de emoções, das cores estranhas, dos sonhos intensos e esforcei-me muito para que fosse assim.

Matriculei-me na Binghamton University, uma faculdade estadual renomada que ficava a cerca de 3 mil quilômetros de distância a nordeste de Nova York. Seria a primeira vez que viveria longe de casa e era tão assustador quanto empolgante. Fiquei triste de ter que deixar meus pais, mas também senti que sair de casa me daria uma chance de estabelecer uma identidade isenta da estranheza da minha infância.

O que não previ foi a maneira como a vida universitária me afetaria. Havia tantos estudantes amontoados em um espaço pequeno que me sentia ser levada por um tornado de novas ideias, emoções e energias. No caminho do meu dormitório ao banheiro público, passava por cinco novas pessoas, cada uma delas vibrando energias novas e eletrizantes. Eu as cumprimentava com a cabeça ou dizia "oi", mas ao mesmo tempo me sentia arrasada pelo que sentissem naquele momento. Em seguida me sentiria tomada de novo pelas emoções do próximo estudante por quem passasse. Medo, ansiedade, tristeza, empolgação, solidão... Era um fluxo de emoções como nunca experimentei. Senti que parecia um diapasão que vibrava com a energia coletiva de centenas e mais centenas de jovens emocionalmente turbulentos.

Também fui exposta a obras de arte extraordinárias, história e pensamento político – belas composições musicais, pintura clássica, leitura dinâmica, poemas impactantes. Tudo isso elevou meu espírito a alturas sem precedentes. Muitas vezes sentia uma alegria tão crescente e desenfreada por algo que precisava me lembrar de respirar. No entanto, assim que saía da sala e passava por um estudante que estivesse deprimido, isso podia me tirar das nuvens e lançar-me ao abismo. Era como caminhar em um rio que estivesse em constante mudança de corrente e temperatura – ora revolto e congelante, ora calmo, mas fervendo. Não conseguia entender o que acontecia e, sem dúvida, não conseguiria parar. A única coisa que podia fazer era permanecer na água e tentar não me afogar.

Nas férias de inverno voltei para nossa casa em Long Island e reencontrei alguns amigos do ensino médio. Muitos alugaram um quarto no hotel onde foi o nosso baile de formatura; sentamo-nos, bebemos e conversamos sobre as experiências da faculdade. Gravitei em torno de um grande amigo chamado John Moncello.

John era um dos seres mais bonitos e enérgicos que já vi. Conhecíamo-nos desde o dia que ele colou um post-it em minha mochila, durante o quarto ano, dizendo que gostava de mim e perguntando se queria ir andar de patins com ele. Nunca namoramos – por algum motivo rejeitei sua proposta corajosa –, mas sempre nos considerei bons amigos, sempre me senti atraída e conectada à sua energia tão maravilhosa e desenfreadamente positiva. Ele era uma das crianças mais inteligentes da escola e uma daquelas pessoas que faziam você se sentir confortável em ser você mesmo. Todos pensávamos que John era o líder do nosso pequeno grupo.

Naquela noite de férias, John e eu nos sentamos em um canto do quarto de hotel e intercalamos histórias sobre Binghamton e Berkeley, faculdade onde ele cursava seu segundo ano. Conforme a noite caía e as pessoas ou desmaiavam de bêbadas ou iam dormir, ficamos acordados até tarde conversando. Sempre acontecia isso com a gente: envolvíamo-nos em conversas incríveis e profundas – o tipo de conversa que nunca tinha com outros amigos. Naquela noite falamos sobre a natureza da existência. De repente, John ficou quieto e olhou para o céu escuro.

– O que você acha que acontece quando morremos? – perguntou.

– Bem – respondi, – eu sei que o céu existe.

– Como você sabe?

– Sabendo – disse-lhe. – Sei que existe um pós-vida e que é lá para onde vamos quando morremos.

John olhou para mim e franziu o cenho. Ansiei contar-lhe sobre o sonho na Austrália, sobre ver vovô e todas as coisas que aconteceram comigo, mas me contive. Ele sorriu e deu uma risada em seguida.

– Laura, talvez eu acredite nisso quando for mais velho – disse ele, – mas sou jovem, então não preciso me preocupar com isso ainda. Por enquanto, só quero acreditar que não existe um pós-vida.

Não disse nada que pudesse convencê-lo do contrário. Não podia revelar a verdade. A conversa parou aí. Alguns dias depois, voltamos à nossa respectiva universidade.

Cerca de um mês depois de voltar ao campus, tive um daqueles sonhos intensos e extremamente vívidos.

Neste sonho, eu estava na faculdade – não em Binghamton, mas em outra – eu era outra pessoa e sentia que estava prestes a perder a consciência. Tentei gritar em busca de ajuda, mas as palavras não saíam. Tinha o sentimento de que, se não conseguisse ajuda, morreria. Mas não importa o que tentava fazer, não conseguia me manter acordada.

Então de repente voltei a ser eu. Vi um grupo de amigos do ensino médio andando, soturnos, do lado de fora do meu dormitório. Eles choravam e carregavam algo nos ombros, algum tipo de caixa, que estava fechada e por isso não conseguia ver o que tinha nela, mas não precisava ver. Soube de imediato que havia uma pessoa na caixa. Um rapaz que eu amava. Nosso líder.

Enquanto via aquela procissão chegar até mim, senti um terror puro e absoluto, porque sabia que se eu não fizesse – ou melhor, desfizesse – algo, meus amigos sofreriam muito, porque o rapaz que amávamos tanto partiria.

Depois acordei.

Sentei-me, ofegante e em pânico, e olhei para o meu relógio digital. Era exatamente meia-noite. Agarrei meu telefone e liguei para minha mãe em frenesi.

– Mãe, alguém morreu? – Perguntei, meio histérica.

– Quê? Não, como assim?

Contei o sonho às pressas e senti a mesma culpa e o mesmo luto que senti ao saber que meu avô tinha morrido.

– Laura, calma, está tudo bem – disse minha mãe.

– Não, mãe, não está tudo bem! – berrei e comecei a chorar – Alguém morreu ou vai morrer! Por favor, não saia de casa! Não vá a lugar algum.

Conhecia meus sonhos vívidos bem o suficiente para saber que eram reais. Minha mãe conversou comigo e isso me acalmou. Garantiu que todos de nossa família estavam bem. Passei o resto do dia rezando para que o telefone não tocasse. Conforme as horas passaram sem más notícias, minha ansiedade se amenizou um pouco.

Às 8h em ponto, naquela mesma noite, meu telefone tocou. Era um de meus amigos do ensino médio.

– Laura, tenho algo horrível para contar – disse ele. – John Moncello morreu.

John estava prestes a ser aceito em uma fraternidade em Berkeley e tinha bebido muito na noite anterior. No meio da noite, cerca de 3h, alguns membros da fraternidade o chamaram e pediram para ir à casa da fraternidade imediatamente.

– Você tem que limpar nossa casa, novato – disseram a ele.

John protestou, dizendo que estava muito bêbado para fazer isso. Os membros então insistiram, assim John colocou a roupa e cambaleou em direção à casa.

Ele se esforçou para limpar tudo e quando terminou usou a escada de incêndio. Os outros geralmente saíam por ali. Mas John ainda estava bêbado, então tropeçou e caiu do terceiro andar, aterrissando na entrada.

Ninguém o viu cair. Ninguém sabia que estava ali. Então ficou no asfalto, inconsciente e sangrando. Alguém o encontrou algumas horas depois, morto.

O relatório do legista constatou que John sangrou até a morte devido a um trauma craniano. Ele não morreu na queda, mas com a perda de sangue. Seu corpo foi descoberto exatamente às 9h no horário do Pacífico. O que significa que era meia-noite em Nova York – o momento que acordei do meu sonho.

O legista também relatou que ele ficou consciente por um tempo. Ou ele não conseguiu pedir ajuda ou ele o fez, mas ninguém o ouviu.

Exceto eu.

Estava devastada. Perdi completamente a compostura na chamada com o amigo que ligou para dar a notícia. Desabafei sobre meu sonho. Sentia-me tão obscura e amaldiçoada. Isso era apenas uma afirmação de que seja lá o que houvesse de errado comigo – qualquer que fosse a origem das minhas habilidades – tinha a ver com algo maligno. Por que me oferecer esta informação sobre meu amigo John e ainda assim não me proporcionar a habilidade de mudar o resultado? Por que ter o sonho mas não conseguir tomar uma atitude quanto à informação para salvar a vida de alguém? Que habilidade doentia, horrível e inútil era essa?

No dia após descobrir a morte de John, saí de Binghamton e dirigi de volta para Long Island. Encontrei alguns amigos do ensino médio e fomos à casa de John oferecer apoio à sua mãe.

Ela estava aflita e em choque. Empilhara todas as coisas da faculdade de John na sala de estar. Disse-nos que poderíamos pegar o que quiséssemos. Vi meus amigos agarrarem algumas das suas coisas – camisetas, livros, CDs, tênis. Ver aquilo me deu náuseas. *Parem, por favor!* Quis gritar. Mas não disse nada. Fiquei ali parada me sentindo ainda mais isolada.

O próximo dia foi um borrão. Durante a procissão fúnebre, o carro da funerária passou lentamente por sua casa, local onde seus sonhos e esperanças tinham sido moldados. A missa parecia surreal, como se eu assistisse a um filme. Os discursos sobre como John era uma pessoa impressionante não conseguiram amenizar minha dor pela sua perda; ao invés disso, amplificaram a consciência de que ele se fora. John tinha partido. Não voltaria. E, dentre o grupo de pessoas devastadas que o amavam, existia apenas uma pessoa que sabia que sua vida estava terminando antes de acontecer de fato. Por que eu não consegui salvá-lo?

A imensa culpa que senti foi a razão pela qual decidi finalmente começar a falar de meu sonho. Acho que esperava descobrir se mais alguém "sabia". Contei sobre ele a três ou quatro amigos em conversas particulares e todos ouviram com educação, mas era claro que não lhes significava nada. Era só um sonho, no fim das contas, e o que sonhos tinham a ver com a realidade de vida e morte?

Depois disso, parei de falar do meu sonho por completo. Internalizei tudo que sentia. Talvez fosse para ser assim. Talvez fosse minha punição por não salvá-lo.

Precisamos descobrir quem somos e como nos encaixamos neste mundo. Houve momentos na minha adolescência que comecei a pensar que minhas habilidades talvez fossem inseparáveis e centrais para o meu propósito final de vida. Não podia fugir ou fazê-las parar e por isso considerava a possibilidade de que meu propósito talvez fosse encontrar uma forma de controlá-las e usá-las a serviço do bem.

Mas a morte de John e meu sonho sobre isso mudaram tudo para mim.

Era impossível que meu propósito na vida envolvesse algo tão doloroso e tão arrasador quanto isso. Esse tipo de "sabedoria" não poderia ser algo bom, tinha que ser algo ruim.

Prometi a mim mesma que abandonaria esse suposto dom. Não o queria e nem precisava dele. Viveria sem ele.

6
Litany Burns

Após o funeral de John e antes de voltar a Binghamton, marquei uma reunião com o pastor da minha igreja em Long Island. Precisava falar com alguém e ele era uma escolha óbvia. Além de ser afável e gentil, eu o conhecia desde criança. Ele era magro e tinha uma barba que me lembrava Jesus. Talvez fosse por isso que eu confiava tanto nele.

Encontrei o pastor em seu escritório, nos fundos da igreja, e, assim que me sentei, as lágrimas jorraram. Contei-lhe tudo, entre soluços e respirações entrecortadas – sobre o meu sonho e a morte de John. Contei sobre meu avô e a estranha sensação que me impulsionou a ir vê-lo uma última vez. Analisei a expressão em seu rosto, em busca de julgamento ou condescendência, mas não vi nada ali. Ele só sentou, ouviu e deixou que eu contasse minha história. Por fim, quando parei de falar, ele perguntou:

– Laura, que aulas você está cursando na faculdade?

Contei o que tinha em minha grade de horários: literatura, história, filosofia...

– Você tem aulas de filosofia?

– Sim, Introdução à Filosofia.

– Bem, o problema é esse – disse, impassível. – Esses sonhos e a forma como os interpreta estão relacionados às suas aulas de filosofia. Isso ocorre devido às novas ideias e teorias que estão enchendo sua mente. As aulas fizeram você ter esse sonho.

Ouvi ele falar e as lágrimas secaram. Respirei fundo, agradeci ao pastor por me ceder seu tempo, trocamos um aperto de mãos e fui embora. Ele não tinha más intenções e tenho certeza de que, em seu coração, acreditava que estava me ajudando. Mas ficou claro para mim que o que ele falou não condizia com a verdade. Afinal, minhas habilidades vinham me perturbando anos antes de começar a cursar Introdução à Filosofia.

Decidi que não encontraria respostas naquela ou em nenhuma igreja. Acreditava em Deus e que Ele sabia as respostas, mas, após minha conversa com o pastor, também acreditava que Deus era muito maior e mais poderoso do que aquela pequena estrutura física da igreja. As respostas estavam em algum outro lugar.

Quando voltei a Binghamton, tentei entrar no ritmo da vida de universitária. Não contei a ninguém o quão transtornada e instável me sentia – assim como não ousava contar a ninguém sobre minhas habilidades. Tentei ser a estudante típica: ia a festas, estudava muito, saía com alguns rapazes. Mas não conseguir tirar da minha cabeça o sonho que tive com John e caí em depressão profunda.

Minha amiga Maureen foi quem me salvou.

Por ela ser minha melhor amiga na faculdade, contei a ela um pouco sobre minhas habilidades. Um dia, mencionou que ouviu falar de uma mulher que morava em uma pequena comunidade ribeirinha em Nyack, norte da cidade de Nova York, lugar de onde ela vinha.

– O nome dela é Litany Burns e ela é sensitiva – disse Maureen. – Há alguns anos, ela trabalhou no caso Filho de Sam [o serial killer David Berkowitz adotou o nome de Filho de Sam por dizer que agia em nome de uma entidade cujo nome era Sam]. Talvez ela consiga tenha as respostas que você procura.

Não perdi tempo. Marquei uma sessão de uma hora. Ela era clarividente, médium ostensiva, tinha poder de cura e, em 1977, foi convidada pelo promotor do distrito de Manhattan para participar do infame caso do Filho de Sam, na cidade de Nova York. Ela não fazia propaganda de seu trabalho; aparentemente era tudo no boca a boca.

Uma semana depois, em um dia frio de Março, Maureen e eu dirigimos três horas até Nyak em seu conversível vermelho. A cidade banhada pelo Rio Hudson era pequena, bela e parecia ter congelado em outro século. O escritório de Litany ficavam em um prédio de dois andares ornado de tijolos claros, localizado em uma esquina pitoresca, no cruzamento com a rua principal. Encontramos um estacionamento e Maureen me desejou sorte enquanto saía para fazer compras. Estava ansiosa, animada e um pouco assustada. Parei em frente à entrada principal, mas hesitei antes de tocar a campainha. Estava com um nó no estômago. Finalmente respirei fundo e toquei a campainha e Litany abriu a porta para mim.

Cumprimentou-me à porta de seu escritório. Ela estava na casa dos 30, tinha cabelos loiros na altura dos ombros e olhos verdes gentis. Irradiava uma energia brilhante, o que me acalmou de imediato. Via a cor azul ao seu redor, em um tom cálido e curativo. Estar próxima dela parecia com estar próxima a um aquecedor em um dia congelante. O nervosismo acabou.

Apertei a mão dela, que me indicou o sofá, enquanto sentava na cadeira de frente para mim. Seu escritório era pequeno, aconchegante e básico. Sem cristais pendurados ou algo do tipo. Apenas um sofá, uma cadeira e uma mesa. Era um lugar seguro e reconfortante. A princípio, Litany permaneceu em silêncio. Ela olhava para mim e para o espaço em volta de mim, como se estivesse me avaliando. Por fim, sorriu ligeiramente.

– Bem – disse em um tom suave e reconfortante, – vejo que você é uma de nós.

Ela o disse como um fato, assim como uma enfermeira escolar diria à criança que ela tinha febre. Eu estava incrédula.

– Você sabe disso? – perguntou Litany. – Sabe que é sensitiva?

– Não – disse. – Eu não entendo o que é isso, só acho que sou algum tipo de aberração.

Litany sorriu.

– Você sente certas coisas vindas das pessoas? – indagou. Eu assenti. – Você consegue ler a energia de outros? – de novo, disse sim. – Você vê e ouve coisas que não são vistas ou ouvidas por outros? – sim para todas as alternativas.

— Você é clarividente e clariaudiente — declarou. — Você tem um dom e, com o tempo, irá entender como usá-lo. Não se sinta amaldiçoada ou envergonhada. Você não é uma aberração. Seu dom é belo.

Com essas poucas palavras, ela começou a trazer sentido para minha vida. Era como descortinar um quarto escuro, inundando-o de gloriosa luz. Pela primeira vez em minha vida, senti que encontrei alguém de me entendia, não apenas superficialmente, mas de dentro pra fora.

— Você tem um irmão — disse Litany. — Uma irmã mais velha. Seu pai tem emoções as quais tem dificuldade de expressar. Sua mãe é uma forte influência em sua vida.

Conhecendo-me a apenas minutos, parecia saber tudo sobre a minha família. E então ela se aprofundou ainda mais.

— Você é sensitiva, tem poder natural de cura — disse — e, com frequência, é atraída a alguém que não está bem. Quer fazê-los melhorar. Vejo que você tem muitos sonhos; é através deles que você se conecta com o Outro Lado.

Conforme ela ia falando, senti um alívio imenso, mas não apenas isso: era quase como um sentimento de ser perdoada. Tive um pensamento repentino que talvez eu tenha ouvido John em meu sonho simplesmente porque eu *podia*. Não porque eu era amaldiçoada, mas porque estava aberta ao Outro Lado. Talvez tenha sonhado com ele enquanto morria não porque estava destinada a intervir ou salvá-lo, mas porque precisava ouvi-lo dizer adeus.

— Você também é médium — continuou; — tudo que os outros sentem, você também sente, mesmo que eles não saibam o que estão sentindo.

Sentei-me, quieta, atenta a cada palavra. Poucos minutos antes, eu ouvia o som de carros e caminhões na rua principal, mas agora não conseguia ouvir nada exceto o som da voz de Litany. Era como se o resto do mundo tivesse sido reduzido a nada.

— Você sempre soube, desde criança, que estava neste mundo para fazer algo — explicou. — Que tinha um propósito. E neste ano você irá começar a entender isso. É por isso que sente este impulso. Você está aqui para ajudar as pessoas. Não tema seu poder. Tudo isso é sobre se sentir confortável o suficiente com seu amor e seus poderes curativos, para realmente senti-los e então usá-los.

Ao final da sessão, Litany perguntou se eu tinha alguma dúvida. Enfiei a mão na bolsa e peguei uma foto de John. Não tinha certeza do porquê de ter trazido ela comigo, mas agora sabia que precisava mostrar a ela.

— É um rapaz — disse-lhe, com a voz quase inaudível. — Era um amigo. Trouxe essa foto dele, e sua morte... Ele caiu... Ninguém sabe ao certo como aconteceu.

Ela segurou a foto por um minuto, antes de abaixá-la.

— Foi um acidente — disse ela. — Ele não foi empurrado ou algo assim. Talvez tenha envolvido bebida, mas por iniciativa dele. Não houve crime.

Então, Litany parou. Algo sutil, mas perceptível mudou nela — seu rosto, seus olhos, seu semblante. Parecia estar em outro lugar. Não fazia ideia do que estava acontecendo. Ela se inclinou para frente.

— John quer que você diga "oi" aos amigos por ele — disse, por fim. — Ele está dizendo: "Estou aqui. Estou bem. Só queria que minha mãe conseguisse superar isso. Continuo chegando perto dela para vê-la, falar com ela e ajudá-la, mas ela não me escuta".

O que estava acontecendo? Litany estava falando comigo *como John*. De certa forma, ela até soava como ele. Seus gestos pareciam os dele também. Mas, como?

— É bem legal aqui — continuou — Posso ver a todos e saber como estão. Fisicamente, sinto falta das pessoas, mas não me sinto como se estivesse longe porque ainda estou aqui. Quero que saiba que ainda estou na área. Sei que você me sente. E continuarei ao seu redor para que você sinta que estou aqui. E quem sabe um dia eu volte como o filho de um de vocês.

Então Litany riu, mas não era a risada dela — era a de John. E a piada sobre voltar como o filho de alguém era o tipo de coisa que ele diria. Ela nunca o conheceu e, ainda assim, trouxe-o à vida, ali, em seu pequeno escritório em Nyack. Podia sentir a sua presença, sabia que ele estava ali.

– Ele está bem – disse. – Continua com a personalidade piadista que tinha na Terra. Ele parece bem, forte. Quer que vocês saibam que ele está bem e, mais importante que isso, que ainda ama vocês.

Abaixei minha cabeça e comecei a chorar.

Acima de tudo, senti uma profunda sensação de alívio.

Alívio de saber que John estava bem. Mas também de perceber que o que eu acabara de testemunhar – Litany de alguma forma o invocando de onde quer que ele estivesse – não era algo das trevas ou perverso. Era algo bom, clemente, curativo e amoroso! Era lindo!

Naquele momento, tive uma epifania – algo *mudou*. Soube instantaneamente que aquele era o divisor de águas da minha vida.

Em vez de apavorada, pela primeira vez em toda minha vida me senti cheia de esperança.

Antes de eu partir, Litany me deu outro presente, um livro que ela tinha escrito alguns anos antes, chamado *Develop Your Psychic Abilities* [sem publicação no **Brasil**].

– Isso vai explicar muitas coisas para você – disse.

Queria abraçá-la e nunca mais soltar, mas em vez disso eu apertei sua mão e a agradeci educadamente.

Corri escada abaixo, encontrei Maureen e contei a ela o que tinha acabado de acontecer. Eu estava eufórica, exultante. Sentia-me livre pela primeira vez em anos – quiçá pela primeira vez na vida.

Assim que voltamos a Binghamton devorei o livro de Litany. Cada página trazia contínua sensação de reconhecimento

– Meu Deus, sou eu! – gritava para ninguém enquanto lia. – Existem outras pessoas assim! Isso tem um nome!

Terminei rapidamente o livro e fui à livraria encontrar outro como aquele. Não sabia o que procurar, mas em uma loja me senti atraída por um título em particular: *You Are Psychic: The Free Soul Method* [sem publicação no Brasil] de Pete A. Sanders Jr. Foi escrito, por mais estranho que pareça, por um bioquímico e estudioso de neurociência do Massachusetts Institute of Technology. "*Assim que terminar de ler este livro*" dizia o prefácio, "*a capacidade de determinar o temperamento e personalidades das outras pessoas e a aptidão de sentir, ver, ouvir e ver eventos antes que aconteçam se tornará uma habilidade corriqueira para você."*

Continuei lendo – devorando, na verdade – capítulo após capítulo, cada um mais elucidativo que o último. Havia até um capítulo intitulado "Os Quatro Sentidos Psíquicos", no qual o primeiro é a intuição psíquica ou, como o autor chama, o "conhecimento".

Conhecimento! Assim como eu chamava! O conhecimento é "uma noção interna, não comprovada por nenhuma sensação interna ou estímulo externo. Você só sabe!"

Minha sessão com Litany foi o ponto de virada em minha vida. Devido ao nosso encontro que, ao invés de reprimir e tentar ignorar minhas habilidades, comecei a aceitá-las. Trabalhei para desenvolvê-las, entender que são parte de mim e que estavam destinadas, de alguma forma, a fazer parte do meu caminho.

Ela fez com que me sentisse menos isolada e anormal, e só isso já era um milagre. Enfim eu começava a achar respostas. Tinha começado a montar o quebra-cabeças. Começava a ver onde e como encaixaria isso em minha vida.

Mas eu sabia que minha sessão com Litany não era para simplesmente fazer eu me sentir melhor comigo mesma. Não era sobre meu passado e sim sobre meu futuro.

– Use seus talentos – disse quando eu partia – Leia as pessoas. Seus instintos serão seus melhores amigos, então ouça-os o máximo que puder. Siga-os, use-os e pratique.

– E quando o fizer, estará no seu verdadeiro caminho.

7
O Caminho à Frente

Meu encontro com Litany não foi o final da minha busca por respostas. De certa forma, era apenas o começo.

Tudo que ela me disse e o que li em livros me transmitiam a mesma mensagem: esteja aberta. A novas ideias, novos fluxos de informações, novas possibilidades. Poderia ter entendido minhas habilidades um pouco melhor, mas não entendia como deveria usá-las. Então continuei minha busca.

Em meu terceiro ano na faculdade, visitei minha casa e fui dar um "oi" para a amiga da minha mãe, Arlene, cujas cores já havia visto. Sempre me senti atraída pela sua energia franca. Ela gostava de astrologia. Eu não sabia nada sobre o assunto, mas quando ela sugeriu ler meu mapa astral, eu estava aberta a aceitar.

O mapa mostrava as posições dos planetas, da lua e do sol no exato momento do meu nascimento. Arlene explicou que, ao olhar essas posições no contexto dos doze signos do zodíaco, ela conseguiria entender meu caminho e meu propósito de vida

Sentamo-nos à mesa de sua cozinha e ela declarou sua conclusão rapidamente. Muitas das percepções de Arlene soaram verdadeiras – que eu não gostava que me dissessem o que fazer, que era tanto introvertida quanto extrovertida e que tinha dificuldades de conter minha energia.

Então disse algo que não fazia sentido algum:

– Seu sol é semissextil e você é regida por Saturno – continuou. – As pessoas confiam em você e a respeitam. Diga-me uma coisa: você pensa em ser professora?

Professora? Não, eu não queria ser uma professora, tinha planos maiores. Queria ser advogada.

Minha irmã mais velha, Christine, era uma brilhante graduada na Universidade Princeton que se formou em direito em Harvard. Era o exemplo da família. Pensei que eu poderia ser tanto advogada quanto médica e, por odiar aulas de matemática, tinha mais chance como advogada.

Contei sobre meus planos para Arlene, que continuou a leitura. Mas, poucos minutos depois, olhou para mim e disse:

– Eu vejo um foco definitivo na educação. É parte do seu caminho. Em algum momento, lecionar vai se tornar parte do que você faz.

Esse mapa está um pouco errado, pensei, *porque não vai rolar.* Repeti para Arlene que cursava matérias para fazer especialização em direito.

– Bem – disse, por fim, – se a leitura estiver correta, você vai ensinar no campo de direito, porque ensinar está determinado no seu caminho.

No entanto, o ponto principal da leitura era que eu estava destinada a desempenhar um papel no mundo que ainda não via ou entendia.

– Você vai trabalhar em prol da humanidade – disse Arlene. – Será algo novo, que fará com que as pessoas lhe procurem e acreditem que você as ajudou. É um dom que você precisa compartilhar com o mundo. Só vai demorar um tempo para acontecer, não acontecerá de imediato.

Arlene sabia até mesmo quanto tempo ia levar – dezesseis anos para "receber do universo aquilo que precisava" e outros oito anos para "começar a agir".

Amei ouvir que tinha um propósito maior neste mundo, mas 24 anos era um futuro distante demais para que eu ficasse animada com isso.

Quando a leitura acabou, ela ofereceu uma sugestão:

– Deixe os pensamentos fluírem – argumentou. – Perceba todas as coisas que são necessárias para seu aprendizado. Espere o inesperado. Se fizer isso, você criará raízes.

Senti uma onda de emoção. Suas palavras se assemelhavam às de Litany quando me aconselhou: "*Use seu talento. Leia as pessoas. Siga seu instinto.*" Agora Arlene era quem me encorajava a explorar minhas habilidades. Afirmava que não estava errada em buscar respostas – era necessário para que descobrisse meu verdadeiro caminho.

Abracei Arlene. Na entrada da casa, ela sorriu e disse:

– Boa sorte em sua aventura!

De volta a Binghamton, desenvolvi uma nova forma de lidar com as minhas habilidades. Embora não sentisse mais que precisava escondê-las, também não queria gritar aos quatro ventos que elas existiam. Não queria ser a "garota sensitiva". Decidi que não deixaria que elas me definissem; seriam apenas uma parte de quem sou. Eram apenas algo que eu era capaz de fazer, como falar francês ou jogar futebol.

Amava como me sentia bem e livre ao ser honesta sobre minhas habilidades. Estava aprendendo como integrar meu dom em minha vida normal.

No entanto, tratar minhas habilidades tão casualmente gerava, sem querer, uma consequência. Sem perceber, acabei desrespeitando e usando-as de forma irresponsável.

Certa noite bebi com meus amigos em um bar do campus, chamado The Rat. Descobri que minhas habilidades se amplificavam após duas doses de álcool. Era uma fórmula mágica. Fazia até sentido para mim pois o álcool desinibe a mente analítica, o que fazia com que as informações psíquicas fossem muito mais acessíveis. Após algumas bebidas, as informações sobre as pessoas viriam uma após a outra.

No The Rat, depois de minha segunda bebida, olhei ao redor e percebi um rapaz muito fofo. Estava encostado na parede, e tinha cabelos castanhos e cacheados, pouco visíveis devido ao boné de beisebol vermelho. Ele tinha uma energia confortável e masculina – confiante, mas não arrogante. Tinha cerca de 1,75m, corpo atlético, olhos verdes e um sorriso casual e natural. Disse à minha amiga que iria até ele para conversar.

– Boa sorte com o Chapeuzinho Vermelho – disse ela.

Andei furtivamente até ele e senti sua aura puxando-me ainda mais perto.

– Oi – disse-lhe. – Então... Seu nome começa com um J?

– É... Sim – respondeu. – Jeremy.

Mais informação fluiu até mim.

– Você tem um irmão mais velho, certo? – perguntei. – Dois anos mais velho? E tem outro irmão que tem, quem sabe, 7 anos?

O sorriso natural de Jeremy começou a sumir.

– Ah, e você é protestante, certo? Sua família toda é. Seu pai não é uma presença física na sua vida, mas sua mãe tem uma energia que, pra você, é vigorosa. Vocês são bem próximos. Sempre foram, mas agora são mais ainda. – continuei, ininterruptamente, a contar detalhes específicos sobre ele e sua família. O queixo dele caiu.

– Como...? – hesitou ele. – Você é uma *stalker*?

– Não – respondi. – Só sensitiva.

Expliquei a Jeremy como obtinha informações das pessoas e, ao invés de se sentir perturbado, ele estava aberto à possibilidade.

Usei minhas habilidades para flertar com um rapaz.

Tentei encontrar formas de tornar minha habilidade algo divertido, útil e produtivo, não algo que era sombrio e difícil. Percebi como meu dom poderia ser útil e até mesmo um truque de festa. Por vezes, não de maneiras muito honradas. Houve algumas ocasiões – não muitas, mas algumas – em que, após brigar com alguém, eu começava a invocar informações sobre a pessoa e se alguma fosse negativa, eu me sentia melhor. *Ela nem sabe, mas o namorado vai terminar com ela em três meses*, pensava, presunçosa. E se um dos meus melhores amigos brigava com alguém, "analisava" a pessoa e dizia-lhes:

– Sim, bem... os pais dela estão prestes a se divorciar.

Em retrospecto, algumas vezes sinto vergonha do quão inapropriadamente usava minhas habilidades. Sendo honesta, não estava tentando ser cruel. Eu só tinha 19 anos e tentava descobrir o que queria fazer da vida, assim como qualquer outra menina da minha idade. Se fui imprudente com meu dom foi porque eu não reconhecia o quão especial ele era.

Eu estava crescendo, aprendendo, evoluindo. No ensino médio, não estudava muito ou dava muita ênfase à minha vida acadêmica. Tirava boas notas, mas não era pelo meu esforço. Em Binghamton, eu levava os estudos mais a sério.

Tive um professor de literatura inglesa chamado David Bosnick, que se tornou um mentor para mim. Sua energia era intensa; no minuto em que entrou naquela sala de aula fui cativada. Quando estava perto dele sentia alegria de viver.

No terceiro ano, ele perguntou se eu gostaria de ser sua assistente. Estava lisonjeada e aceitei de imediato.

Uma vez por semana, eu o ajudava a ter ideias para aulas e a corrigir provas, descobrindo ser muito boa nesse tipo de trabalho. Lecionei em minha roda de discussão composta por cerca de 25 alunos, até mesmo corrigindo provas de estudantes que conhecia – incluindo alguns do quarto ano (que estavam um ano à frente). A cada passo, o Professor Bosnick, sutil e não tão sutilmente, encorajava-me a ter interesse pela vida acadêmica.

– Este mundo já tem advogados o suficiente – berrava. – Ensine! Ensine! *Ensine*!

Ainda tinha em vista estudar direito, mas decidi que queria me inscrever para estudar fora do país e passar um semestre em Oxford.

– É o seu último ano – disseram meus amigos. – Você tem que ir para festas e se divertir!

Mas o Professor Bosnick acendeu em mim uma paixão por continuar aprendendo – a ser aberta a novas ideias, a me desafiar academicamente. Eu não queria festejar, queria estudar em Oxford.

8
Oxford

Oxford era o berço da história do pensamento e energia humanos. Era como se a energia estivesse em todos os lugares ao meu redor. Foi ali que algumas das mentes mais ousadas buscaram verdade e sabedoria. T. S. Eliot, o grande cientista Linus Pauling e dezenas de outros ganhadores do prêmio Nobel estudaram ali. Era o lar de diversos artefatos mágicos – relógios de sol milenares, telescópios antigos, um astrolábio de 1400, um globo celeste de 1318, o manuscrito original de *Frankenstein* escrito pela autora Mary Shelley, quatro cópias originais da Carta Magna de 1215. Depois havia a grandiosa e reverenciada Biblioteca Bodleiana na Broad Street, uma das bibliotecas mais antigas existentes. A "Bod", como tem sido chamada há séculos, é magnífica. Na primeira vez lá, mal pude passar da entrada – um gigantesco umbral de pedra em forma de arco entalhado com os brasões de diversas universidades de Oxford. Uma vez dentro, cambaleei devido ao cheiro almiscarado, os tetos abobadados muito acima de nós, o brilho suave das escrivaninhas de mogno e infinitas estantes lotadas de livros antigos e com capa de couro.

E os livros! Onze milhões deles, todos imbuídos do poder e da energia de seu criador. O escritor Ezra Pound certa vez disse que os homens que leem são intensamente vivos e que o livro deveria ser uma esfera de luz nas mãos da pessoa. Foi exatamente assim que me senti quando entrei na Bod – era como se milhares de bolas de luz cativantes flutuassem ao meu redor, dançando, energizando meu espírito. Não parecia que a via pela primeira vez, e sim que estava voltando para o lugar ao qual eu pertencia.

Rapidamente me adequei a uma rotina confortável. Designaram-me um pequeno apartamento na Vicarage Road, número 66. Meu quarto dava para um jardim pequeno que tinha um ar de magia de fadas.

Todas as manhãs, subia em minha bicicleta alugada e pedalava até a biblioteca. Passava horas escrevendo, lendo e pesquisando Shakespeare e Jane Austen, minhas duas áreas de pesquisa. À noite, eu ia ao pub local encontrar amigos e beber.

O programa acadêmico era rigoroso e era responsabilidade dos alunos determinar a própria rotina de estudos. Encontrava meus dois orientadores uma vez por semana. Nestes breves encontros, falávamos sobre meu ritmo de estudo e progresso. Exceto nestes momentos, era tudo por minha conta. Esperavam que eu produzisse um artigo ao fim de cada semana. Não havia mimos ou encorajamento gentil. Era uma bolsa de estudos que deixava o estudante na corda bamba; ou nadava ou se afogava. Eu amava isso. O período que passei em Oxford também foi de poderosa validação. Não importava a estranheza das minhas habilidades, Oxford confirmou que tinha potencial para alcançar grandes coisas no âmbito acadêmico. Trabalhei e fui desafiada de maneiras como nunca fui. Passava quase todo meu tempo imersa em aprendizado e livros. E descobri que ao invés de afundar, nadei. Na verdade, eu voei. Ao fim, os resultados foram minhas notas finais: 10 em Shakespeare e 9,5 em Jane Austen. De volta a Binghamton, minha nota final do semestre foi 4.0.

Meus dias em Oxford foram alguns dos mais felizes em minha vida. Eles preenchiam meu coração de maneira profundamente espiritual. Sentia minha mente se expandindo e era empolgante. Viajar abriu minha mente, meu coração e encheu-me de energia. Minha compreensão de quem eu era mudou radicalmente.

Ainda que o tempo que passei lá tenha sido maravilhoso, não me distraiu do objetivo de me tornar advogada. Tinha sido aceita para a faculdade de direito e estava em um caminho verdadeiro em direção ao sucesso. E, ainda assim... devo admitir que parte de mim não tinha certeza.

— Você sempre soube, desde que era criança, que estava nesse mundo para fazer algo — dissera Litany Burns — Você tem um propósito que é ajudar as pessoas.

Ser uma advogada se encaixava nessa descrição? De certa forma, achava que sim. Mas qual era o meu verdadeiro propósito? Qual era o melhor caminho? Qual caminho me permitiria compartilhar meus dons especiais com o mundo?

Pouco antes da minha colação de grau, um dos membros da irmandade Phi Sigma Sigma, Ann, pediu-me uma sessão. Eu não era particularmente próxima a ela; ainda assim, ela ouviu sobre minhas habilidades e pediu, com educação mas urgência, que a fizesse. Ela não queria encenação — queria ajuda real. Isso nunca tinha acontecido. Eu me esforçava muito para que meus encontros psíquicos continuassem leves e casuais. Mas Ann precisava de respostas.

Sentamo-nos na cozinha de minha casa e Ann falou, sem rodeios:

— Preciso saber de uma coisa — disse ela. — Quero saber se vou continuar com meu atual namorado no futuro.

Fazia alguns anos que Ann saía com um rapaz e, assim como muitas garotas que namoravam na faculdade, ela se perguntava se encontrara seu companheiro para a vida ou se o relacionamento era efêmero assim como a faculdade em si. Senti sua preocupação e ansiedade. Sentada à sua frente, senti algo que nunca tinha sentido antes ao usar minhas habilidades: uma sensação de responsabilidade.

— É que, bem, eu o amo, de verdade — continuou Ann — Mas quero saber se eu devo ficar com ele para a vida toda. Você pode dizer se vamos ficar juntos para sempre? Pode?

Não tinha certeza de qual informação, se é que teria alguma, chegaria até mim, e fiquei aliviada de ver que veio em forma de imagem. Vi Ann de vestido branco.

— Sim — disparei. — Sim, vocês irão ficar juntos. Vão se casar, comprar uma casa e então ter filhos. Mais de um, uns dois ou três. Este é o caminho que vão trilhar juntos. Construirá uma vida com ele e serão felizes.

Percebi a ansiedade desaparecer. De rosto corado, um grande sorriso iluminou todo seu ser. A calma a banhava, transformando-a de dentro para fora. Era uma das transformações mais bonitas e poderosas que já tinha visto. A um nível verdadeiramente profundo, aquela sessão a encheu de paz, felicidade e certeza.

Mas sua transformação não foi a única daquele dia. Senti algo começar a mudar dentro de mim enquanto fazia a leitura. Como disse, Ann e eu não éramos tão próximas, mas durante a leitura e depois, eu me senti incrivelmente ligada a ela.

Algo durante a troca que tivemos forjou uma conexão entre nós, ou seja, eu ter recebido sua energia, interpretado e retornado a ela com detalhes específicos e significativos nos uniu. Não havia julgamento, nenhuma sensação de que era uma frivolidade, apenas o sentimento de amor, conexão e propósito. Pela primeira vez, senti que fui convidada a fazer algo profundo e significativo, algo maior do que ela ou eu. Senti autoridade; tomei as rédeas do meu dom.

Ann se casou de fato com seu namorado e eles tiveram filhos. Da última vez que falei com ela, eles ainda estavam juntos em sua jornada pela vida.

9
Sedona

Eu deveria estar feliz por me formar, mas o estranho foi que parecia frustrante. Minha família compareceu à cerimônia e foi maravilhoso, mas, para mim, tudo soava desnecessário. A graduação não parecia o fechamento de um capítulo da minha vida; parecia uma extensão.

Na cerimônia de colação de grau, eu me senti saturada, desequilibrada e vulnerável devido à energia coletiva do êxtase de todos, bem como uma forte corrente de ansiedade e tristeza. A enxurrada de emoções irradiando de centenas de pessoas me sobrecarregou. Nunca estive em uma multidão tão grande onde os sentimentos de todos estivessem tão alinhados e fortes, e isso fez com que me sentisse derrubada por uma imensa mudança de energia ao meu redor. Foi uma sensação péssima.

Percebi que precisava arranjar um jeito de me proteger da energia e das emoções de outras pessoas. Sofria há anos por isso, mas agora que estava pronta para procurar meu lugar no mundo, a tarefa se tornou mais urgente. Foquei intensamente como bloquear a energia e não me sentir saturada. Precisava de um escudo. Comecei a mentalizar um tipo de campo de força ao meu redor. Visualizava uma luz branca caindo sobre a minha cabeça, encapsulando meu corpo e selando minha energia conforme alcançava o chão. Senti-me protegida.

Após a graduação, eu e minha amiga Gwen fizemos uma viagem para o Arizona que havíamos planejado há muito tempo. Desembarcamos em Phoenix, alugamos um conversível vermelho e dirigimos até Sedona com a capota aberta. As vastas e sobrenaturais formações rochosas – as famosas rochas vermelhas – mudavam de cor, de vinho a âmbar, dependendo da luz. As paisagens, os cheiros e a energia eram inebriantes. Sedona fazia meu espírito se elevar.

No primeiro dia na cidade, fomos a uma loja que vendia cristais. No mesmo instante, fui atraída para o balcão. Não foi por um cristal ou amuleto e sim por um cartão de visita. Peguei-o e li: *Ron Elgas, Sensitivo.*

Gwen e eu marcamos um encontro. Minha sessão com Litany Burns foi um marco, mas estava curiosa para ver se suas contribuições eram específicas para mim ou se todos que se consultavam com um sensitivo recebiam leituras semelhantes. Nós duas compararíamos anotações.

A esposa de Ron nos recebeu com um sorriso à porta de sua casa vestindo uma jardineira e de trança no cabelo. A casa era arejada e banhada com uma luz agradável. Quando Ron entrou no cômodo, sua energia me atingiu imediatamente. Era cálida e reconfortante. Seus cabelos claros estavam presos em um rabo de cavalo e seu rosto era amigável e relaxado. Ele se sentou em uma cadeira enquanto eu estava no sofá à sua frente.

A sessão então começou. Ron me olhou e as primeiras palavras a sair de sua boca foram:

– Que energia brilhante.

Depois ele fez uma longa pausa.

– Você é detentora de um tipo específico de energia – disse enfim. – É chamada de fogo de Deus e está relacionada ao seu compromisso com sua elevação moral. Independente do que fizer na vida, isso ainda terá relação com o seu espírito. Quaisquer lições que precise aprender ao longo do percurso para o seu caminho final, aprenderá.

– Toda essa luz ao seu redor – continuou, – pelo que vejo, não é normal. Elas me mostram raios de luz que saem de seu corpo e se espalham por todos os lugares. Existe uma conexão com o espírito infinito e ela foi preestabelecida em você. É uma escolha que você já fez. É o seu destino.

Qual é o meu destino? Pensei. *O que ele quis dizer com isso?*

– Vejo que está conectada a uma vasta egrégora de indivíduos; é uma parceria entre seres de luz – Ron explicou. – Eles trabalham *através* de você. Podem transmitir energia através de você. Há uma rede energética gigante ao seu redor e você está conectada a ela. Não sei como irá usá-la, mas é seu destino. Você criará muitas mudanças e despertares ao seu redor.

Ele continuou a dizer mais coisas sobre mim. Dava longas pausas como se estivesse ouvindo com atenção e depois falava rápido e confiante. Era capaz de ver que eu ainda estava desconfortável em acessar as informações sobre as pessoas e deu-me uma dica útil.

– Não tente forçar a audição – disse. – Ela virá a você facilmente. Quando ver ou ouvir algo, não aja com medo ou incerteza. Apenas continue fazendo o que já faz e obterá resultados.

Ron me disse que, seja lá qual for o meu propósito, eu não descobriria tão cedo. Eu teria de me abrir às possibilidades e então recuar. Repetir esse processo mais de uma vez. Seria uma luta. Ele também viu que eu me casaria e teria três filhos – duas meninas e um menino. Que isso aconteceria antes de eu aceitar completamente meu propósito.

E que um dia:

– perceberá que está na frente das pessoas – disse Ron. – Lecionando, falando... Coisas espirituais. Abrirá portas energéticas para outras pessoas. Fará algo semelhante ao que eu faço. Mudará a energia das pessoas porque veio a este mundo para ajudá-las a alcançar níveis mais altos de consciência e a reconhecer a existência desses níveis. Você fará outras coisas primeiro, dentre elas, formar uma família. Mas haverá uma expansão dentro de você, uma conexão de elos que a moverão ao seu destino e então você entrará nele. Ajudará a ensinar a humanidade.

De novo menção a lecionar. Não conseguia me desvincular dessa ideia.

– Você ainda busca respostas – continuou. – Ainda não pegou o jeito. Ainda não encontrou o que quer. Porém, está aí. Não fora de você, mas em seu interior. Todo o universo está *dentro de você*. Aquiete-se, escute-se, e envolva esta energia gentilmente. Não sei quando irá encontrá-la, mas já está aí. Laura, você tem uma missão.

Mais tarde, no carro, perguntei a Gwen como foi sua leitura. A dela não tinha sido nem um pouco parecida com a minha. Eles não falaram sobre luz, destino ou uma conexão com seres espirituais superiores. Sua leitura havia sido muito mais concreta, sobre os desafios que enfrentaria e o caminho que vinha a seguir.

Nós absorvemos a beleza e poder de Sedona enquanto pudemos. Meditamos em cânions com xamãs e nadamos em um rio próximo a um tobogã natural. Depois fomos ao Grand Canyon. Quando chegamos lá e descemos do carro, olhamos em volta e externamos um: "Oi?" A imponência do cânion não estava à altura da energia e atratividade incríveis de Sedona. No dia seguinte, entramos no carro e dirigimos de volta direto para lá.

De volta a Nova York, estava na hora de enviar o depósito para a faculdade de direito e garantir minha inscrição no outono. Segurei a carta por um longo tempo. Tudo parecia errado.

Algo estava mudando. Começou com Litany Burns e continuou com Arlene e Ron. Foi instigado pelo professor Bosnick, logo em Oxford e depois em Sedona. Não era um ponto de partida, como tinha pensado – era uma encruzilhada. Bem no fundo, já sabia qual caminho teria que escolher.

Encontrei minha mãe na cozinha.

– Mãe, não quero ir pra faculdade de direito – disse a ela. – Quero lecionar.

Minha mãe me olhou e sorriu. Aquele sorriso tinha um quê de que já sabia de alguma coisa. Então ela me abraçou.

– Bem – disse, simplesmente. – Isto é maravilhoso.

Aos 22, completei o mestrado em educação de inglês para alunos do fundamental II.

Enquanto procurava um emprego na área, trabalhei no departamento de educação de uma organização sem fins lucrativos. Namorava um rapaz chamado Sean e estávamos apaixonados. Ele era um músico com uma energia bela, artística e apaixonada. Ouvi-lo cantar e tocar as músicas que compusera me enchia de alegria. Fomos morar em uma garagem convertida em

Huntington Village, Long Island. A casa tinha uma sala de estar grande e arejada, com um pequeno banheiro e chuveiro ligado a um quarto nos fundos. Em um canto ficava a cozinha e o pequeno quarto era separado por uma meia parede. Para mim, era o paraíso.

Tinha um namorado, um mestrado, o próprio apartamento aconchegante e até mesmo um pequeno terrier chamado Quincy. Tinha tudo que esperei. Finalmente minha vida fazia sentido. Senti-me conectada às minhas habilidades e menos ansiosa sobre elas.

Pus um anúncio no jornal local, o *Pennysaver*:

LEITURAS PSÍQUICAS
LIGUE PARA LAURA

10
Perturbação

A primeira pessoa que respondeu ao meu anúncio foi uma senhora, que vivia em Lloyd Neck, não muito longe de onde cresci, chamada Delores. Marcamos dia, hora e dei-lhe meu endereço. No dia da sessão, estava tão nervosa que sentia dificuldade de respirar. Nunca tinha feito uma leitura formal com alguém que não fosse amigo ou conhecido e não tinha um plano ou um protocolo a seguir. Nem sabia o que era uma leitura de fato. E se meu dom falhasse?

A campainha tocou. Não podia mais recuar. Abri a porta e vi Delores parada, tão nervosa quanto eu. Ela era corcunda, inexpressiva e parecia baixa. Conduzi-a até a cozinha e sentamo-nos à mesa. As luzes estavam baixas, então acendi uma vela. Ela me olhou com olhos tristes que imploravam por ajuda. Não sabia por onde começar.

Por sorte, Delores foi quem deu início ao me contar o porquê de estar ali.

– Tenho 60 anos e quero adotar uma criança – disse ela. – Acredito ser a coisa certa para mim, mas quero ter certeza.

Qualquer um sentado a sua frente seria capaz de ver que ela estava solitária e fragilizada de alguma forma. Mas eu sabia outra coisa sobre ela: entendi que seu esposo falecera recentemente. Eu o via ou via um ponto de luz que sabia que era ele no campo de visão acima do nível dos meus olhos. E eu estava ciente de que ele estava em algum outro lugar. Sabia que não estava com ela.

Assim que entendi isso, mais informações sobre Delores vieram até mim. Podia ver que estava perdida sem seu esposo e ansiava desesperadamente por algum tipo de suporte, direcionamento, conforto. Estava desequilibrada, confusa, sem rumo e não sabia onde ir ou o que fazer.

O que veio com mais clareza, no entanto, foi sua dor. Era ardente e profunda, do tipo que nos incapacita e confunde – uma dor que exige uma resposta. Senti a dor, assim como senti a dor e tristeza de outras pessoas durante grande parte da minha vida. A diferença era que agora estava mais intensa e focada. Agora eu a convidava para entrar.

E enquanto a sentia, também entendi o que Delores tentava fazer. Para ela, a resposta para sua dor era trazer uma nova pessoa para sua vida. Ela queria adotar uma criança para preencher o vazio horrível causado pela passagem de seu marido, não pelo desejo de criar e educar uma alma jovem.

O que estava ainda mais claro para mim era que adotar uma criança na idade dela e levando em conta sua situação seria um erro terrível. Essa certeza não vinha de mim, isso me foi dito. A adoção não estava planejada em seu caminho.

Antes de descobrir o que eu queria falar, percebi que já estava falando. As palavras saíram em disparada. Não lembro de formular pensamentos ou organizar ideias – foi como uma onda de compreensão. Parecia traduzir o texto de outra pessoa.

– Você não pode cometer o erro de misturar seu caminho com o de outra pessoa – disse-lhe. – Não pode preencher o espaço dentro de você com outra pessoa. Precisa confrontar sua solidão. E encontrar outra forma de se sentir conectada ao universo novamente. Existe outro caminho a seguir. Pode se juntar a um clube de leitura, conhecer novas pessoas, trazer para sua vida um animal – um bichinho que precise de seu amor, sua proteção e seu conforto. Um que está destinado a cruzar seu caminho.

Delores ouviu com intensidade. Apenas mais tarde me veio o pensamento de que minha estreia como sensitiva profissional envolveu dizer a uma senhora solitária para adotar um animal de estimação.

A leitura continuou por cerca de uma hora. Depois que ela foi embora, tentei avaliar que impacto causei nela, se é que causei. Pelo que pude perceber, parecia aliviada, não mais tão tensa, menos pesada, como se um peso tivesse sido tirado de suas costas. Talvez já soubesse que a adoção seria uma má ideia, se não uma impossível, e só precisasse ouvir isso vindo de outra pessoa. Foi difícil chegar a uma conclusão se realmente a ajudei de alguma forma concreta. Porém, acreditava que o que disse a ela era real, verdadeiro e significativo. Nunca falei com ela de novo, então não posso afirmar se minha primeira sessão profissional foi um sucesso ou um fracasso.

Mas me senti bem o suficiente para continuar.

As respostas ao meu anúncio continuaram a chegar. Muito além do que eu esperava – dezenas de ligações. Até recebi um telefonema de uma mulher da Virgínia, perguntando-me se faria uma sessão com ela por telefone.

– Não sei – disse. – Nunca tentei fazer isso antes.

– Bem, se você puder tentar, poderíamos ver o que vai acontecer?

E então eu fiz minha primeira sessão por telefone. Novamente, não havia um protocolo, um sistema ou uma estrutura. Eu improvisava. Mas para minha grande surpresa e alívio, funcionou. A mesma quantidade de informações chegava até mim da mesma forma que teria acontecido se estivéssemos cara a cara.

Poucas semanas depois, recebi uma ligação de um homem chamado Paul; ele estava ansioso por uma leitura, então marcamos uma sessão. Ele apareceu em meu apartamento e sentou-se à mesa da cozinha. Tinha 20 e poucos anos e, no geral, sua energia parecia de alegria e confiança, ainda que estivesse um pouco nervoso naquele dia. De imediato, comecei a receber diversos pedacinhos de informação e a maioria destes era sobre sua namorada, Amy, que ele claramente amava muito. Foi quase instantâneo, a leitura e a informação que recebia focava principalmente seu relacionamento com ela.

Mas então, algo aconteceu. Pela primeira vez em uma sessão, senti uma presença em algum lugar atrás de mim e à minha direita. Antes disso, tudo sempre parecia estar à minha frente; não sabia dizer de onde especificamente vinha a informação, mas nunca pareceu vir detrás de mim. Era como pensar – a informação não surge do lado esquerdo ou direito da cabeça, só aparece em sua mente como um todo.

Mas agora percebi que meu campo de visão era maior e mais amplo do que pensei. A informação chegava até mim de novas direções – um portal novo e distinto se abrira. E o que vinha do meu lado direito, ligeiramente atrás de mim, depois se movia para minha frente, era claro e vívido: uma presença forte e poderosa. Ouvi um nome. Quem era esta pessoa? O que estava acontecendo? Eu não sabia. Só deixei escapar o que eu via e ouvia.

– Estou recebendo a informação de que alguém chamado Chris está conectado a Amy – disse a Paul. – Estou recebendo detalhes sobre ela.

Estava chocada com o quão específicos eram os detalhes. O tamanho do seu sapato, a bolsa que ela gostava, seu chapéu favorito e outras coisas íntimas. Paul ouviu em silêncio enquanto os detalhes continuavam vindo. Mas quanto mais eu falava, mais confusa ficava – por que a leitura de Paul era sobre Amy e não sobre ele? Comecei a me sentir desconfortável por ele e depois de um tempo me forcei a parar.

– Paul, mil desculpas, sei que não é isto que veio ouvir aqui – disse. – Nem sei o porquê de sua leitura ser sobre Amy e Chris.

– Tudo bem – disse Paul calmamente. Ele não parecia irritado ou ofendido. – Tudo que você está me dizendo está 100% certo, é tudo verdade.

Estava aliviada por saber disso, mas ele ainda não explicara o que estava acontecendo. Paul respirou fundo e começou a me contar.

– Chris está morto – disse ele à meia voz. – Morreu em um acidente de carro quando estava namorando Amy. Ela estava com ele no carro na hora da colisão.

Senti arrepios no corpo todo. O que Paul estava me dizendo? Que Chris vinha do além? Que eu estava ouvindo coisas vindas de uma pessoa morta quase tão claramente quanto se ela estivesse no meu apartamento?

Naquele momento, fiquei maravilhada. Estava começando a entender minha habilidade como sensitiva, a habilidade de perceber a energia da alma de uma pessoa e seu caminho de vida. Mas nunca considerei que poderia também ser uma médium, alguém que é capaz de se comunicar com o Outro Lado. E, ainda assim, naquela sessão, estava recebendo detalhes claros e específicos de alguém que tinha feito a passagem. Eu não tinha que buscar com atenção ou forçar a leitura — só vinha até mim, como a água sai quando se abre uma torneira.

Reagi com medo. *Isso quebra as regras*, pensei. *É muito estranho, muita responsabilidade. Não estou pronta para isso.*

Tinha apenas 23 anos, não estava equipada para lidar com este tipo de responsabilidade. Não compreendia o que significa se comunicar com alguém que já fizera a passagem — isso me apavorava. Não via beleza tampouco sentia gratidão por isso; pelo contrário, parecia esquisito e errado. Os velhos sentimentos negativos sobre meu dom de repente vieram à superfície.

Com a permissão de Paul, continuei a leitura. Chris estava ali e era insistente, com intenção de focar Amy. A informação que veio até mim foi que ela e Paul estavam destinados a ficar juntos. Eles deveriam crescer juntos em suas jornadas.

Em dado momento casariam e teriam dois filhos.

Quando a leitura acabou, disse adeus a Paul e desejei-lhe o melhor. Ele pareceu feliz com a informação que lhe dei e não estava assustado ao saber que o namorado morto da namorada dele os observava.

No entanto, eu estava abalada. Perguntei-me como a leitura afetaria o caminho daqui para frente, agora que podia me conectar com pessoas que fizeram a passagem. O que ainda não entendia completamente era que eu não estava apenas responsável por transmitir informação do Outro Lado. Também estava responsável por *interpretá-las*.

Olhando para trás, posso ver o que Chris estava tentando fazer. Ele estava tentando dar sua benção a Paul. Estava validando a própria conexão com a namorada de Paul e, no processo, deixando claro que desejava a ela muito amor e felicidade com Paul. Chris não veio através do portal para sabotar a leitura de Paul e fazer com que ficasse com ciúmes — o Outro

Lado não se envolve com negatividade. Tudo que vem do Outro Lado é, como aprenderia no futuro, baseado no amor.

Mas eu não sabia nada disso naquela época. Tudo que sabia era que minha sessão com Paul me apavorou. Naquela noite, contei a Sean sobre minha experiência.

– Não entendo o que aconteceu – disse. – Não estou bem. Não tenho certeza se quero continuar fazendo isso.

Ainda assim, as pessoas continuaram me telefonando. Meu anúncio nem estava mais nos jornais, mas as pessoas ouviam amigos falarem sobre mim e todos queriam uma sessão. Certa noite, ouvi uma batida na porta, mas quando abri não tinha ninguém. Havia apenas um post-it colado na porta.

– Preciso falar com você – lia-se na nota. – Preciso de uma sessão. Por favor, ligue para mim.

Fechei a porta, amassei a nota e joguei fora. Senti-me invadida e vulnerável. Não estava pronta para esta responsabilidade.

Na noite de 17 de julho de 1996, estava sozinha em casa. Sean estava no trabalho e deveria voltar logo. Relaxei enquanto lia um livro. Era uma noite como qualquer outra. Mas então, em algum momento após as 20h, meu corpo se contraiu involuntariamente e ficou tenso.

Sentei ereta e preparei-me contra uma repentina onda de pavor. Isso não era como as ondas de tristeza que ocasionalmente me alcançavam quando ficava próxima a pessoas tristes – este era um sentimento profundo e existencial de horror, caos e perturbação, como se o mundo estivesse acabando. Não sabia o que era ou o que estava causando isso, mas sabia que algo horrível tinha acontecido. Senti que houvera uma perturbação no universo e saber disso era horrível, desagradável e paralisante. De repente, senti que não conseguia respirar. Em pânico, liguei para Sean.

– Tudo bem? – perguntei, com a respiração entrecortada.

– Sim, está tudo bem – respondeu.

Mas nada estava bem para mim. Minha voz subiu de tom enquanto lutava contra as lágrimas que me sufocavam conforme falava.

— *Por favor*, venha para casa — implorei. — E, por favor, dirija devagar. Preciso de você aqui. Algo está errado.

Liguei a TV enquanto esperava por ele e o plantão de notícias passava na tela. Algo sobre um avião, uma queda. Um vídeo com cortinas de fumaça incandescentes tingindo a noite escura. Sentei e tentei limpar minha mente para que pudesse prestar atenção. Mas eu já sabia tudo que precisava.

Houve uma tragédia, que me foi manifestada.

Quando Sean estacionou na entrada, eu soluçava de tanto chorar.

— O que há de errado comigo? — perguntei-lhe. — Por que sinto essas coisas se não sou capaz de mudar o resultado? Por que tenho essas habilidades?

Fui acometida de um sentimento familiar: o de me sentir amaldiçoada.

Os detalhes horríveis emergiram durante os próximos dias. O voo TWA 800, um Boeing 747-100 que iria do aeroporto JFK para Roma, explodiu no céu à noite e caiu no Oceano Atlântico, próximo a East Moriches, em Long Island. A explosão e queda aconteceram cerca de 65 quilômetros de distância de onde eu morava. Todas as 230 pessoas à bordo foram mortas.

O horror da queda e minha capacidade de sentir a perturbação antes de ouvir sobre ela foram devastadores. Este ocorrido apagou o progresso que eu vinha fazendo na tentativa de aceitar meu dom. Mais uma vez, eu simplesmente não queria ter esse conhecimento. Estava aterrorizada por ser capaz de ouvir as pessoas que morreram e me pediam para entregar suas mensagens. Era uma responsabilidade enorme. Então eu parei. De atender o telefone e as batidas na porta. E de pensar em mim como uma sensitiva. Fiz a promessa de nunca mais fazer uma sessão.

Tudo isso se foi, as ligações, as batidas e as leituras, e eu tentei viver como uma pessoa normal. O universo me deixou em paz por um tempo. O Outro Lado parou de tentar vir para este lado e meu misterioso campo de visão escureceu, como se as forças que me guiassem decidissem respeitar meu tempo. Eu não estava pronta.

PARTE DOIS

11
Aberta às Possibilidades

Poucos meses depois de encerrar as sessões, consegui meu primeiro emprego como professora. A escola de ensino médio ficava a apenas meia hora de distância da casa onde cresci, mas a vizinhança estava totalmente diferente. Era assolada por drogas e criminalidade alta. Na escola, seguranças patrulhavam os corredores. A maioria dos alunos vinha de lares desestruturados e muitos tinham apenas um genitor; alguns deles, apenas um tio ou tia. Outros, nem isso.

No primeiro dia de aula, rapidamente vi como seria difícil. Os estudantes eram dispersos e rebeldes. Em uma turma de literatura do 3° ano, no meio da aula, uma garota chamada Yvette levantou da carteira, andou até a janela, abriu-a e cuspiu para fora. Então desfilou pela sala de volta à sua carteira. A turma se virou e olhou para mim, esperando minha reação.

Eu ignorei. Deixei passar, pois sabia o porquê de ela ter feito o que fez. Não foi para me desafiar e sim para conseguir minha atenção.

Minha habilidade de ler as pessoas me permitiu entender o que realmente acontecia com os estudantes. Não eram crianças ruins, apenas carentes. Ansiavam por atenção, carinho e amor. Estavam perdidas, confusas e desesperadas por orientação, mas para se protegerem, fingiam ser más e duronas. Estavam acostumadas a não serem vistas como realmente eram.

Podia sentir a raiva e frustração delas; podia ver suas energias serem bloqueadas. Mais que tudo, podia captar sua dor – pairando sobre elas como uma nuvem escura. Não tinham o necessário para serem bons estudantes. Precisavam de amor.

Não reagir quando Yvette cuspiu pela janela viria a ser um momento definitivo para mim enquanto professora. Sabia que podia sair pela culatra – os estudantes poderiam me ver como alguém em quem podiam pisar. Porém, tive que seguir meu instinto, que foi não me irritar. Isso seria mergulhar em suas dores.

Após a aula, fui de encontro a Yvette.

– Querida, você está se sentindo bem? – perguntei. – Está com algum mal-estar?

Yvette parecia ter congelado.

– Estou bem – disse à meia voz, e então foi embora arrastando os pés.

Depois disso, Yvette começou a se abrir um pouco para mim todos os dias. Conversávamos sobre sua vida e a ajudei com seus estudos. Nossa conexão se intensificou. Ela não precisava fingir perto de mim, nem se esforçar para ter minha atenção porque ela já a tinha.

A partir da minha primeira interação com Yvette nascia minha filosofia de ensinar. Eu amava livros e amava aprender, mas eu também amava crianças. Ensinar não era só preparar os estudantes para provas; era me conectar a eles, ajudá-los a ver a própria luz e alcançar seu potencial máximo. Era fazer com que soubessem que são importantes neste mundo.

Queria que soubessem que seu pensamento e sua energia eram importantes também em sala de aula. Se um aluno cabulava minha aula, eu deixava alguém responsável pela turma, ia para o refeitório e encontrava o fujão.

– Ei! – dizia. – Qual é, você precisa ir para a aula, vai ser incrível!

A princípio, olhavam para mim como se eu fosse doida, mas então me seguiam até a sala. Eles não estavam irritados ou chateados: estavam felizes! E sentiam-se assim porque alguém se importava com eles.

No final do semestre, Yvette veio até mim e entregou-me um cartão que ela tinha feito. Tinha adesivos de coração nele. Ela escreveu: "*Muito obrigada. Vou sentir sua falta e sempre vou lembrar de você.*"

O cartão de Yvette apagou quaisquer incertezas remanescentes sobre minha decisão de não ir para a área do direito.

Eu era uma professora. Este era meu caminho.

Naquele momento, Sean e eu estávamos juntos por cerca de um ano. Estávamos apaixonados; ele me pediu em casamento e eu disse sim. Mas ainda assim, estava incerta sobre nosso relacionamento. Na noite em que ele fez o pedido de casamento, tive um sonho vívido em 3D, de que o diamante em meu dedo era feito de açúcar e que eu lavava minhas mãos e o via se dissolver sob o fluxo d'água. Quando acordei, sabia o que o sonho significava, mas não estava pronta para admitir.

Nossas escalas também eram completamente diferentes. Eu acordava às 5h para me aprontar para o trabalho, enquanto, em muitas noites, Sean ficava acordado até as 4h tocando com sua banda. Nos víamos menos e brigávamos mais. Depois de um tempo, uma ideia surgiu em minha mente. Imaginava que estava em um barco a remo que se afastava da margem – uma analogia para a distância entre Sean e eu. Eu poderia tentar remar de volta para ele ou nadar para longe.

Escolhi nadar para longe da margem.

Saí do apartamento, que era uma garagem, e voltei para a casa dos meus pais. O término foi doloroso. Estava de coração partido e retraí-me. Quando não estava lecionando, eu lia, escrevia poesia e passava meu tempo na livraria local.

Certa noite, minha amiga Jill me ligou e disse:

– Laura, está na hora de voltar para o mundo.

Ela tinha uma proposta: queria que eu saísse com ela, o namorado Chris e um dos amigos de Chris.

– Zero interesse – disse.

– Laura, você tem que ir – disse ela. – Junte-se a nós, vai ser divertido.

– Obrigada, mas não, sério – retruquei. – A última coisa que quero é um encontro arranjado.

Jill foi insistente.

– Não estou arranjando nada. Vai ser só diversão entre amigos.

– Parece um encontro às cegas.

– Okay, então que tal fazermos assim: vou pedir que Chris traga dois amigos. Assim não vai ser só você e um cara.

Considerei a possibilidade. Não sendo um encontro às cegas, não faria mal, certo? O pior que podia acontecer é ser uma saída ruim.

– Okay – concluí. – Mas faça com que ele leve mesmo dois rapazes.

Dias depois, peguei o trem para Manhattan com Jill e Chris. Estava mal--humorada e tinha me arrependido de concordar em sair.

Encontramos os amigos de Chris na plataforma de Long Island. Um era um cara baixo e extrovertido chamado Rich, que me monopolizou e não me deixou em paz em nenhum momento durante a noite. O outro rapaz era alto e reservado. Chris nos apresentou e quando apertei sua mão algo dentro de mim mudou.

Foi nítido e repentino, como colocar meus dedos debaixo de uma bica que mudou rapidamente de frio para quente. Não posso dizer que foi romântico; nem era um sentimento. Eu ouvi uma voz interna cortar o tumulto da Penn Station e ela disse:

"*Esteja aberta.*"

Aquelas duas palavras foram suficientes para neutralizar meus pensamentos negativos. *Você não tem que fazer nada,* pensei. *Tudo que tem que fazer é estar aberta.*

– Oi – disse ele. – Meu nome é Garrett.

Não sabia nada sobre ele, além da informação de que ele cursava direito no Brooklyn. Durante a maior parte da noite não tivemos muita chance de conversar porque Rich não saía do meu lado. Perto da meia-noite decidimos ir ao último bar. Era um lugar pequeno, escuro e enfumaçado, com poucas mesas ao fundo. Quando Rick foi ao banheiro, Garrett e eu terminamos sentados um ao lado do outro.

– Então – disse Garrett casualmente. – Qual a sua história?

Contei para ele minha história. Toda ela.

Confessei tudo a ele naquele barzinho enfumaçado. Contei sobre a minha infância, meus medos, meu término recente. Sem rodeiros, sem fingir estar bem, apenas tudo. Garrett foi tão honesto quanto. Contou-me o quão doloroso foi o divórcio dos pais. Contou que seu relacionamento anterior acabou mal somente alguns meses antes. Contamos coisas um ao outro em um quase encontro às cegas que nunca imaginei compartilhar com alguém.

Na hora de ir embora, Garrett pediu meu número de telefone.

Em nosso primeiro encontro oficial, em um restaurante chique de frutos do mar em Manhattan, caí de novo no padrão de confessar tudo. Não haviam artifícios nem fingimentos, nada que nos atrapalhasse. Reuni coragem para contar a Garrett sobre minhas habilidades. Ele ficou curioso, quiçá fascinado, mas não perturbado.

Não houve um período de cortejo. Depois de quatro meses de encontros já falávamos sobre casamento.

12
A Chegada

Aconteceu em um domingo quente de verão nos céus acima da Jones Beach em Nova York.

Garrett trabalhava em período integral e esforçava-se para acompanhar as aulas de direito à noite. Seus horários eram insanos. Entre trabalho, aulas e estudo, ele não tinha muito tempo para mim. Após quase um ano de relacionamento, estava com minha mãe em Jones Beach, onde meu irmão participava de uma competição de triatlo e fomos prestigiá-lo. Localizada em uma das ilhas de barreira estreitas a sudeste da costa de Long Island, sempre pensei nela como um lugar maravilhoso e espiritual. Quando olhava para o horizonte sem fim me sentia conectada ao universo.

Mas naquele dia senti algo ofuscar o sol. Olhei para cima e vi uma cortina preta e brilhante cruzar o céu. Quando meus olhos se ajustaram pude ver que não era preta e sim um vivo e radiante tom âmbar. Movia-se, vibrava, de alguma forma estava viva, deixando passar pequenos feixes de luz, varrendo toda a extensão da praia. Fiquei ali, paralisada, impressionada por esta visão rara e poderosa no ar.

Enquanto contemplava aquilo, percebi que não era uma só coisa, mas milhões delas – dezenas de milhões de borboletas-monarcas.

Testemunhávamos uma migração. Uma enorme nuvem de monarcas, com suas asas brilhantes em laranja e preto, fazia sua jornada corajosa do Canadá ao México, antecipando o inverno frio que poderia matá-las. Pareciam ocupar cada canto do céu, algumas até ousavam voar baixo e pousar em um braço ou ombro antes de se retirar e juntar-se ao voo. Foi mágico. Senti um amor e afeto enorme por aquelas borboletas, não só pelo entusiasmo inesperado, mas porque para mim era um sinal. Quando era pequena, meu avô sempre recebia a "visita" de uma borboleta marrom e branca quando ele sentava na varanda. Após sua morte uma borboleta marrom e branca "visitava" minha família de tempos em tempos. Dizíamos que aquela era a borboleta do vovô. Depois de adulta, decidi pedir aos meus guias e entes queridos no Outro Lado um sinal que fosse só meu para que pudesse saber quando estivessem por perto. Escolhi a borboleta-monarca porque laranja é minha cor favorita. Sem falta, elas apareciam antes de uma grande prova ou escolha importante para que soubesse que estavam ali para mim e que eu não estava só.

E agora, meio que literalmente do nada, ali estavam elas! Virei para minha mãe e agarrei-a pelo braço.

– É isso – disse. – O universo está tentando me dizer algo. As monarcas estão em festa! Algo milagroso vai acontecer!

Observei as monarcas até não poder mais, até que elas fossem apenas uma sombra distante no céu. *O que estavam anunciando?* Eu me perguntava. *O que o universo está tentando me dizer?*

No dia seguinte descobri que estava grávida.

No instante em que descobri, tudo fez sentido. Naquele instante, eu senti um amor imenso, avassalador e incondicional pela criança em meu ventre.

O sentimento era profundo e inabalável. Eu me sentia conectada a algo muito maior e mais significativo do que minha vida. Era parte de algo vasto, maravilhoso e milagroso: a porta de entrada para a chegada de uma nova vida ao mundo! Senti-me honrada e em paz. Minha filha seria criada com amor, para ser corajosa, forte e poder mudar o mundo! De repente, não importava mais se Garret e eu brigávamos de vez em quando. Brigávamos porque ainda tínhamos que crescer, mudar e evoluir, mas estávamos destinados a fazer isso juntos. Seria um trabalho árduo, mas ajudaríamos um ao outro a nos transformarmos nas pessoas – e pais – que deveríamos ser. Não era só meu caminho, mas o nosso.

Casamo-nos na igreja protestante de Long Island e adaptamo-nos facilmente à vida de casados. Três semanas antes da data prevista, entrei em trabalho de parto e nossa linda filha veio ao mundo no Hospital Huntington.

Seu nome era Ashley.

Era tão pequenina, rosa e gorducha; seus olhinhos estavam inchados. Ao segurá-la, não sentia como se a encontrasse pela primeira vez – senti como se já a conhecesse, como se sempre tivesse sido parte de mim. E agora que estava aqui, senti a energia da minha alma duplicar. Sentia-me maior que antes. Meu amor incondicional por ela já me mudava; estava crescendo e evoluindo para um novo nível. Por causa do milagre de Ashley, minha vida jamais seria a mesma.

A queda do voo TWA 800 pôs fim às minhas sessões sensitivas e por quase três anos eu desativei meu dom. Ainda era capaz de ler as energias das pessoas – não conseguia parar –, mas o portal para o Outro Lado estava fechado.

No entanto, poucos dias antes de descobrir que estava grávida, comecei a sentir uma energia estranha. Às vezes, sentia tanta energia que precisava botar um tênis e sair para correr. Senti como se voltasse aos meus dias de jogadora de futebol, quando a única coisa que podia fazer para me acalmar era passar horas correndo sem parar. Não sabia de onde vinha toda essa energia, só saía para longas corridas até queimá-la.

Mas depois de descobrir que estava grávida, a energia parecia mais intensa. Também comecei a receber flashes de informações – palavras, imagens, sons, cenas – assim como fazia durante as sessões. Isso continuou acontecendo durante toda a gravidez, porém, após o nascimento de Ashley, tentei não pensar muito nisso e continuei a viver normalmente. Não estava interessada em permitir a conexão com o Outro Lado de novo.

Logo descobri o que estava acontecendo. O nascimento de Ashley abriu o portal de luz entre o mundo do qual ela veio e este. E uma vez aberto não tinha como fechá-lo. O Outro Lado o atravessou. A chegada de Ashley me encheu com um amor intenso e poderoso e fez com que me sentisse conectada à humanidade de uma forma bela e profunda.

Certa manhã, antes de ir trabalhar, disse a Garrett:

– Acho que vou ter que começar a fazer sessões de novo.

Era recém-casada e mãe de primeira viagem. Também tinha conseguido um cargo titular em um novo colégio de ensino médio. Garrett trabalhava em período integral e ia à faculdade de direito à noite. Por que eu iria querer abrir a porta para o Outro Lado novamente e encaixar aquilo em nossa vida ocupada? Não tinha escolha.

– Você poderia colocar em risco seu emprego como professora – disse Garrett.

– Então, farei isso anonimamente. – respondi.

Não podia simplesmente desligar o fluxo de informação que recebia. Não conseguia ignorar o chamado.

Desta vez, pus um anúncio no eBay. Usei meu nome do meio, Lynne, e disse que era clarividente. Coloquei um preço mínimo de lance para leitura de 5 dólares. Não sabia se alguém morderia a isca. Mas em um dia várias pessoas fizeram lances. O preço final foi 75 dólares. Vinha de um policial de meia-idade, que morava no Arizona. Marcamos um horário para a conversa.

No dia da sessão, senti uma ansiedade familiar. Não tinha certeza se algo ou alguém viria até mim.

Liguei para o policial na hora marcada e, de imediato, duas figuras chegaram perto de mim: sua mãe e seu pai. Estavam ali para tranquilizar e confortar seu filho; queriam que ele soubesse que estavam em paz e orgulhosos dele. Sua mãe falou sobre tudo que ele fez por ela antes de sua passagem. Seu pai indicou que fez a passagem devido a um ataque cardíaco e não teve chance de dizer adeus. Disseram-lhe para deixar de se sentir culpado pelas coisas que deixou de dizer. Ao fim da sessão, a voz do policial mudou. Ele soava aliviado, até mesmo feliz. Entendi que a sessão tinha sido um momento profundamente curativo para ele. Quando desligamos, eu estava exausta e eufórica.

Ashley não apenas abriu a porta: ela a escancarou.

Tinha ciência de que Garrett não estava completamente confortável com o que eu fazia. Sempre esteve aberto ao meu dom e apoiava-me, mas, naquele momento, ele via que as leituras poderiam ser grande parte de minha vida e estava preocupado.

— Como você sabe que não está se conectando com um lado sombrio? — perguntou. — Como sabe que não está se comunicando com o diabo?

Eram perguntas válidas e minha única resposta é que eu só sabia, porque tudo que recebia durante minhas leituras era lindo e baseado em amor. Ainda assim, até aquele momento, não tinha feito tantas leituras. Elas pareciam boas e corretas, mas e se não fossem? O que exatamente estava deixando entrar na minha casa e na minha família?

Não tinha nenhuma resposta boa para isso.

Então um dia fiz uma leitura para uma mulher que tinha mais ou menos minha idade e que, como eu, tinha uma filha. No entanto, sua filha Hailey falecera aos três anos de idade.

Durante a leitura, senti uma tristeza devastadora e sabia que a mãe estava presa sob esse sentimento. Havia diversas camadas de culpa, porque sentia que decepcionou sua filha ao não salvá-la. Ela tinha se tornado basicamente uma eremita, raramente saía de casa, ignorava feriados, evitava amigos, sofrendo a cada hora de cada dia. Sua vida, seu coração, sua alma — tudo estava horrivelmente devastado. Eu falava com alguém que não sabia mais viver.

No início da sessão, uma pequena forma apareceu. Podia dizer que era uma menina. A criança me contou tudo sobre sua mãe — como se culpava por ter falhado com sua filha, como estava estagnada pelo luto. Então ela pôs a mão sobre o estômago e eu soube o que ela queria comunicar.

— Ela está passando uma mensagem — disse à mãe. — Ela diz que fez a passagem por causa de uma doença no fígado. Não tinha nada que você pudesse ter feito para mudar isso. Está dizendo que ela não estava destinada a estar entre nós por muito tempo. Que devia vir para sentir amor incondicional, mas que não deveria ficar. Diz que não pode confundir tristeza com culpa. Você deve aliviar sua culpa. Você sente que falhou com ela como mãe porque não pôde salvá-la, mas não era seu dever salvá-la. Seu papel era amá-la.

Houve um longo silêncio do outro lado da linha, interrompido apenas pelos soluços baixos e frequentes. Ver que a filha corajosa e linda desta mulher vinha oferecer conforto – e estava tão determinada a ajudar sua mãe a se curar – foi muito emocionante não só para a mãe como também para mim.

Poucos dias depois, recebi um pacote da mãe por correio. Ela escreveu que nossa sessão havia retirado a nuvem de sofrimento de sua mente e que isso a permitiu respirar de novo. Saber que sua filha ainda estava com ela mudou tudo. Pela primeira vez em um longo tempo, conseguiu sair de casa e ver os amigos. Sua filha tinha salvado sua vida.

Junto com a carta havia algo cuidadosamente embalado em plástico bolha. Era uma imagem de cerâmica – um anjinho. A mãe explicou que comprou aquele anjo antes da filha ficar doente porque parecia com sua menininha. Depois da passagem da filha, o anjo de cerâmica era seu item mais precioso – ela acreditava que era sua única ligação com aquela bela alma que tinha lhe sido arrancada.

Mas agora, escreveu, queria que eu ficasse com aquele anjo. Ela ainda o amava, mas não precisava mais tanto dele.

Mostrei a carta e o anjo a Garrett, que a leu e então saiu. Pouco tempo depois voltou e sentou-se ao meu lado, na sala de estar, com o anjinho em mãos.

– Você mudou a vida dela – disse Garrett. – Ela estava paralisada pelo luto. Presa dentro de casa, sem querer viver e depois de falar com você voltou a querer viver. Tudo nesta carta é puro, positivo e bonito. O que você faz é curar, pura e simplesmente.

A convicção de Garrett fortaleceu a minha. Após uma vida lutando contra meu dom, agora sabia que meu destino era aceitá-lo. Não sabia se poderia ter chegado a este ponto sem Garrett. No final, conseguimos juntos.

13
A Tela

Quando comecei a fazer sessões enquanto morava com Sean, não entendia de fato o que era uma leitura. Sabia que era capaz de acessar e ler a energia das pessoas, e sabia que isso me fornecia algumas informações sobre o caminho de uma pessoa e o seu propósito de vida. Por fim, percebi que também conseguia me conectar as pessoas que fizeram a passagem para o Outro Lado. Poderia ser um intermediário entre as pessoas na Terra e aqueles que se foram. Aprendi que era minha responsabilidade interpretar o que quer que viesse até mim, para ser um tipo de tradutora. A princípio era difícil, como aprender uma língua estrangeira, mas com o tempo fiquei melhor nisso. Comecei a entender o que certos símbolos representavam. Era como jogar — e ficar boa em — um jogo de charadas psíquicas.

Ainda assim, nunca desenvolvi um protocolo para minhas sessões que me permitisse transitar de um dom ao outro sem me confundir com tudo. Mas foi só após o nascimento de Ashley e após todas as informações do Outro Lado começarem a aparecer com mais clareza e insistência que tive de desenvolver uma maneira mais organizada de me comunicar com ele. Em pouco tempo desenvolvi um método de leitura. Assim como tinha feito com lecionar e planejar as aulas, desenvolvi um sistema que tornava muito mais eficiente a conexão com os mortos.

Primeiro, percebi que me sinto mais confortável fazendo leituras pelo telefone porque sou capaz de focar totalmente isso. Não quer dizer que não possa ler com eficiência pessoalmente ou em frente a grupos grandes – o que acontece é que a leitura remota me permite desaparecer, por assim dizer, e tornar-me um instrumento.

Começo indo para meu quarto, fechando a porta e deixando o cômodo à meia luz. Sento em uma posição de meditação e tiro minhas meias. Parece bobeira, mas quando as solas de meus pés descalços se tocam parece criar um *looping* de energia que pode fluir sem interrupção pelo meu corpo.

Fecho meus olhos e foco a respiração. Assim que me sinto pronta, coloco meu fone de ouvido sem fio e entro em contato com a pessoa com quem farei a sessão – o consulente. Então fecho os olhos; eles permanecem assim e abrem apenas quando sinto a energia do Outro Lado retroceder e quando minha energia se altera.

Quando o consulente está na chamada, explico em poucas palavras o que farei e qual o seu papel durante a sessão. Explico que, quando eu leio, penso em um triângulo de luz – minha energia se conectando a do consulente e à energia de seu ente querido no Outro Lado. Também lhe peço que guarde suas perguntas para o fim da sessão porque minha esperança é que, durante a leitura, o Outro Lado responda quaisquer perguntas que tenha. Explico que a sessão é como um jogo de charadas psíquicas. Palavras, números, nomes, datas, símbolos, imagens – informações diversas chegam até mim. Meu trabalho é interpretar as informações e passá-las adiante. Direi ao consulente que, se eu disser algo que não faça sentido, ele ou ela não deve tentar contextualizar o que foi dito, mas me avisar que não ficou claro.

Por exemplo, o Outro Lado me mostra uma maçã gigante para indicar que o consulente é um professor. Mas posso interpretar errado e perguntar: "Você gosta de fazer tortas de maçã?" Se ele me disser que não faz sentido, eu volto atrás e tento reinterpretar a imagem. Mas se o consulente tentar ser educado e encaixar aquilo em algum contexto, posso perder o teor da mensagem. Também digo que desde que ele entenda a mensagem que transmito, não me importo se eu não a compreender. Isso acontece com bastante frequência. O ente querido passará a mensagem adiante e o consulente entenderá exatamente o que ela significa, mas não fará nenhum sentido para mim. Mais tarde, ao fim da sessão ou em um e-mail, ele pode me contar o que significava a mensagem e geralmente é algo muito específico ou uma piada interna. Sempre me surpreende o quanto o Outro Lado é capaz de passar mensagens tão íntimas através de mim sem que eu tenha ciência do significado.

Durante a leitura, assim que me conecto completamente, um campo de visão emerge. Um campo retangular branco aparece na minha mente, uma área que chamo de minha tela. Não é coincidência que minha tela se pareça muito com um quadro-negro. É algo que formulei e organizei para me ajudar na comunicação com o Outro Lado. Fotos, símbolos, imagens e até mesmo vídeos curtos aparecem nela.

Conforme praticava, fui capaz de dividir a tela em dois. O lado esquerdo era onde aconteciam as atividades sensitivas. É por elas que começo uma sessão, porque me ajuda a alinhar e ativar minha energia a do consulente. É por meio dessa tela que consigo ver a aura nuclear de alguém, o mapa colorido do caminho de sua alma. Por exemplo, se a cor da aura de alguém é laranja, sei que a pessoa foi marcada como um artista e que o seu caminho envolve criar arte e ser preenchido com arte. Azul indica uma alma evoluída, que é profundamente intuitiva e está aqui como curadora ou professora.

Com frequência vejo mais de uma cor na aura nuclear de um consulente. Também posso ver uma segunda aura separada, mais imediata, que diz respeito ao seu caminho atual. A segunda aura aparece em sequência e me oferece uma captura de tela do tipo de energia que o consulente tinha e qual emana no momento. Também me oferece um mapa com seu futuro. Por exemplo, se eu vir a cor amarela à esquerda de minha tela, seguida de verde no meio e então laranja à direita, sei que significa que aquela pessoa saiu de um período de doença, depressão e baixa energia, está no meio de um processo de mudança e crescimento, e entrará em um período muito criativo e proveitoso.

O lado esquerdo da minha tela também é onde os guias espirituais do consulente aparecem como pontos de luz. Guias espirituais são espíritos evoluídos que agem como mentores e nos guiam em nossos caminhos na Terra. Todos os temos e geralmente trabalham em dupla ou trio.

O lado esquerdo também me mostra uma linha do tempo horizontal da vida da pessoa que está sendo observada. Essas linhas do tempo se parecem com linhas do tempo históricas, com pequenas linhas verticais desenhadas em determinadas idades para marcar eventos significativos na trajetória da vida do consulente, tanto no passado quanto no futuro.

Continuo do lado esquerdo da tela – ler auras, compreender energias, examinar linhas do tempo – até que vejo e sinto algo me "impulsionar" a olhar para o lado direito da tela, que é dividida entre parte superior, meio e inferior e estes níveis são onde vejo pontos de luz pequenos, mas vibrantes. Estas luzes são a energia de nossos visitantes do Outro Lado. Reservo a parte superior para entes queridos do lado materno e a parte direita inferior para aqueles que vem da parte de pai. Amigos, primos e colegas geralmente aparecem mais ou menos no meio da tela.

Assim que os pontos de luz aparecem, frequentemente me mostram letras, palavras, nomes e imagens. Eu seleciono essas pistas, determino de onde vieram e dou o meu melhor para interpretá-las. Também posso "ouvir" coisas dos visitantes – isto se chama clariaudiência –, mas esta audição não é externa ao meu corpo e sim interna. É a mesma sensação de "ouvir" um pensamento.

Além da minha tela, o Outro Lado também usa meu corpo físico para transmitir informação. Isto é chamado de sensitividade. Durante as leituras, eu poderia, de fato, sentir as coisas – pressão, congestão, dor. Poderia sentir um peso no peito, como se alguém estivesse sentado em cima de mim; ou dificuldade em respirar; sentir choque repentino no peito ou uma sensação de queimação. Também poderia sentir cheiro de fumaça, calor ou experimentar dezenas de outras sensações, todas as quais eu decodificava para corresponder a situações específicas. Sou capaz de determinar que sensação o Outro Lado usará para transmitir a ideia de um ataque cardíaco (um choque repentino) e qual é usado para indicar insuficiência cardíaca de longo prazo, que é quando tenho a sensação que meus pulmões estão se enchendo de fluidos.

Estes sentimentos são parte do vocabulário da leitura. Talvez por ser professora, sinto que esse sistema de comunicação me ajuda a tornar minhas leituras claras e eficientes. Sem isso, estaria à mercê de almas que podem ser tão desordeiras quanto crianças do ensino médio em uma tarde de sexta-feira. E mesmo com meu sistema organizado a pleno vapor, eles ainda são malcriados! Digo aos consulentes que toda leitura é diferente, porque todos os amigos e parentes que vêm do Outro Lado são diferentes. Durante algumas leituras, os entes queridos no Outro Lado se revezam para dizer o que vieram comunicar. Outras vezes é uma algazarra psíquica, um interrompendo e falando por cima do outro. Não importa a maneira que venham, eles sempre parecem felizes de receber a minha atenção ou a do consulente.

Você pode se perguntar como os espíritos no Outro Lado sabem usar minha tela e meu corpo, ou como me encontram. Minha resposta é: eles só sabem. Estamos conectados àqueles que amamos por fios de luz. Esses fios não podem ser partidos. Pense neles como linhas de pesca do amor. Se você puxa de um lado, o outro sente o puxão. E aqueles no Outro Lado estão sempre em busca de aberturas entre os mundos. Podem localizar o portal que precisam.

A coisa mais importante que um consulente deve saber é que ele não precisa de uma médium psíquica para se comunicar com os entes queridos que se foram. Se abrirmos nossa mente e nosso coração, começaremos a ver os sinais e as mensagens que nos mandam para que sintamos sua presença em nosso dia a dia.

14
Amar e Perdoar

Quando estabeleci meu sistema de comunicação com o Outro Lado, minhas sessões se tornaram mais claras e intensas. Uma delas foi feita com uma mulher de meia-idade chamada Joann, que ouviu falar de mim através de um amigo e, então, contatou-me. Nunca havia participado de uma sessão.

Assim que iniciamos a ligação, o pai de Joann veio de imediato. E contou-me que tinha feito a passagem há trinta anos, por meio do suicídio. Desculpou-se com Joann e explicou que não estava em pleno domínio de suas faculdades mentais quando partiu. Joann me disse que sabia que era verdade, que entendia e havia perdoado seu pai há anos.

Então seu pai me mostrou uma criaturinha, um gatinho filhote, que estava próximo a seus pés. Disse-me que era importante que sua filha soubesse disso.

— Joann, isso pode parecer estranho — informei, — mas seu pai está me mostrando um gatinho perto dele e diz que é muito importante que você saiba que o gatinho está bem.

Joann estava em silêncio. Passaram-se alguns minutos antes dela falar.

— Sei exatamente do que ele está falando — disse ela. — Nunca contei isso a ninguém, mas vou compartilhar com você.

Quando pequena, Joann ouviu alguém dizer que gatos sempre caíam de pé. E, na intenção de confirmar, pegou a gatinha de estimação, uma filhote chamada Bristle, levou até a janela do apartamento que ficava no 5° andar e jogou-a da janela. A gatinha caiu na calçada e morreu.

Durante os cinquenta anos seguintes, Joann nutria uma culpa devastadora pelo que fizera. Ela nunca conseguiu ignorar a crença de que, no fundo, era uma pessoa horrível. Nunca se perdoou por matar a gatinha e, por causa disso, sua vida era mais difícil e sombria do que deveria ter sido.

Naquele momento, durante a leitura, seu pai veio para lhe dizer: *Liberte--se. Não carregue este peso. A culpa em seu coração não lhe pertence. Perdoe-se e liberte-se.*

A interação de Joann e seu pai foi extremamente emocionante para ela e para mim. Após a leitura, Joann começou o processo de se libertar da culpa. Ela passava menos tempo remoendo os erros. Com o tempo, mudou essa visão enraizada de si como uma pessoa horrível e insensível para a de uma pessoa gentil, amorosa e boa. Ela aceitou o caminho da luz e tornou-se uma versão iluminada e melhor de si.

Nossa capacidade de amar e perdoar – de aceitar que tanto nós como os outros somos falíveis – é nossa maior força. O Outro Lado me mostrou isso na sessão com Joann. É uma lição crucial para todos, porque amor e perdão são constantes. Sempre existirá alguém em nossa vida que precisa de perdão. Às vezes essa pessoa é você.

Sim, podemos seguir a vida sem perdão, como fazemos muitas vezes. Dizemos que nunca perdoaremos alguém por ter feito certa coisa e alimentaremos esse ressentimento por anos, talvez décadas e às vezes até mesmo depois que a pessoa tenha partido. Às vezes, a falta de capacidade de perdoar permanece em nós quando fazemos a passagem para o Outro Lado, até que nos damos conta de que nossos relacionamentos continuam para além da vida na Terra e que a necessidade de perdoar nunca acaba. Se não aprendemos esta lição, isso nos restringe de viver um caminho iluminado e de nos tornarmos nossa melhor e mais verdadeira versão.

Mas aqui está a notícia mais bonita: nunca é tarde demais para perdoar. E nunca é tarde demais para pedir perdão.

A sessão com Joann me ensinou que tudo no Outro Lado é feito com amor, que é a moeda de troca no além. Se você não pede perdão, aqueles no Outro Lado encontrarão maneiras de nos perdoar mesmo assim – tal como o pai de Joann.

Não precisamos de uma sessão com um médium sensitivo para acessar a absolvição do Outro Lado. Tudo que temos que fazer é pedir. Você pode se conectar com seus entes queridos ao projetar seus pensamentos a eles. Quando você projeta perdão para o Outro Lado, seu ente sempre recebe a mensagem. Tudo o que tem que fazer para perdoar um ente querido que se foi é conceder esse perdão e tudo o que temos que fazer para sermos perdoados é pedir. O perdão, se precisamos ou o concedemos, é um dom milagroso.

Eu vi como ele mudou a vida de Joann. O perdão a curou.

Uma das minhas primeiras sessões serviu como uma lição sobre o poder do perdão. Barb, uma mulher de 50 e poucos anos, também ouviu falar de mim através de um amigo. Ela me ligou de sua cozinha na Pennsylvania e durante a leitura pude ouvir ela repetir algumas das coisas que eu dizia para seu marido, Tony, que estava perto.

– Ele não acredita em nada disso – disse ela. – Acha que quando se morre, acabou, que o corpo é enterrado e sua vida acabou ali. Mas eu quero que você fale com ele mesmo assim.

Antes que eu pudesse protestar, ela entregou o telefone a Tony.

Ah, que ótimo, pensei. *Como isso vai funcionar? O Outro Lado vai se comunicar mesmo com um cético?* Tony resmungou um "oi", que foi a maneira de me deixar ciente de que não acreditava em nada daquilo. Respirei fundo, esperando que alguém viesse. E então alguém veio: seu pai.

Ele me disse que seu nome era Robert e que tinha uma mensagem urgente para seu filho.

– Seu pai está aqui e quer dizer algo muito importante – disse a Tony. – E é muito importante que eu seja exata e diga isso da forma correta. Seu pai quer que eu lhe diga que sente muito pelo cinto.

Do outro lado da linha, Tony estava em silêncio. Continuei a falar.

– Seu pai quer que você saiba que, quando fez a passagem para o Outro Lado e reviu sua trajetória, ele entendeu o que você estava fazendo e que sente muito pelo que fez com o cinto – disse. – Ele pede seu perdão. Quer que você o perdoe.

Ouvi Tony começar a chorar baixinho.

Seu pai me mostrou mais. Um evento, na forma do que eu chamaria de um "clipe" em minha mente. Vi uma versão jovem de Tony, sentado em sua cama, com a porta do quarto fechada. Eu o vi segurar um cinto e podia sentir que ele era importante para Tony. Relatei essas imagens a ele, que se recompôs e contou-me a história – uma que nunca tinha contado a ninguém.

Quando Tony tinha 7 anos, ele foi a um encontro dos escoteiros em uma noite fria de dezembro. Neste encontro, recebeu um kit de artesanato de cintos de couro. Ele estava muito feliz com a ideia de fazer um cinto de presente de Natal para seu pai.

Durante a reunião, ele se esforçou muito para fazer o cinto, entalhando padrões, furando os buracos do cinto, colocando a fivela. Então, ele levou o cinto para casa, escondido no bolso de seu casaco, para que pudesse terminá-lo. Ele foi direto para o quarto e voltou ao trabalho. Em sua empolgação, esqueceu de tirar o lixo, sua tarefa noturna.

Não era a primeira vez que Tony tinha esquecido de tirar o lixo. Seu pai ficava bastante irritado, mas, naquela noite em particular, ele abriu a porta de supetão, irado.

Então viu o cinto e pegou-o para bater em seu filho com ele. A surra foi curta, de apenas alguns segundos, mas danificou algo sagrado entre ele e seu pai.

– Eu nunca dei aquele cinto a ele – disse Tony. – Nunca contei isso a ele, nem a ninguém. Mas fiquei triste por todos esses anos porque senti como se tivesse decepcionado meu pai de alguma forma.

O pai de Tony me transmitiu outra mensagem.

– Não! – eu disse a ele. – Seu pai diz para contá-lo que foi ele quem desapontou *você*. Ele diz que não entendia a situação naquele momento, mas agora compreende. E ele sente muito. Pede seu perdão e quer que você saiba o quanto ele ama você e que sempre foi um ótimo filho.

Percebi que estava lutando contra as lágrimas – mas não por causa dessa história triste. Eu tinha visto uma linda luz envolver Tony e seu pai.

Tony tinha carregado aquela dor consigo durante toda a vida e agora eu podia senti-lo se libertar. Estava testemunhando uma grande cura entre pai e filho mesmo depois da morte do pai.

— Sim, pai! — disse, com a voz falhando devido à emoção profunda. — Está tudo bem! Diga a meu pai que está tudo bem.

— Você não precisa de mim para dizer — falei. — Pode dizer você mesmo. Seu pai está sempre com você. Só diga o que quer dizer, ele pode lhe ouvir.

Tony devolveu o telefone para sua esposa. Podia ouvi-lo no fundo:

— Eu te perdoo, pai — repetia isso sem parar.

Foi a partir desta sessão que entendi que os fios de luz que nos unem aos nossos entes queridos não podem ser partidos nunca, mesmo depois de nossa passagem. Eles nem se desgastam; pelo contrário, podem até se fortalecer. Em sessões como a de Tony e Joann eu vi como os relacionamentos podem evoluir mesmo após a morte. O pai de Tony entendeu coisas que não conseguia enquanto estava na Terra. Vi que pensamentos e ações são muito importantes para aqueles no Outro Lado — que podemos ajudá-los a crescer oferecendo amor e compreensão. Temos em nós o poder de curar aqueles que amamos.

15
Aquilo Que é Seu

A cada leitura, eu aprendia mais. Embora muitas pessoas viessem a mim quando enfrentavam momentos decisivos, sem saber para que lado ir, entendi que não era meu papel oferecer conselhos. O Outro Lado nos envia avisos e sinais que nos ajudam a tomar as decisões certas.

Desde a primeira vez que vi Mary Steffey, soube que era uma alma especial. Ela era uma tutora para crianças em situação de vulnerabilidade. Já tinha feito uma sessão com ela, que retornou em busca de uma leitura porque estava prestes a tomar uma grande decisão – queria saber se adotava ou não uma menina chamada Aly, que estava com ela temporariamente. Assim que a leitura começou, ela foi direto ao ponto:

– Vou magoar minha filha Mariah se adotar Aly? – perguntou.

Eu não tinha uma resposta clara. Em vez disso, vi sua aura. Era roxa, o que me dizia que ela tinha uma alma evoluída e que, nesta vida, seu objetivo era ajudar outras almas em seus caminhos. Mas, pairando sobre sua aura roxa radiante estava uma camada de cor escura.

– A escuridão significa que você se sente imobilizada. – disse-lhe. – Está revestindo sua energia. Não significa que você terá uma vida ruim, só significa que não será tão fácil.

Então o foco na questão da adoção de Aly se tornou mais claro.

– O Outro Lado separa Aly de sua família biológica – disse. – Aly já escapou das portas da morte, que foram criadas por negligência. Agora, em seu futuro, vejo diversas portas diferentes, mais de uma possibilidade. E existe outra família que poderá adotá-la.

Devido à última sessão com Mary, já sabia alguns detalhes de sua vida. Seu sonho de vida sempre foi ser mãe. Ela começou a trabalhar no serviço social para que pudesse estar perto de crianças, em especial as que estão em situação de vulnerabilidade. Casou-se com Tandy, um perfurador de poços que também faz trabalho ambiental, e engravidou. Mas quatro meses depois ela perdeu o bebê. Tentou novamente e mais uma vez perdeu o bebê. Durante uma das gravidezes, ela acordou agonizando e teve de ser internada no hospital.

— Você teve sorte — disse o médico. — Mais alguns minutos e você não teria sobrevivido.

Porém, Mary não se sentia sortuda.

Ao todo, enfrentou seis gravidezes que não deram certo.

Com muito pesar, ela desistiu de seu sonho de ser mãe — mesmo sendo mãe temporária. Sem o próprio filho, não sabia se podia lidar com as emoções de cuidar de uma criança que provavelmente seria enviada de volta para a família biológica. Seria muito difícil. Ao invés disso, Mary construiu um pequeno canil e cercou-se de cães. Repensou suas prioridades e esqueceu seu sonho.

Então, numa manhã ela acordou se sentindo enjoada. Instantaneamente sabia que estava grávida de novo. A gravidez foi difícil — tudo deu errado. Toxemia, pressão alta, duas internações. Por quatro longos meses ela ficou de cama. Mas manteve as esperanças. Até mesmo escolheu um nome para sua filhinha — Mariah. Recebeu o nome de sua tia Mimi. Sempre que havia uma tempestade, Mimi costumava dizer:

— "Quando o vento sopra forte assim, é a Mariah à porta." Este era o nome que queria para minha filha.

Uma semana depois de completar 39 anos, entrou em trabalho de parto, ainda que o bebê mal tivesse chegado aos 9 meses. Assim que nasceu, a enfermeira a levou embora. Mary esperou por notícias sobre a condição da bebê. Seria ela forte e saudável? Teria ela 2 ou 2,5kg? Pouco depois a enfermeira voltou com as novidades. Mariah não tinha 2kg, 2,5kg ou 3kg.

Tinha 4,80kg e era forte.

O milagre do nascimento de Mariah deu a Mary as forças para reviver seu outro sonho — tornar-se uma mãe temporária.

– Mas e Mariah? – perguntou-me em nossa sessão. – Adotar Aly irá magoá-la?

– Tudo acontece por uma razão. – respondi. – Aly mudará Mariah de muitas formas. Não de maneira negativa, apenas será um processo difícil, o que não quer dizer que seja ruim. Aly sempre oferecerá desafios para Mariah, mas posso ver que sua filha tem um espírito singular. E não importa o que aconteça, o espírito dela evoluirá, sempre.

Mary começou sua carreira como tutora oferecendo cuidado temporário, recebendo crianças em sua casa no interior da Pennsylvania por períodos curtos de tempo, para aliviar a carga de seus pais adotivos permanentes. Mary nunca aceitava bebês e crianças pequenas; estes tinham mais chance de ser alocados. Recebia adolescentes que eram geralmente bravos e distantes, ou mal-humorados e impossíveis de lidar. Não importava a raiva que a criança sentia, ela era capaz de ver a alma ferida por baixo de toda a revolta. Podia ver suas partes boas e vulneráveis.

– Os adolescentes não sabem a qual lugar pertencem, onde se encaixam – disse Mary. – Especialmente as crianças que não têm as próprias famílias, que foram abandonadas ou expulsas. Às vezes, agem como se fosse más, mas não são de fato. Só estão tentando nos testar.

Certo dia, Mary recebeu uma ligação de um assistente social do Serviço de Proteção à Criança dos EUA.

– Temos uma criança que esperamos que possa receber – disse o assistente. – Só precisamos de duas semanas para acordar uma solução permanente.

– Onde ela está agora? – perguntou Mary.

– Em um escritório aqui. Está trancada lá dentro.

– Trancada? Por quê?

– Porque ela mordeu todo mundo.

A criança tinha 3 anos e seu nome era Aly. Ela foi vítima de abusos terríveis. Quando sua família foi separada pela violência doméstica, ela e a mãe viveram nas ruas por vários meses. Elas ficavam em abrigos, mas nunca por muito tempo, porque o comportamento agressivo de Aly fazia com que fossem expulsas. Ela mordia, batia, arranhava e certa vez perseguiu uma professora na sala de aula, rosnando como um animal.

Também tinha um transtorno que a compelia a comer tudo que tinha em mãos – pregos, canetas, gizes de cera e até lixo. Ela era conhecida por apertar partes indevidas de adultos. Tinha quase 4 anos, mas não falava palavra alguma.

Os assistentes sociais a comparavam com uma criança que cresceu na floresta. Páginas e mais páginas de relatórios do caso se referiam a ela como "selvagem".

— Mary, preciso lhe dizer — avisou o assistente social — Aly é um dos piores casos que já vi.

Não era um momento propício para trazer outra criança para sua casa. Sofrera uma queda recente e quebrara seu tornozelo. Também tinha muito com que lidar, pois Mariah, que tinha 7 anos foi recentemente diagnosticada com transtorno de déficit de atenção e transtorno de processamento sensorial. Qualquer tipo de estímulo diferenciado — luzes fortes, barulhos altos, uma costura diferente em suas meias — era um gatilho que fazia com que ela pulasse pela casa ou se tornasse obsessiva. Acrescentar uma criança difícil como Aly nesse caos não parecia nem um pouco justo com Mariah, com seu marido e nem mesmo com a própria Mary. Ela tinha todas as justificativas plausíveis para dizer não.

Em vez disso, ela disse sim.

Mary me contou como foi a primeira vez que olhou para Aly. Ela estava parada na varanda com Mariah e observava um jipe azul estacionar em frente à sua casa. Uma das portas traseiras se abriu e o assistente social surgiu; carregava uma criança com uma cabeleira cacheada e loira. A garotinha usava tênis gastos, que estavam muito pequenos para seu tamanho, uma grande camiseta branca e suja, e shorts em mau estado. A criança parecia estar dormindo; provavelmente estava sedada.

O assistente a levou até a varanda e deitou-a numa cadeira de vime. Mary perguntou se ela tinha outras roupas.

— Não, só essas — disse o assistente social.

Lentamente, Aly abriu os olhos. Seu rosto estava inexpressivo.

— Ela parece uma vítima de guerra — sussurrou Mariah.

Mary viu os assistentes sociais partirem. Aly passou a ser um problema seu. Armou-se de coragem e deu um passo em direção à criança. Aly a acompanhou com seus olhos entorpecidos e vazios.

— Oi, Aly — dissera Mary. — Esta é minha filha, Mariah.

Mariah acenou, tímida. Aly não teve reação. E então Mary disse:

— E eu sou...

Mas antes que pudesse terminar — antes mesmo de dizer seu nome — Aly fez algo estranho. Ela levantou a mão direita, dobrou quatro dedos e colocou seu indicador sobre sua têmpora e depois o apontou para Mary.

Então Aly falou:

– Mãe.

Nada pelo que passara em sua vida a tinha preparado para lidar com Aly, com seu comportamento selvagem, raivoso, indisciplinado, imprevisível e seu silêncio – estava sempre em um silêncio sepulcral.

Na primeira vez que Mary levou Aly para um passeio de carro, a criança agarrou a fivela do cinto de segurança e bateu no rosto de Mariah. Alguns dias depois, ela bateu em Mariah com o telefone sem fio. Ver Mariah com um olho roxo e o nariz inchado fez Mary chorar. Em outro dia, Mary vira Aly pegar sujeira de seu sapato e começar a comer. À mesa, ela pegava a comida do prato com a mão e enfiava na boca. Quando Mary a levava à creche, ouvia as outras crianças dizerem:

– Ah, não, lá vem a Aly.

Isso partia seu coração.

– Quando a mãe dela vem pegar ela? – perguntava Mariah. – Por favor, mãe, manda ela para casa. Ela é má.

Devolver Aly ao serviço social seria fácil, talvez fosse a decisão mais inteligente a se tomar. Ainda assim, ela decidiu ficar com Aly por mais do que as duas semanas acordadas. Em pouco tempo, os assistentes sociais começaram a pressionar Mary para adotar Aly; não conseguiam encontrar uma família que quisesse recebê-la. Mas e Mariah? Mary seria capaz de ajudar Aly sem machucar a própria filha? Não parecia possível. Durante semanas ela sofreu ao considerar suas opções.

Por fim, uma assistente social disse que ela teria de se decidir.

– Precisamos encontrar um lar para Aly imediatamente – disse-lhe.

– Preciso de mais tempo – disse Mary.

– Não temos mais tempo. Precisamos alocar ela agora.

– Está bem, faça o que tem que fazer – disse Mary, contendo suas lágrimas. – Envie outra família.

No dia seguinte, um casal na casa dos 40 foi até a casa de Mary, para passar o dia com Aly. Mary sabia que dar a essa família uma chance de adotá-la significava perder sua chance de fazer o mesmo. Depois que a chamara de mãe, sentiu-se cativada pela criança. Mais que isso, ela se sentia responsável pelo bem-estar da menina. Mas tinha que pensar em Mariah.

Mary viu o casal colocar Aly em seu carro e ir embora. Então foi até seu quarto, fechou as cortinas, deitou em sua cama e chorou.

Algumas horas depois, Mary ouviu um carro estacionar. Ela assistiu de sua varanda como a mulher saíra do carro carregando Aly, que estava agressiva, debatendo-se e tentando saltar dos braços da mulher. Mary percebeu o que estava acontecendo: Aly estava lutando para voltar para ela.

Mary desceu as escadas da varanda e Aly se jogou em seus braços. Naquele instante, um pensamento claro e poderoso se formou em sua mente: "*Esta criança pertence a mim.*"

– Nós nos divertimos muito – disse a mulher. – Fomos à piscina nadar. Aly se divertiu.

Mas Mary não estava escutando de fato. Sabia o que precisava fazer. Aly agarrou suas pernas. Mas saber disso não tornava a decisão mais fácil.

– Mãe, por que iríamos querer ficar com Aly? – perguntou Mariah. – Eu, você e papai formamos um ótimo trio.

–Sim, – respondeu Mary – Mas poderíamos formar um grande diamante.

Mary nunca teve tanta certeza de uma decisão em sua vida – ou se sentiu ao mesmo tempo tão insegura. Foi quando me ligou.

– O Outro Lado não pode lhe aconselhar sobre a situação com a Aly – disse-lhe em nossa sessão –, porque a decisão é parte de uma provação de sua alma. E é inteiramente sua. É o momento de você descobrir seu verdadeiro objetivo e propósito nesta vida. O que acontecerá a seguir será decidido por você.

Sabia que não era aquilo que ela queria ouvir; sabia que esperava uma orientação específica.

Durante a sessão e antes de Mary me contar a situação, o Outro Lado me mostrou que havia outra família interessada em adotar Aly.

– Esta família não tem filhos e está disponível para adotá-la – disse-lhe. – Já existe uma conexão entre eles. Vejo que você deu uma chance a esta família. Você tomou a decisão de deixá-la ir e foi doloroso porque esta é uma das possibilidades dentre muitas. Aly poderia acabar vivendo em outro lugar. Há muitas portas para ela e algumas não a conduzem para bons caminhos.

Não havia respostas para Mary, mas o Outro Lado estava tentando confortá-la, devido à sua angústia.

— Você tem que entender que não importa o que aconteça, já ofereceu muito para Aly — disse. — Você já teve grande impacto na sua vida.

— Mas e Mariah? — perguntou ela.

Ouvi com intensidade e as palavras simplesmente saíram de minha boca.

— Para seguir em frente — disse — tem que deixar o amor guiar. Haverá somente uma placa de sinalização no caminho e é o amor. Quando tomar sua decisão, deixe sempre o amor lhe guiar e não o medo. Sempre deixe o amor guiar.

Hoje, cerca de dez anos após a sessão, a vida na casa de Mary, na Pennsylvania, é mais caótica do que nunca.

Desde 2005, ela adotou cinco crianças com necessidades especiais. Uma nasceu viciada em drogas. Outra foi adotada, mas devolvida pelos pais adotivos. Outra sofreu abusos violentos. Todas passaram anos no sistema, pulando de um lar temporário para outro até que a encontraram.

Quando Mary fala delas, é com amor e admiração ao ver o quanto progrediram. Quando as viu pela primeira vez disse que “elas eram as piores das piores”.

— Se não estivessem aqui, provavelmente estariam em hospitais, prisões, manicômios ou mortas. Comparada a elas, parecia que Aly nunca teve problemas. Mas eu as amo tanto, educo-as em casa e somos nossa turminha especial. Nossa utopia. A mais jovem ficou com raiva de algo e gritou: “Eu quero ir embora daqui”, e respondi: “Você não pode ir embora, você faz parte desta família. Estaremos juntos para sempre”.

Mary não cria as crianças sozinhas. Ela tem um marido maravilhoso, é claro, e Mariah, que virou uma jovem adulta bonita, sensível e abnegada que adora e ajuda a criar suas irmãs adotivas.

E Mary tem uma ajudante muito especial para comandar a casa. A filha, Aly.

Em 2005, após a sessão, Mary decidiu adotar Aly.

— Foi uma das decisões mais difíceis da minha vida, mas uma das melhores — diz ela. — Ela se tornou uma pessoa mais amorosa. Tem dificuldade de articulação e outras questões, mas foi capaz de absorver o que eu precisava que absorvesse para que se sentisse segura na vida. Quando eu a recebi não conseguia ler ou sequer falar. Agora ela lê 130 palavras por minuto e consegue expressar o que sente. Ela faz um coração com as mãos e diz: "Eu te amo, mãe." E dá ótimos abraços. É uma das pessoas mais amorosas que conheço.

Em um dos arquivos do relatório de Aly, um assistente social escreveu: "Duvido que consigamos ajudá-la. Ela sofreu muitos danos." Mas Mary via algo que ninguém mais viu.

— Eu vi a luz do espírito de Aly — diz ela. — Ela só precisava ser ensinada como amar.

Fizeram terapia do apego para recriar os momentos de conexões perdidos da vida de Aly.

— Um dia ela veio me perguntar: "Mamãe, eu saí da sua barriga, né?" — Mary recorda. — E eu disse: "O que você acha?", ao que ela respondeu: "Acho que saí da sua barriga." E eu disse: "Está bem."

Juntas, criaram a própria história como mãe e filha, e tudo começou quando Mary compreendeu que seu propósito de vida não seria necessariamente fácil.

— Eu sabia que queria ficar com Aly e que meu destino era adotá-la, mas não queria tomar essa decisão se significasse machucar Mariah — diz Mary. Mas adotá-la acabou sendo uma grande benção para Mariah também.

— Minha vida toda mudou por causa de Aly e minhas irmãs — Mariah diz agora. — Aprendi muito com elas. Vejo o quanto me amam, quão puro, incondicional e ilimitado é seu amor. E isso faz com que eu queira ser a pessoa que minhas irmãs acreditam que sou. Faz com que eu queira fazer por merecer o amor delas.

Mariah planeja estudar terapia ocupacional para ajudar crianças como Aly.

Olhando para trás, Mary Steffey percebe que forças poderosas estavam agindo quando ela tomou a decisão de se tornar mãe de Aly. O amor foi a chave da decisão.

— O que me ajudou a entender tudo foi o amor — diz ela. — Não apenas meu amor por Aly, mas o dela por mim. E o amor de Aly por Mariah. Desde que tomei aquela decisão, minha vida se tornou infinitamente mais abençoada.

16
Família para Sempre

Durante meu segundo ano como professora, aceitei uma vaga em uma escola de ensino médio em Long Island que tinha cerca de quatrocentos alunos e era consistentemente classificada como um dos melhores colégios públicos de ensino médio do estado. Tinha 16 times de esportes, 24 cursos do programa curricular Advanced Placement, clubes de música e teatro bem sucedidos. Amei o lugar e imediatamente me senti em casa.

Por conta disso, minha confiança como professora chegou às alturas. O mesmo acontecia com minhas habilidades – quanto mais trabalhava nelas, melhor ficava. O progresso que fazia em ambos os aspectos da minha vida era empolgante. Percebi que estes dois caminhos paralelos não estavam tão separados quanto pensava.

Ser uma médium sensitiva me ajudou a crescer como professora. Meu dom me ajudou a entender a importância de honrar as conexões entre mim e os estudantes e oferecia uma percepção de quem eles eram e o que precisavam.

Da mesma forma, minhas experiências como professora me ajudaram a simplificar e refinar minhas habilidades. Elas me ajudaram a perceber que minhas leituras eram sobre aprender, questionar e descobrir – e não tanto sobre as respostas. Eu tinha o mesmo objetivo nas duas aptidões da minha vida: ajudar as pessoas a alcançarem seu verdadeiro potencial.

Ainda assim, tive o cuidado de manter esses dois aspectos da minha vida separados. Não era como se eu tivesse vergonha de ser uma médium sensitiva;

só não queria correr o risco de perder meu emprego no magistério. Não tinha certeza de como as pessoas reagiriam e preocupava-me que, se meus estudantes soubessem, poderia se tornar uma distração. Então me certifiquei de que ninguém na escola soubesse da minha outra identidade – nem os estudantes, nem os outros professores e certamente nem o diretor.

Por vezes, durante uma conversa corriqueira com um colega, informações sobre a pessoa vinham até mim. Se eu sentisse que precisavam ser compartilhadas, falava algo do tipo: "Eu penso que..." ou "Sinto que...". Mas, certa vez, quando falava com Jon, um professor com quem tinha afinidade e de cuja energia eu gostava, uma enxurrada de informação veio e antes que pudesse perceber, estava as compartilhando com ele.

– Sabe, Jon, seu carro está prestes a quebrar – disse a ele. – Além disso, você e sua namorada vão terminar. Mas não se preocupe, essas duas situações irão te levar a algo melhor. Um carro melhor e em breve também irá conhecer uma nova moça e é com ela que você vai se casar.

Jon me olhou com estranhamento.

– Você é...? – disse após uma pausa de choque.

– Não conte a ninguém – respondi –, mas sim.

Por sorte, Jon manteve meu segredo a salvo. E mais, a informação que lhe dei acabou se provando verdade. Ele e sua namorada terminaram o namoro, mas ele encontrou uma garota nova logo depois e acabou se casando com ela. E seu carro realmente quebrou, mas ele começou a dirigir um outro bem melhor. Acredito que o Outro Lado queria muito lhe dar o alerta para que, ao invés de se sentir desmotivado por essas coisas aparentemente ruins que aconteceram, ele pudesse entender que tudo era parte de um plano maior.

Minhas sessões privadas estavam indo muito bem, mas sentia o anseio de expandir o que estava fazendo. Fui levada a ajudar a maior quantidade possível de pessoas a enxergar um direcionamento mais claro de sua vida. Queria que soubessem que não estão sozinhas. Também me sentia compelida a ajudar pessoas enlutadas. Queria ajudá-las a lidar com o luto e sentir a presença dos entes queridos em sua vida.

Havia ouvido falar de uma organização chamada Forever Family Foundation (FFF), cuja missão era "estabelecer a continuidade da família mesmo que um membro tenha deixado o mundo físico". Eles tinham a ciência como base e fomentavam pesquisa sobre o pós-vida. Todo o trabalho era sem fins lucrativos e os médiuns sensitivos credenciados pela FFF eram voluntários.

A instituição foi concebida e criada por Bob e Phran Ginsberg. Bob é afável e de fala mansa, tem olhos gentis e um sorriso travesso. Phran é uma morena bonita cuja força interior é notável; é profundamente intuitiva e vez ou outra tem experiências de outro mundo – ela pode ver um homem trabalhando em seu carro, por exemplo, e saber imediatamente o que ele precisaria consertar; uma vez ela disse a Bob que ganharia um carro novo e dois dias depois, em uma venda promocional de Tupperware, ganhou um Ford Pinto verde. Ainda assim, ela nunca acreditou nessas habilidades.

Em uma noite de setembro de 2002, Phran acordou de um sonho intenso, apavorada. Mais tarde, disse a Bob que algo terrível aconteceria no dia seguinte.

– Vamos tomar cuidado – disse.

Naquela noite, os Ginsbergs saíram para jantar em um restaurante chinês em Long Island com seu filho mais velho, Jon, e sua bela e animada filha mais nova, Bailey, com 15 anos na época. Após o jantar, Phran e Bob foram para casa em seu carro enquanto Jon e Bailey foram no Mazda Miata do rapaz. Phran e Bob desviaram da rota para comprar leite. Na volta para casa se depararam com um acidente.

Em uma via de mão dupla estreita e na curva, com água de um lado e uma colina de outro, uma SUV vindo na direção oposta tinha acertado o Miata. O único dano do SUV foi no farol, enquanto o outro ficou completamente destruído no lado do passageiro, onde Bailey havia se sentado.

Jon foi com o resgate aéreo para um hospital a alguns quilômetros a leste. Bob foi com ele. Bailey foi levada às pressas de ambulância para o hospital Huntington. Phran foi levada pela polícia que seguia a ambulância. Durante o caminho, os paramédicos ressuscitaram Bailey diversas vezes.

No hospital, Phran, aterrorizada e em choque, sentou-se na sala de espera enquanto os doutores a operavam. Por alguns momentos ela caiu no sono e teve um sonho lúcido. Nele, ela se via sentada no assento do passageiro do conversível; viu o outro carro vindo na outra direção e na pista errada, diretamente em sua direção. Viu Jon dar uma guinada brusca para a esquerda, na tentativa de evitar a colisão e a exposição do lado do passageiro. E viu o outro carro bater com toda a força no conversível e amassando-o de uma ponta à outra.

A colisão no sonho a fez acordar assustada. Ela ligou para o esposo e disse:

– Eu sei como aconteceu.

Em pouco tempo, um médico saiu para conversar com Phran. O dano aos órgãos de Bailey eram devastadores e não tinha mais o que fazer.

– Bailey morreu no hospital poucas horas depois do acidente – disse Phran. – Foi o pior dia da minha vida.

O irmão de Bailey sobreviveu à colisão, mas não lembrava nada do ocorrido. Inexplicavelmente, os policiais no local do acidente deixaram a motorista partir sem interrogá-la e ela desapareceu sem deixar rastros. Não seria possível que Bob e Phran soubessem o que aconteceu naquele dia, se não fosse pelo sonho de Phran.

Algumas semanas mais tarde, Bob perguntou à esposa:

– Como você sabia como a colisão aconteceu?

– Eu não sei – respondeu Phran. – Eu só soube.

A resposta fez Bob ficar com raiva.

– Ele pensou que, se eu sabia, se havia alguma força invisível que me contou o que aconteceu, por que não fui capaz de saber *antes* do acidente acontecer? – disse. – Ele estava com raiva de mim. Não entendia. Era sua forma de lidar com o luto.

Poucos meses depois, uma seguradora contratou um perito em reconstrução para recriar a colisão. O relatório do perito confirmou a interpretação de Phran sobre o acidente. Mas isso apenas gerou mais perguntas. Como Phran soube? Por que ela sonhou com isso? Quem lhe deu essa informação?

– Precisávamos de respostas – diz Bob. – Sentimos que algo que estava acontecendo e precisávamos saber o que era.

Eles entenderam que talvez naquele espaço misterioso onde a vida e os sonhos se encontram, pais como eles, em estado de luto, podem encontrar algum alívio. Talvez a história da vida e morte de sua filha – que, naquele momento, era simples e inaceitável, em que Bailey estava lá num dia e no outro não estava mais – ainda não tinha acabado.

Então leram livros sobre fenômenos psíquicos. Abriram sua mente para uma nova maneira de olhar para tudo. A investigação levou a uma conclusão inescapável.

– Existe um mundo invisível – diz Bob – e estamos destinados a trabalhar com ele.

Bob e Phran formaram uma equipe com o Dr. Gary E. Schwartz – um professor de psicologia, medicina, neurologia, psiquiatria, cirurgia e diretor do Laboratório de Descobertas sobre a Consciência e Saúde na Universidade do Arizona

– e cofundador do Forever Family Foundation. Por meio deste, eles ajudariam pessoas em luto ao tentar conectá-las com os entes queridos que perderam, construindo uma ponte entre este mundo e o próximo. Seria a ponte de Bailey.

Em 2005 contatei o FFF e disse que era uma médium sensitiva interessada em voluntariar meus serviços. Foi-me dito que a primeira exigência seria passar por um rigoroso teste de certificação. Exigia que fizesse diversas leituras em sequência rápida enquanto seria pontuada pela minha precisão.

Em um dia quente de agosto estive, junto com outros quatro médiuns, em uma sala de reuniões em um hotel em Long Island. Dois deles pareciam se conhecer, o que fez com que me sentisse como uma criança no primeiro dia de aula. Eu não tinha amigos que fossem médiuns sensitivos e não era parte de nenhuma comunidade de médiuns sensitivos. Havia poucas pessoas com quem podia falar sobre meu dom.

Fomos levados a um salão grande onde os testes eram realizados. Um homem de meia-idade foi trazido e sentou-se na frente dos médiuns. Fomos instruídos a fazer sua leitura em silêncio por quinze minutos e escrever o que nos foi comunicado em um bloco de papel.

Estava nervosa. Nunca me pediram para ler em público e, com certeza, minhas sessões nunca foram pontuadas. Foquei completamente o homem e escrevi tudo que recebi de informação.

Quando acabaram os quinze minutos, um funcionário da FFF nos disse que o nome do homem era Tom. A mulher sentada ao meu lado me cutucou com o cotovelo, animada.

– Veja só! – disse, apontando para seu bloco. Nele ela tinha escrito "*Tom*".

Sorri com educação. Tudo que consegui saber foi que seu nome começava com T. Ainda assim, algo naquele breve diálogo com a mulher – descobri que era uma médium sensitiva chamada Kim Russo – me acalmou. Era como se estivéssemos juntas na mesma luta, talvez como companheiras. Aquele sentimento de companheirismo era estranhamente reconfortante.

Em seguida, fomos levados a uma das cinco cabines preparadas em diversas alcovas, cada uma com uma câmera para capturar os resultados em vídeo. O consulente não tinha permissão para falar conosco; ele ou ela somente poderia responder sim ou não. Assim que a leitura começasse, os médiuns teriam quinze minutos para ler cada consulente antes de serem redirecionados para a próxima cabine para realizar outra leitura de quinze minutos. Os consulentes pontuariam nossas leituras de acordo com a precisão. Aquela etapa de testes, contabilizando cada cabine, levaria 75 minutos.

Nervosa, sentei em minha primeira cabine e respirei fundo. Então olhei para a mulher à minha frente, a consulente. Naveguei no espaço entre nós e conectei minha energia com a dela e com o Outro Lado. O nervosismo passou. Parei de pensar em quem eu era ou o que estava fazendo e apenas escutei o Outro Lado e o que estavam dizendo.

O pai da moça veio até mim, logo sua tia e avó por parte de mãe. Eles me ofereceram dados que eram importantes para sua família. Mostraram como os membros da família fizeram a passagem. Informaram-me sobre a reforma que ela fazia em sua casa. O Outro Lado continuou a me oferecer informações e, antes que percebesse, era chegada a hora de ir para o próximo consulente.

Quando cheguei ao terceiro consulente, sentia-me completamente aberta ao Outro Lado. Lia para uma mulher que aparentava ter por volta de 40 anos. Seu filho veio até mim de imediato. Disse-me seu nome e como havia falecido em um acidente de carro. Então, ele fez algo estranho – mostrou-me a data do aniversário de minha filha, Ashley, que é 16 de maio.

– Seu filho fez a passagem no dia 16 de maio? – perguntei à consulente.

Seu rosto ficou pálido, os lábios tremeram e os olhos marejados de lágrimas.

– Sim – disse.

Seu filho começou a fazer piadas do Outro Lado. Contou histórias engraçadas de família. Em meio às lágrimas, a mulher ria e eu também. Não queria deixá-la quando o tempo acabou.

A próxima consulente, uma mulher no início dos 30 anos, também perdeu um filho. Ela me disse que o nome dele era Michael e que tinha falecido de câncer. Mostrou-me os três anos anteriores em uma linha do tempo, o que significava que fizera a passagem há três anos. Ele também fez a mãe rir enquanto falava de suas exigências na hora de comer. Em seguida, agradeceu por seu amor enquanto ele estava aqui.

– Esta foi a lição dele – expliquei. – Sentir seu amor incondicional. É por isso que ele veio. E ele completou esta lição. Ele disse para transmitir a você como ele sempre se sentiu seguro, mesmo durante a passagem. Ele partiu cercado pelo seu amor.

Fiz a leitura para outra pessoa e então o teste estava completo – as câmeras foram desligadas, as pranchetas guardadas. Estava exausta. Sentia que me saí bem nas leituras e percebi que havia aprendido algo novo. Estava impressionada com o filho que me informou sobre o dia de sua passagem ao me mostrar o dia do nascimento de Ashley. De alguma forma, ele foi capaz de usar minhas lembranças para transmitir a mensagem. Percebi que o Outro Lado tem acesso a cada pensamento, cada momento, cada detalhe íntimo da minha vida – e que aqueles do Outro Lado usarão este acesso para transmitir mensagens e reconforto para seus entes queridos.

Phran nos disse que iríamos receber notícias da FFF em algumas semanas com os resultados. Descobrimos que os consulentes que estiveram à nossa frente eram profissionais nisso – pessoas treinadas para não revelar nada durante as leituras, para cortar pela raiz os truques, artifícios e leituras fraudulentas.

Dei uma volta na sala de conferências e percebi que estava próxima a Kim Russo e outra médium sensitiva, Bobbi Allison. Kim e Bobbi já eram amigas. Elas tinham mais ou menos a minha idade, eram bonitas, inteligentes e completamente pragmáticas. Amei a energia delas. Conversamos sobre o teste e comparamos anotações, extravasando nosso nervosismo. Nossa conversa era casual; parecíamos três amigas.

– Quem é seu professor? – perguntou Bobbi.

– Meu professor? – perguntei. – Eu não tenho um.

Kim e Bobbi pareciam chocadas. Não percebi até aquele momento que não ter um professor ou mentor era incomum. Elas me contaram sobre seus mentores e como ajudaram a guiá-las a explorar mais seus dons. Falaram de seus professores com muito amor e admiração, como se não fossem capazes de ter se tornado o que se tornaram sem eles.

Fizemos planos de sairmos juntas e algumas semanas depois nos encontramos em um restaurante próximo de onde vivíamos. Continuamos de onde paramos. Cada uma de nós contou a história de como percebemos que éramos diferentes. Kim explicou como ela fechava os olhos para dormir e recebia visões de pessoas que não conhecia.

– Eu via pessoas mortas no meu quarto quando tinha 9 anos – disse ela.

Bobbi nos contou que sua avó, mãe e três irmãs eram sensitivas.

– Sempre li pessoas – disse ela. – Ao ponto que começaram a me chamar de senhorita sabe-tudo. Até minha família não aguentava mais. Eles diziam que iriam me deixar em casa sozinha quando saíam porque eu sempre estragava as coisas com todo o meu "conhecimento".

Meu jantar com Kim e Bobbi foi empolgante. Meu espírito estava mais leve, como não o sentia há muito tempo, se é que já me senti assim. Trocamos ideias, comparamos técnicas e até fizemos leituras umas para as outras. Era como amigas que dão conselhos umas às outras, com a diferença de que o conselho vinha do Outro Lado.

Este momento de nos conectarmos for importante para cada uma de nós.

– É difícil se manter equilibrada em todas as sessões – disse Bobbi em dado momento. – Você tem que encontrar seu equilíbrio. E estar com amigos que têm a mesma energia, é como me mantenho equilibrada.

Eu entendi do que ela falava. Todas tínhamos os mesmos medos e problemas. Precisávamos de um porto seguro para sermos nós mesmas. Antes daquela noite eu sentia que estava sozinha. Agora, porém, eu meio que consegui uma família sensitiva. Saíamos para jantar uma vez por mês para conversar, rir, solidarizar e apoiar umas as outras. Eu tinha um porto seguro.

Algumas semanas após o teste de certificação, recebi uma ligação de Phran Ginsberg. Ela explicou como meu teste foi pontuado – o critério numérico oferecido por cada consulente para calcular minha precisão. Phran disse que minha pontuação foi alta, o que significava que minhas leituras haviam sido excepcionalmente precisas.

– Parabéns – disse ela. – Você agora é uma médium certificada.

Senti meu coração acelerar e meus olhos marejados. Fui aprovada para participar de eventos organizados pela FFF. Encontrei a válvula de escape de que precisava para elevar o nível das minhas habilidades. Eu sentia o impulso de ajudar pessoas enlutadas e agora teria a chance de fazê-lo. Ser certificada pela FFF era uma validação importante para mim, mas era mais do que isso. Foi também um momento de encorajamento. Um chamado para agir. Agora eu fazia parte de algo maior do que eu mesma.

Era parte de uma equipe de luz.

Senti que minha vida como médium sensitiva estava prestes a mudar.

17

Há Mais Mistérios Entre o Céu e a Terra

Assim que Ashley fez 5 anos, decidimos que era o momento certo para ter outro bebê.

Sempre quisemos um segundo filho, mas sentimos a necessidade de esperar um pouco. Nossa vida era exaustiva e de vez em quando caótica, com Garrett terminando a faculdade e estudando para o exame da Ordem dos Advogados e eu sendo mãe de primeira viagem, professora novata e médium sensitiva nas horas vagas. Com o tempo, as coisas começaram a se acalmar. Ele passou no exame e fui efetivada como professora. Conseguimos economizar e comprar uma casa térrea de três quartos em uma rua calma e arborizada de Long Island. Disse ao universo que estava pronta. Era hora de ter um bebê.

Mas como não engravidei imediatamente, comecei a duvidar do universo. Era para acontecer naquele momento ou não? Para ajudar no processo, fui à farmácia local comprar um teste de ovulação sem prescrição médica. Levei Ashley comigo.

Estava em um corredor cercada de duas fileiras de testes de gravidez, de ovulação e todo tipo de produtos de natalidade. Fiquei arrasada. Comecei a achar que poderia não engravidar e senti-me abandonada. Estava entregue aos meus medos. Tive que me esforçar para não transparecer meus sentimentos para Ashley, mas estava destruída.

Neste momento, Ashley puxou a minha blusa.

– Mamãe – disse ela – Você sabia que Fuzzle está deitado perto de você, dando muito amor?

Fuzzle?

Fuzzle era a cadela de estimação que tivemos quando eu era uma garotinha. Era uma West Highland White Terrier linda e carinhosa e eu a amava loucamente. Ela sempre me acalmava e dava-me amor quando eu precisava. Era inacreditavelmente leal. Quando saíamos de férias, ela se aconchegava em cima de uma das malas na noite anterior para que não esquecêssemos dela. Adorava Fuzzle como toda criança adora seu primeiro bichinho de estimação e prometi guardá-la em meu coração para sempre. Mas, ainda assim, não era como se pensasse nela o tempo todo. Afinal, ela fez a passagem quase duas décadas antes. Tinha certeza de que falei de Fuzzle para Ashley e ela pode até ter visto uma foto da cachorrinha, mas sinceramente Fuzzle não era um tema recorrente no nosso dia a dia.

E, naquele momento, minha filha de 5 anos estava me contando que Fuzzle se aconchegou em meus pés no corredor de produtos de gravidez na farmácia?

Imediatamente soube que era verdade.

Já tinha minhas suspeitas de que Ashley compartilhava do mesmo dom que eu, então não me surpreendi por ela ser capaz de ver Fuzzle. Porém, fiquei emocionada porque Fuzzle aparecera com uma mensagem de amor bem quando precisei. Quaisquer dúvidas e medos sobre ficar grávida desapareceram naquele momento. Tive a forte sensação de que tudo ficaria bem.

Um mês depois eu engravidei.

Estar grávida me encheu de alegria e energia. Nove meses depois, um lindo menininho de cabelos loiros platinados veio a este mundo. Ele parecia brilhar. Demos a ele o nome Hayden.

Esperava que os meses após seu nascimento fossem cheios, exaustivos e difíceis, mas também felizes e maravilhosos assim como tinha sido após o nascimento de Ashley. Mas desta vez foi diferente. Ao invés de me sentir alegre, estava deprimida, ansiosa e derrubada pela energia negativa. Não era culpa de Hayden, pois ele era um bebezinho doce e animado. A gravidez tinha mudado algo intrínseco em mim. Sentia oscilações de energia e emoção; era como viver em uma casa com o termostato que ia do quente ao frio e vice-versa. Por vezes, sentia que uma nuvem sombria pairava sobre mim.

Seria depressão pós-parto? Meus sintomas certamente se encaixavam no diagnóstico: tristeza, ansiedade, irritabilidade, crises de choro, sono interrompido. Mas eu também tinha um sintoma assustador: comecei a ter pensamentos sombrios.

Não é como se eu fosse fazer algo que pudesse ser considerado ruim ou prejudicial; Deus sabe que nunca faria. É que percebi que poderia. E não importava o quanto me esforçasse para produzir pensamentos positivos para sobrepujar os negativos, eu não conseguia; era assustador. *Esta não sou eu,* repetia diversas vezes para mim. *Eu trabalho com a luz, não com as trevas. Eu nem assisto filmes de terror!* Um sentimento familiar voltou com força: *E se eu estiver maluca?*

Tive de enfrentar a possibilidade de que tinha algo seriamente errado comigo, assim como suspeitei durante toda a vida. O processo que pelo qual passei para aceitar minhas habilidades e encontrar meu lugar no mundo de repente estava em risco. Foram tempos dolorosos e sofridos.

Decidi buscar ajuda e marquei uma consulta com um psiquiatra.

Quando entrei no consultório do Dr. Marc Reitman, estava uma pilha de nervos. E se falar do Outro Lado me fizesse parecer psicótica? Será que o Dr. Reitman acharia que eu não era capaz de cuidar dos meus filhos?

Em pouco tempo, seu jeito de ser me acalmou. Sua energia era suave, gentil e afetuosa. Ainda assim, temia o pior.

Comecei a contar sobre meus pensamentos apavorantes. Não me contive. Dr. Reitman escutou em silêncio, sem transparecer nenhuma emoção ou julgamento. Quando acabei, ele me perguntou algo simples:

— Sei que você tem esses pensamentos sombrios, mas você acha que em algum momento os colocaria em prática?

Não hesitei

– De jeito nenhum, nem em 1 milhão de anos. Nunca, jamais faria algo assim.

– Então, está tudo bem – disse o Dr. Reitman.

Senti-me aliviada, mas sabia que precisava contar o resto.

– Mas isso não é tudo – disse. Contei que sabia que meu avô faleceria quando tinha 11 anos, contei sobre o sonho que tive com John, sobre como era capaz de sentir a energia das pessoas e que via suas cores. Contei que falava com os mortos e como eles respondiam. Como eles me transmitiam mensagens para comunicar aos seus entes queridos.

Dr. Reitman escutou sem demonstrar emoção. Temi sua resposta.

– Deixe-me perguntar uma coisa, Laura – arguiu calmamente. – Quando você faz essas leituras, recebe informações precisas? Elas ajudam as pessoas?

– Com certeza – disse a ele. – Recebo nomes, datas e todo tipo de detalhe válido. E as mensagens são sempre de cura e amor. As sessões são bonitas. Aprendo muito com elas. Amo fazer parte disso.

Dr. Reitman sorriu e olhou-me nos olhos.

– Não acho que esteja maluca – disse ele. – Você não deve pensar nessas coisas como o sintoma de algo e sim como habilidades que precisam ser exploradas. O universo é maior do que sabemos.

Nessas poucas palavras, mágicas e curativas, ouvi uma versão semelhante que William Shakespeare disse através de Hamlet: "*Há mais coisas entre o céu e a terra do que conhece a nossa vã filosofia, Horácio.*"

Senti-me livre. Meus maiores medos, que eram ser insana ou estar alucinando, se foram. Senti como se tivesse passado em algum tipo de teste psicológico.

Dr. Reitman me explicou os sintomas da depressão pós-parto e estabeleceu um plano de tratamento que começava com me medicar para que isso me ajudasse a lidar com variações de humor e pensamentos obscuros. O problema é que eu não metabolizo as medicações da mesma maneira que a maioria das pessoas. Tenho uma tolerância extremamente baixa para qualquer tipo de remédio; mesmo um comprimido de ibuprofeno faz com que me sinta enfraquecida e grogue. Mas combinamos de tentar.

Em poucas semanas, percebi que o remédio não estava me ajudando com as variações de humor. Também estava interferindo em minhas habilidades. Ao invés do fluxo contínuo de informação que geralmente recebia, agora era como se recebesse apenas gotas constantes. Dr. Reitman então decidiu experimentar um estabilizador de humor natural chamado SAM-e.

E foi um sucesso. Os pensamentos intrusivos se dissiparam, como uma névoa densa sendo eliminada pelo sol. O fluxo natural do Outro Lado voltou. Na verdade, intensificou-se, assim como ocorreu após o nascimento de Ashley.

Continuei tomando o Sam-e por alguns meses até me sentir equilibrada. Mas a aceitação do meu dom por parte do Dr. Reitman foi tão importante quanto o tratamento. Não havia nada na área de psiquiatria que falasse do sobrenatural, mas minha sorte foi que ele estava aberto a coisas não achadas em textos psiquiátricos.

Tive consultas com Dr. Reitam diversas vezes nos meses seguintes. Senti-me confortável e livre para discutir minhas habilidades com ele; quanto mais nos falávamos, menos insegura e isolada eu me sentia.

Tive sorte de encontrar um psiquiatra com uma mente curiosa e sem julgamentos? Não acho que foi sorte. O Outro Lado, pelo visto, sempre colocava pessoas especiais no meu caminho – pessoas que deveriam me ajudar a entender e honrar minhas habilidades. O Dr. Reitman foi uma delas.

18
O Quepe

Minha energia e minhas habilidades se reequilibraram; eu estava pronta para fazer sessões novamente. Naquela época, recebi uma ligação de Phran Ginsberg, da Forever Family Foundation, que me ofereceu um convite para participar de um evento especial chamado "Como Ouvir Quando Seus Filhos Falam". Dez casais de pais que perderam um filho estariam ali, junto com uma médium sensitiva: eu.

Engoli em seco e disse a Phran que o faria.

O evento estava agendado para a última semana de agosto. Nas semanas anteriores, senti a ansiedade aumentar. Era como um zumbido interno que ficava mais e mais alto, até ficar quase insuportável. Passei muito tempo conversando com o Outro Lado; pedia-lhes que estivessem presentes e passassem-me mensagens para as famílias enlutadas. Esse evento era algo que nunca havia vivido. Eu teria que entrar em uma sala com nada além da minha tela interna. Sem plano B, nenhum outro médium para me dar cobertura no caso de o Outro Lado não conseguir se comunicar comigo; teria que confiar neles completamente.

Passei a semana anterior ao evento com meus filhos e aproveitei os últimos dias de verão. Hayden que tinha 16 meses e Ashley com 7 anos, mantiveram-me ocupada e desviaram minha mente do evento. Ainda assim, quando o dia chegou, estava mais nervosa do que nunca. O zumbido estava no volume máximo. Tentei me alimentar, mas mal conseguia manter a comida no estômago; por fim, não comi nada durante o jantar.

Garrett trabalhava como advogado de uma grande rede de lojas e não chegaria em casa antes das 18h30. Minha mãe foi até minha casa para tomar conta das crianças até que ele chegasse. Beijei-as, agradeci à minha mãe e entrei no carro. Liguei para Garrett, que me garantiu que daria tudo certo. Quando desligamos, foquei a minha respiração. *Inspire, expire. Concentre. Conecte-se com sua parte espiritual.*

E então, na rodovia Jericho Turnpike, as crianças vieram até mim.

Saí da estrada e parei, às pressas, no estacionamento de uma loja. Tirei o pequeno caderno que mantinha em minha bolsa e escrevi o máximo que pude do que elas diziam. Mesmo enquanto aquilo acontecia, eu mal podia acreditar. Nunca havia sido tão bombardeada pelas mensagens do Outro Lado.

Após alguns minutos, voltei para a rodovia e acelerei para chegar a Huntington Hilton. Cheguei ao evento na hora certa. Os pais já estavam sentados dentro da sala de reuniões, mas tudo estava estranhamente quieto. Parecia difícil respirar. Podia sentir a tensão pesada ao meu redor.

– Esta é Laura Lynne Jackson – Bob Ginsberg disse aos pais. – Ela é uma médium credenciada da Forever Family Foundation e está aqui esta noite para nos ajudar a descobrir como falar com nossos filhos.

Bob e Phran saíram da sala para dar aos pais a maior privacidade possível. Assim que se foram, todos voltaram a atenção para mim, mais uma vez. Como professora, estava acostumada a ter pessoas me encarando e esperando que eu falasse, mas esta situação era diferente. O silêncio era torturante. Tinha que fazer algo, tinha que começar a falar. Mas não sabia o que dizer.

Então percebi que tudo que precisava fazer era deixar as crianças falarem.

E de uma vez só, senti-os se aproximarem de mim.

– Seus filhos estão aqui – disparei. – E eles têm algo a dizer.

Sem perceber, fui levada àquele lugar que fica um pouco acima do nível da minha cabeça, onde deixava de habitar meu corpo físico e tornava-me meu eu espiritual, onde não era mais aquele "eu" que conhecia e onde poderia me desprender de preocupações terrenas. Senti um estalo e a porta se abriu.

Eles apareceram como feixes de luz em minha tela mental. Manifestaram-se clara e intensamente e foi emocionante. Estava cercada por aquelas crianças lindas e sua bela energia.

— Seus filhos estão aqui juntos, ao redor de vocês — disse aos pais. — E querem transmitir uma mensagem coletiva. Estão dizendo: "Não se preocupem com a gente. Estamos bem. Deixem de lado os medos e as preocupações para que possamos ter esse tempo juntos. Tem tanta coisa que queremos que vocês saibam..."

Senti que aquelas palavras dissiparam a tensão na sala. O clima ficou um pouco mais leve. Entendi o porquê de as crianças terem vindo a mim antes do evento, em meu carro. Elas sabiam que seus pais estavam em alerta. Sabiam que eles tinham construído barreiras para bloquear a dor, o luto e a raiva. Os filhos sabiam que essas paredes poderiam evitar que fossem ouvidos. Então, vieram até mim com uma mensagem em comum para todos os pais: "*Derrubem as barreiras e abaixem a guarda para que possamos nos comunicar. Não tenham medo ou fiquem confusos ou resistentes. Por favor, saibam que estamos aqui com vocês, do seu lado neste exato momento.*"

Essas crianças, tão vivazes e brilhantes, convidavam-nos a imergir em sua energia feliz. Não senti nada além de puro amor. Sem medo, dor ou culpa — só amor. É como esperar alguém muito querido no aeroporto e de repente aquela pessoa chega ao corredor e, quando a vê vindo na sua direção, experimenta o melhor sentimento do mundo. Foi assim que me senti naquela sala de reuniões; senti-me envolta em amor.

Desta vez, para minha surpresa, eles se enfileiraram pacientemente em vez de me sobrecarregarem como fizeram no carro. Eu não ditava a ordem dos acontecimentos, eram eles. Senti uma criança se manifestar e senti um puxão — chamo esta energia de laço, a sensação do Outro Lado guiando meu corpo — na direção de um casal na ponta mais distante da mesa. O homem estava impassível; sua esposa se sentou perto dele, mas não o tocava. Já estava chorando.

A criança que se comunicava comigo era uma menina adolescente. Mostrou-me que era filha única, para que eu pudesse compreender o luto específico que seus pais sofreram com sua passagem. Ela me mostrou a letra *J*, mas também me mostrou uma palavra curta, como se quisesse dizer que era chamada por um apelido.

– Sua filha está se comunicando – disse a seus pais – Ela me mostra um nome com a letra *J*, Jessica ou Jennifer, mas vocês a chamavam de outra forma.

Seus pais assentiram devagar. Seu nome era Jessica, mas os pais a chamavam de Jessie.

Então, Jessie me mostrou o que aconteceu com ela.

– Começou no peito dela – disse.

Mais tarde viria a saber de toda a situação, contada pelos pais. Na manhã da Sexta-feira Santa de 2007, Jessie, em seu 2° ano do ensino médio, desceu as escadas de sua casa em Falls River, Connecticut. E disse a seus pais:

– Estou passando mal.

– Jessie, você não tem aula hoje – disse seu pai, Joe. – Não precisa fingir que está doente.

– Não, eu estou realmente passando mal. – disse ela.

No dia anterior, Jessie havia jogado uma partida de lacrosse e foi ao encontro do Clube de Exploradores da polícia para adolescentes, duas de suas muitas paixões. Ela era inteligente e bonita, tinha cabelos ruivos e sardas, um sorriso tímido; Jessie nunca parava quieta – aos 15, já era a primeira da classe, faixa preta de 2° grau e uma mergulhadora certificada. Amava seus amigos, sua família e seu golden retriever, Paladin (ou Pal) e sentia grande curiosidade pela vida.

Ela faria 16 em duas semanas e tinha começado a sair com seu primeiro namorado.

– Não é nada sério – disse sua mãe, Maryann. – Ela acabou de me dizer "Mãe, eu amo alguém", como todos os adolescentes.

Joe e Maryann levaram Jessie de carro até o pediatra, que disse que ela tinha uma gripe. Naquela noite, Jessie vomitou sangue, e seus pais a levaram ao hospital. No dia seguinte, uma ambulância a conduziu às pressas até outro hospital e dali ela foi levada de helicóptero para o Hospital da Criança em Boston. Ela estava gripada, de fato, mas tratava-se uma infecção viral rara.

Rapidamente, a gripe virou uma pneumonia e então sepse. Os sinais vitais de Jessie estavam enfraquecendo e colocaram-na em um respirador, pois seus pulmões estavam muito danificados. Amigos e parentes dirigiram até Boston para ficar com John e Maryann, enquanto outros ficaram em casa e fizeram uma vigília à luz de velas no quintal de Jessie.

Então apenas cinco dias após ter descido as escadas na Sexta-feira Santa, uma tomografia revelou que Jessie tinha um sangramento no cérebro. Os médicos disseram que não havia nada que pudessem fazer.

Joe, um homem corpulento que trabalha em uma oficina mecânica, e Maryann, uma mulher católica forte, ficaram entorpecidos. Algo que eles não tiveram nem tempo de antecipar de tão de repente e inimaginável: perder sua bela menina.

Joe e Maryann entraram no quarto de Jessie para dizer adeus juntos.

– Eu te amo – disse Maryann, acariciando os cabelos longos e ruivos de sua filha. – Você é nossa melhor amiga no mundo inteiro.

Joe segurou firme sua mão e limpou as lágrimas do rosto, para que não caíssem nela.

– Eu te amo, Jessie – disse ele. – Te amo muito.

Jessie faleceu poucos dias depois da Páscoa.

Joe e Maryann deixaram o quarto de Jessie da forma que era, como se esperassem que voltasse a qualquer minuto. Para se ocuparem, focaram suas energias no velório e no funeral. Ao invés de presentes de aniversário, escolheram uma lápide.

– Nada fazia sentido – diz Joe. – Nada mesmo. Jessie estava conosco e depois não estava mais. Por que isso aconteceu? Por que Jessie? Por que estamos aqui, qualquer um de nós, se algo assim pode acontecer de repente?

– Duvidamos de nossa fé na vida – diz Maryann. – Estávamos desesperados procurando por respostas, mas não havia nenhuma. A vida não tinha nenhum propósito, não sem Jessie. Por que temos o direito de estarmos aqui e ela não?

Não sabia a dimensão do seu desespero enquanto estava ali em frente aos dois na sala de reuniões. Mas sabia que Jessie não tinha apenas desaparecido.

Ela estava bem ali conosco, cheia de amor e vivacidade. E ela tinha 1 milhão de coisas para dizer.

– Ela quer agradecer a vocês pelas borboletas – disse a Joe e Maryann.

Eles se entreolharam e Maryann pegou um lencinho de papel. Não sabia por que as borboletas eram importantes e não precisava saber. Era evidente que os pais tinham entendido. Mais tarde, vim a descobrir que Joe e Maryann tinham escolhido recentemente a lápide de sua filha e era uma pedra com borboletas esculpidas que voavam acima do nome de Jessie. Ela amava borboletas.

Mas aquele era só o começo.

– Ela está me mostrando um animal – continuei. – Um gato. Está em uma árvore, talvez preso em um galho?

Olhei para Joe e Maryann para confirmação, mas não houve consenso. E tudo bem – eu sabia que às vezes as mensagens do Outro Lado não faziam sentido até tempos depois. Pedi que lembrassem da mensagem dela, porque poderia se tornar válida em algum momento no futuro. (Algumas semanas após a sessão, Joe rastelava folhas em seu quintal quando viu o gato de pelúcia favorito de Jessie preso em um galho. De repente, lembrou-se da razão dele estar ali. Certo dia, ela o esqueceu no jardim e ele pegou e colocou-o na árvore para que o golden retriever da família não mastigasse o brinquedo. O detalhe não tinha ressoado com ele na sala de reuniões. Mas Jessie compartilhou essa informação para que Joe pudesse lembrar deste detalhe e perceber o sentido da mensagem quando ele precisasse muito sentir a presença de sua filha.)

Jessie continuou.

– Vejo um chapéu, como se fosse um quepe de policial. – disse eu. – Jessie está me mostrando um quepe azul. Eu tenho que falar sobre este chapéu para vocês. Você é policial?

Joe parecia surpreso. Mais do que isso – chocado. Mais tarde, ele me explicou a importância do quepe.

Antes de falecer, Jessie foi a um acampamento para adolescentes organizado pelo departamento estadual de polícia. Era o tipo de coisa que Jessie, uma alma aventureira, amava fazer. Joe deu a ela 50 dólares e pediu que ela comprasse para ele um quepe. Mas Jessie gastou todo o dinheiro e esqueceu de comprá-lo. Ninguém nem se deu conta disso.

Então, no funeral de Jessie, algo inexplicável aconteceu. Um policial chegou até Joe. Os dois nunca tinham se encontrado. Nas mãos dele estava um quepe azul de policial.

O policial teve dificuldade de encontrar as palavras certas.

— Trouxe esse quepe para você — disse a Joe, com os olhos cheios de lágrimas. — Não sei o porquê, de verdade. Só sei que deveria lhe dar isto.

Joe pegou o quepe, virando-o várias vezes em suas mãos enquanto o olhava. E então abraçou o policial.

O Outro Lado, pelo visto, poderia transformar qualquer um em mensageiro, se a pessoa escolhida estivesse disposta a manter o coração e a mente abertos para o Outro Lado. O policial poderia ter ignorado sua estranha compulsão de dar o quepe a Joe. Por sorte, não o fez.

Jessie me mostrou o chapéu porque era algo que apenas Joe e Maryann entenderiam. Nem mesmo o policial sabia a razão do objeto ser tão importante. Mas ela quis que eu compartilhasse isso para que seus pais soubessem que ela estava ali com eles na sala de reuniões.

A seguir, ela me mostrou sua doença. Exibiu todo seu corpo, o que eu entendi que significava que era algo que a afetou em todas as partes. Então ela me redirecionou para sua cabeça. Mostrava que a sua doença havia se espalhado e tomado seu cérebro. Também me mostrou uma linha do tempo de três dias — era uma doença que se espalhava rápido.

— Envenenou o seu organismo — contei a seus pais. — Correu pelo sangue e chegou ao cérebro. Quando o alcançou foi quando tiveram que deixá-la partir.

Joe e Maryann nunca tinham contado a ninguém, ninguém mesmo, sobre a hemorragia no cérebro de Jessie. Eles nunca disseram que foi por essa razão que desligaram os aparelhos. Mas ela me mostrou aquilo para comprovar que de fato estava ali. Talvez soubesse que seus pais precisassem de muito convencimento. Talvez ela soubesse que entre todos os detalhes, aquele era o que iria convencê-los de sua presença. E funcionou.

— Isso é o que Jessie quer dizer a vocês — disse eu. — Ela quer que entendam que ela não os deixou e nunca deixará. Que ela sempre será sua filha e sempre os amará. Vocês não a perderam nem nunca irão perdê-la. Por favor, entendam que nunca poderão perdê-la.

No hospital, no dia em que Jessie morreu, Maryann segurou sua mão, acariciou seus cabelos e disse:

– Você é nossa melhor amiga no mundo inteiro.

E agora três meses depois, na sala de reuniões em Long Island, Jessie usou essas lindas palavras e as devolveu para seus pais.

– Jessie não se foi – disse eu. – Nem nunca partirá. Ela sempre está com vocês. E ela sempre será a melhor amiga de vocês.

19
A Última Criança

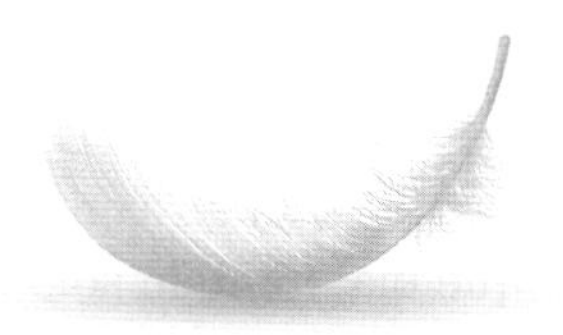

Naquela noite, na sala de reuniões, as crianças continuavam vindo: meninos e meninas, alguns de apenas 5 anos, outros na adolescência, alguns até mais velhos. Eles me forneciam detalhes claros para provar a seus pais que estavam ali, antes de frisar mais de uma vez, o quanto era necessário que seus pais soubessem que eles não partiram de fato.

Fui atraída para um casal cuja filha tinha sido morta quando andava de bicicleta. Queria que se libertassem da culpa – nada poderia ter sido feito para evitar o que aconteceu.

– E ela quer agradecer a vocês por colocar suas obras de arte na sala de estar – disse-lhes – para que ela pudesse continuar presente na sua vida.

Um rapaz se manifestou e mostrou-me que se afogou, bem como dois de seus amigos.

– Ele quer que vocês saibam que ele fez a passagem com seus amigos, que nunca esteve sozinho – disse aos pais dele. – E, quando chegou ao Outro Lado, seu avô e o cãozinho de estimação estavam esperando para recebê-lo.

Todas as crianças que vieram até mim queriam a mesma coisa – aliviar, de alguma forma, a dor e angústia de seus pais. Elas o faziam para que seus pais pudessem ver uma centelha do Outro Lado e essa luz cintilante permitia que vissem o caminho de saída da escuridão.

As leituras continuaram, sem pausa. Não tinha percebido, mas já havia se passado mais de três horas. Tanto havia acontecido nessas três horas e um sentimento aflorado de alívio e esperança preencheu o cômodo antes mórbido. As pessoas que iam para casa naquela noite não seriam as mesmas que chegaram. Seu sofrimento foi amenizado – não despareceu, mas diminuiu. Seus filhos lhes deram uma dádiva linda, mágica e poderosa – a compreensão de que não tinham partido.

Estava exausta, eufórica e sobrecarregada com todo o amor transmitido naquela noite. Mas, ainda assim, algo não estava certo. Algo parecia errado.

Todas as crianças tinham se manifestado, exceto uma.

Vasculhei a sala e encontrei uma pessoa com quem ainda não havia falado – uma mulher com 40 e poucos anos e cabelos pretos. Descobri mais tarde que ela era mãe solo e a única ali sem um cônjuge. Sentou pacientemente na cabeceira da mesa, mas ninguém do Outro Lado veio falar com ela. O que estava acontecendo? A maioria dos pais já tinha saído da sala quando a moça se levantou lentamente, virou-se e caminhou em direção à saída. Podia sentir sua decepção avassaladora. Mas o que eu deveria fazer?

E então tive um estalo: sua filha queria ser a última.

Corri até a mulher e coloquei a mão em seu ombro.

– Espere – pedi –, por favor. Eu ficarei até tarde com você.

Sentamo-nos à mesa, apenas nós duas. E assim que nos acomodamos algo se manifestou.

Este feixe de luz não estava na parte superior direta da minha tela, a parte forte e clara – estava mais para baixo. Senti que estava ouvindo uma vibração baixa e profunda, algo que tinha que me concentrar para conseguir decifrar. Além disso, a luz desta pessoa era muito menos intensa do que as outras e tive que diminuir minha energia – muito abaixo do que esteve durante toda aquela noite – de forma que pudesse extrair a dela. Percebi que era por isso que tivemos que esperar até o cômodo esvaziar. Esta leitura era diferente.

Por fim, pude ver uma moça – uma mulher muito jovem de 20 anos. A informação era fraca, mas pude entender.

– Você é uma psiquiatra – disse à sua mãe. A mulher congelou. Então, eu vi um campus e três letras. – Ela está me dizendo que frequentava a NYU.

A filha me mostrou onde a mãe morava e alguns outros detalhes e também mostrou animais pequenos – gatos.

– Sua filha quer agradecer por cuidar dos gatos dela – contei. – Ela está grata de verdade por você amá-los tanto.

O detalhe dos gatos foi o que funcionou. Pude sentir a energia de sua mãe mais aberta para fazer a leitura e a compreensão da mensagem de sua filha.

A jovem me mostrou como morreu, apesar de eu já saber. Ela se suicidou.

Suicidas geralmente se manifestam com luzes diminutas. A filha desta mulher esperou por tanto tempo para se comunicar porque não queria que o fato de ter se suicidado fosse do conhecimento dos outros pais. Ela esperou até que sua mãe tivesse mais privacidade.

Ela me mostrou como tentou se matar antes quando tinha 16 anos, e o quanto sua mãe tinha tentado ajudá-la desde então. Depois me mostrou como finalmente conseguiu – overdose de remédios – e mostrou-me que o teria feito não importava o que sua mãe ou qualquer outra pessoa fizessem. Foi escolha dela. E este era seu umbral. Ela pôs fim à sua jornada na Terra e apenas depois da passagem percebeu o presente que era a vida.

Disse tudo isso à sua mãe, que estava chorando. Apesar de ter se iniciado tênue, a conexão tinha se fortalecido e aprofundado-se. Pude sentir um amor incrível que unia essa mãe e sua filha.

E, pela primeira vez naquela noite, as lágrimas escorriam pelo meu rosto. Era um dos momentos mais intensos que já vivenciara.

– Sua filha quer que você sabia que, se ela soubesse quão ruim e doloroso isso seria para você, nunca teria feito – continuei. – Ela sente muito ter feito isso.

Estávamos no cerne da questão naquele momento. Era aquilo que a mãe mais precisava ouvir.

– Sua filha quer agradecer a você – disse. – Quer agradecê-la por ter tentado e por compreender. Mas, mais que tudo, ela é grata pelo que você fez por ela após sua passagem.

Naquela sala praticamente vazia, entreguei a seguinte mensagem:

– Sua filha quer agradecer por perdoá-la.

Fiquei quarenta minutos com a mãe da menina. Quando terminamos, Bob e Phran me abraçaram e agradeceram-me. Eles estavam muito felizes pelos resultados da noite. E eu, qualquer exaustão que sentira até aquele momento tinha ido embora após a última leitura. Ao invés disso, sentia-me completamente energizada. Fui capaz de ajudar todos os pais a se conectarem com seus filhos e entreguei lindas mensagens de amor. A percepção de que podia fazer isso — que podia desempenhar um papel neste processo milagroso de cura — significava muito para mim. Sabia que, naquele momento, e de uma vez por todas, as habilidades que eu temia que fossem uma maldição eram, na verdade, uma benção.

Voltei ao meu carro e acelerei para casa. Estava tão extasiada que ainda sentia a vibração. Sei que pode soar estranho se considerar que passei quatro horas com pais enlutados falando sobre momentos inimaginavelmente tristes. Mas a verdade era que todos compartilhamos um momento milagroso. As crianças estiveram ali com seus pais na mesma sala! O amor continua!

A noite não tinha sido apenas sobre morte e escuridão, longe disso. Tinha sido sobre luz, vida e amor.

Eram 23h. Liguei para Garrett e contei que tudo correu bem naquela noite.

— Falei que se sairia bem — disse ele.

— Estarei em casa em breve — disse-lhe.

E assim que disse isso percebi que não estava sozinha no carro. As crianças ainda estavam comigo.

Não é como se tivessem mais mensagens a compartilhar. Como eu, eles também estavam vibrando. As minhas leituras tinham um efeito triângulo, no qual três energias eram conectadas — a minha, a do consulente e a daqueles do Outro Lado. Todos estávamos sentindo a mesma coisa naquela noite. Assim como eu, as crianças estavam eufóricas. Finalmente partiram, mas continuava sentindo uma presença no carro. Era uma criança, mas não era uma das que vieram à sala de reuniões. Aquela criança tinha uma mensagem a compartilhar também.

Estacionei na entrada de casa e entrei. Dei um abraço e um beijo em Garrett e, na ponta dos pés, fui ver meus bebês que dormiam. Abri o quarto de Ashley e fiquei ali parada observando-a. Ela era meu anjo, meu anjinho precioso. Eu me agachei, dei-lhe um beijo na bochecha e pus as cobertas sobre seus ombros. Então me esgueirei pelo quarto de Hayden, beijei-o e pus as cobertas sobre ele. Corri meus dedos por seu cabelo macio. Tentei nunca deixar de valorizar qualquer momento com meus filhos. Eu sabia bem. Sabia o quão sortuda eu era.

Na cozinha, peguei algumas batatas, passei-as no molho e comi como se não tivesse comido durante uma semana. Então disse a Garrett que ainda tinha trabalho a fazer, fui ao quarto e fechei a porta.

Na noite em que fiz a sessão em grupo para a FFF, sabia que Phran e Bob tiveram uma filha que havia feito a passagem, mas não sabia nada sobre ela ou como havia partido.

O que sabia era que a menina no carro comigo enquanto voltava para casa de Huntington Hilton era sua filha Bailey.

Eu teria ligado para Bob e Phran, mas temia que fosse muito tarde para fazê-lo. Em vez disso, escrevi um e-mail.

Durante toda a noite, Bob e Phran estiveram nos bastidores. Sentaram em um canto, incentivaram silenciosamente os pais enlutados e torceram para que seus filhos se manifestassem. Colocaram de lado a própria dor e perda para ajudar outros pais.

Mas agora havia uma mensagem para eles.

"Todas as crianças que se manifestaram querem lhes agradecer por fazer este evento", escrevi. "O Outro Lado me diz que vocês estão curando mais pessoas do que imaginam".

"Bailey está tão orgulhosa de vocês" – continuei. "Vi que ela estava presente por trás de todas as crianças na minha tela, emanando orgulho e alegria. Ela é muito linda."

Bailey também queria enfatizar uma data significativa que se aproximava. "Neste mês tem o aniversário de alguém ou alguma comemoração em sua família?" – perguntei. "Bailey afirma que é uma data importante e quer que saibam que ela sempre fará parte da vida de vocês."

No dia seguinte, Phran escreveu de volta. Ela me agradeceu com carinho pela leitura e disse que o aniversário de morte de Bailey seria em três dias.

"Bailey de fato estava com você naquela noite" – escreveu.

Alguns filhos não estão destinados a permanecer neste mundo por muito tempo. Alguns só estarão aqui por um curto período, mas é neste período que aprendem e ensinam lições profundas sobre o amor. E seu impacto no mundo não acaba quando fazem a passagem. Eles sempre estão conosco para nos ensinar sobre o amor. Bailey só esteve na Terra por quinze anos, mas ela continua a mudar o mundo para melhor. Devido ao amor transcendente de Bob e Phran, eles criaram a Forever Family Foundation. E agora os três – Bob, Phran e Bailey – trabalham juntos como uma equipe de luz e cura.

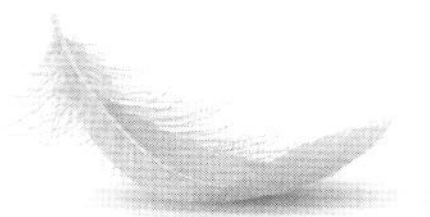

20
A Abelha Presa

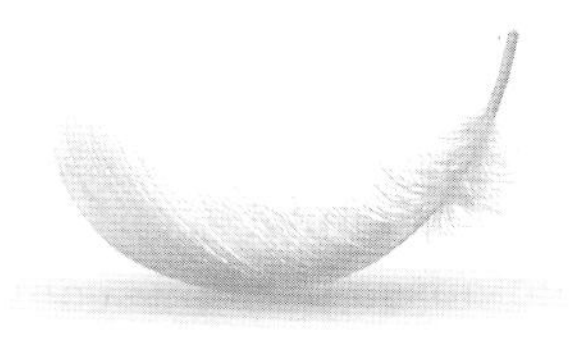

Cerca de um ano após o evento da FFF, fiz uma sessão com um casal de Nova York, Charlie e RoseAnn. Vi que eram casados há muito tempo e não tinham filhos. Mas conforme abri o portal para o Outro Lado, um feixe de luz apareceu em minha tela. Podia sentir que essa luz não era uma pessoa. Tratava-se de um cachorro.

– Eu vejo um cão grande, de pelo preto, com um nome que começa com *S* – disse-lhes.

Charlie e RoseAnn me contaram que o primeiro cachorrinho que tiveram juntos era Shadow, uma adorável mistura de labrador com doberman.

Mais feixes de luz se manifestaram. Estava encantada; era uma experiência totalmente nova para mim. Não era apenas o cachorro, Shadow, se manifestando. Era todo tipo de animal, feixes de luz alinhados um após o outro. As luzes continuavam chegando, uma variedade de animais, todos com a mesma mensagem. Era uma mensagem de gratidão, reconhecimento e amor.

Sentia uma onda de amor puro indo e voltando entre os consulentes e o Outro Lado. Era tão intensa que eu não conseguia vislumbrar todos os animais que estavam ali. Tudo que sabia é que eram muitos. Eu me perguntei o que Charlie e RoseAnn haviam feito para criar uma conexão tão poderosa de amor e gratidão.

Charlie cresceu no Bronx; RoseAnn era do Brooklyn. Ambos cresceram em famílias que amavam – e com frequência salvavam – animais.

– Eu tinha o dom de resgatar periquitos – disse Charlie. – Eles fugiam das gaiolas dos apartamentos e iam parar na nossa escada de incêndio. Eu jogava uma toalha em cima deles e os trazia para dentro. Não era fácil, mas eu acabei tendo cinco periquitos.

No caso de RoseAnn, eram os gatos ferais e cachorros de rua.

– Minha mãe e eu adotamos uma família de gatos que vivia no depósito do nosso prédio – contou. – Eram uma mãe e dois filhotes, Blackie e Gray. Nós os alimentamos, amamos e cuidamos deles. Os cães que tínhamos já estavam acostumados em compartilhar o mesmo ambiente que nossos gatos.

Quando Charlie e RoseAnn começaram a namorar aos 20 anos, o amor por animais os uniu. Quando estavam juntos, muitos vira-latas acabavam em seu caminho. Eles não andavam por aí procurando animais para salvar. Eram os animais que pareciam sempre encontrá-los.

Houve Stripes, uma gata que apareceu na porta de casa com aparência surrada (ela tinha sido atropelada por um carro e seu quadril estava quebrado). Teve Stars, Fang, Mommy, Heidi, Baby e Snow, gatos ferais que encontraram em becos ou na rua. Teve um enorme gato tigrado chamado Reginald Van Cat e um cão vira-latas chamado Farfel.

– Virávamos a esquina no Brooklyn e víamos dois cães acorrentados a uma cerca – diz RoseAnn. – O que poderíamos fazer? Ir embora?

Mas não eram apenas gatos e cães. Eles foram a um shopping certo dia e encontraram dois pardais filhotes no que restava de um ninho em um carrinho de mercado. Eles tinham acabado de nascer e os olhos estavam fechados, mas estavam frios ao tocá-los. Eles os levaram para dentro e os aqueceram. E indo contra todas as adversidades, os pardais – que nomearam de Heckle e Jeckle – sobreviveram. Charlie e RoseAnn encontraram um lar para eles no santuário de aves selvagens.

Em outra ocasião, estavam na garagem de seu prédio quando ouviram pios. Procuraram por uma hora até encontrar a origem dos pios e encontraram um pardal filhote preso atrás de um pneu. Não conseguia voar, então o pegaram e colocaram do lado de fora na esperança de que os pais do passarinho pudessem achá-lo. Quando verificaram, uma hora depois, ele ainda estava lá, então Charlie e RoseAnn o acolheram, cuidaram dele até estar saudável e libertaram-lhe.

E também teve uma ocasião em que uma pata e patinhos estavam presos na rodovia New Jersey Turnpike, onde carros e caminhões passavam a 100 km/h.

— Vi eles andando até a pista da esquerda — disse RoseAnn. — Um motorista freou bruscamente e os patos continuaram a ir para pista do meio. Outro motorista freou e depois os patos estavam na minha frente. Então freei e eles seguiram em direção ao acostamento. Olhei pelo retrovisor e vi um caminhão de reboque vindo na minha direção em velocidade máxima.

RoseAnn fez uma prece rápida. Sem diminuir a velocidade e no último minuto, o reboque desviou para o acostamento, perto do carro de RoseAnn, mas desviando por pouco tanto do veículo quanto dos patos. Ele voltou à estrada e seguiu caminho.

— Era como se todos tivéssemos uma consciência grupal e fôssemos capazes de desviar dos patos — diz RoseAnn. — Ficamos ali até eles saírem da rodovia em segurança.

E tiveram outros: o vira-lata ferido em Cozumel, México (eles convenceram um médico local a tratar o animal com remédio para humanos). O pombo filhote que caiu de seu ninho no parapeito de um viaduto a 7m do chão (eles convenceram os bombeiros a colocá-lo de volta no lugar usando uma escada). O sapinho lutando para não ser levado pelas ondas que quebravam no estacionamento durante uma tempestade (Charlie desbravou as ondas, resgatou o sapo e colocou-o em um lugar seguro do outro lado do calçadão).

Numa tarde de abril, Charlie e RoseAnn andavam na orla do centro de Manhattan. Eles notaram um grupo de pessoas reunidas no parapeito, apontando para algo na água. Uma baleia jubarte de 10m emergiu, abaixo da ponte Verrazano-Narrows e ia para longe do mar aberto. Isso não seria bom para a baleia, uma vez que ela corria o risco de ser atingida por um barco ou presa em uma rede de pesca. Não sobreviveria a menos que fosse para o mar.

O casal se juntou ao grupo e assistia a Guarda Costeira cercar o perímetro em volta da baleia. Eles tentaram protegê-la do impacto com os navios, mas não havia como afastá-la do porto – a própria baleia tinha que fazer isso. As pessoas que assistiam decidiram tentar direcionar o mamífero de volta para o mar. Eles focaram muito em enviar uma mensagem à baleia.

Por um longo tempo, a baleia sequer se moveu. Então, ela começou a nadar na direção certa, longe do perímetro e em direção às águas do sul de Coney Island. Com um último salto enorme, a baleia se afastou do porto e desapareceu sob a superfície, a caminho da segurança.

E as pessoas na orla?

Elas nem comemoraram. Todos estavam quietos. Sentiam que o que acabaram de presenciar era algo mágico.

– Ficamos lá em silêncio – disse Charlie – e imaginamos a baleia indo para casa.

Então teve o caso da abelhinha.

Charlie e RoseAnn estavam passeando pela orla da Jones Beach quando perceberam uma abelha no chão. Uma de suas patas minúsculas estava presa entre duas tábuas no calçadão.

– Dava para ver que a abelha estava tentando tirar a pata dali e se libertar – disse RoseAnn. – Não sei como ninguém tinha intervindo ainda.

RoseAnn ficou de quatro e gentilmente puxou uma das tábuas até que a abelhinha estivesse livre.

– Ela não voou de imediato porque estava exausta – RoseAnn se lembra. – A pus sobre um lenço, levei-a até um jardim e coloquei-a próxima às flores. Logo começou a zumbir ao seu redor.

Durante minha sessão com Charlie e RoseAnn, vi a imagem de um navio de cruzeiro e um pombo. Não tinha ideia do que significava, mas mencionei durante a leitura. Em breve descobriria a história do pombo no navio.

O casal estava em um cruzeiro europeu quando percebeu um pombo andando no convés. Perguntaram-se o que ele fazia no meio do Mar do Norte e ficaram com o pombo até o animal voar. Duas horas depois, eles se recolheram aos seus aposentos. Quando abriram a porta, lá estava o pombo: na cama deles!

O quarto do casal tinha uma varanda; eles deviam ter esquecido a porta aberta. Devia haver milhares de cabines no barco, mas de alguma forma o pombo encontrou a deles.

Eles pegaram alguns pães, rasparam as sementes e fizeram um pequeno prato de comida para o pombo na sacada. O pombo comeu as sementes e encontrou um lugar confortável para descansar. Ficou na varanda deles até que o navio atracou no próximo porto em Amsterdam. Então, foi embora.

Antes de ir, Charlie percebeu que ele tinha uma pequena etiqueta em uma de suas pernas. Era um número em série que reconheceram ser um número de telefone, que era da Holanda e quando chegaram a Amsterdam discaram o número.

— Quem atendeu transferiu a ligação para o dono do pássaro — disse Charlie. — Era um pombo de corrida que deveria voar pelo Mar do Norte e terminar na França. Acho que ele precisava de um descanso, então acabou em nosso navio. O dono estava feliz de ouvir que o pombo estava a salvo.

Minha sessão com o casal foi uma das mais densas que já tinha feito. Era tanto amor e tantas mensagens fluindo daquele caminho aberto que eu mal conseguia acompanhar. Alguns animais se manifestavam com mais clareza que outros. Shadow, o primeiro cão que tiveram juntos, era um deles. Mas também recebi informação de um animal que ainda não fizera a passagem: um de seus amados gatos.

— Vocês atualmente têm um gato que está com dificuldade de andar — disse. — Teve um derrame e está muito doente. Mas ele ainda não está pronto para deixá-los. Ele quer ficar. Então esperem porque em duas semanas ele conseguirá andar. E eu vejo uma linha do tempo se estendendo por sete meses, o que significa que ele ficará com vocês por mais sete meses.

Charlie e RoseAnn ficaram chocados. Seu amado gato Reggie de fato teve um derrame. Mal conseguia andar e eles estavam certos que seus dias estavam contados.

— Ele não consegue nem levantar — contou-me RoseAnn, mais tarde. — Tínhamos que segurá-lo para usar a caixa de areia. Sinceramente, achamos que era o momento de sacrificá-lo.

Mas como o Outro Lado disse para esperarem duas semanas, eles esperaram. Duas semanas depois, Reggie passeava pelo quarto deles como se nada tivesse acontecido. Então correu e aconchegou-se com eles. E permaneceu por mais sete meses.

Fiz outra sessão com Charlie e RoseAnn após a passagem de Reggie e desta vez ele também se manifestou.

— Reggie está me dizendo que não acreditou que podia ficar na cama com vocês — disse-lhes. — Ele não consegue acreditar na sorte que tem e está muito feliz por isso.

RoseAnn riu e confirmou que nunca deixavam Reggie dormir com eles porque se deixassem um gato subir na cama teriam que deixar que todos subissem.

Tive outras sessões com Charlie e RoseAnn desde então e em todas as vezes eu era inundada pelo amor e gratidão do Outro Lado. Todos os animais que eles resgataram e salvaram durante os últimos trinta anos — os gatos, cães, pardais, sapos, pombos, patinhos e mesmo uma abelhinha — se manifestavam com vibrações de amor e gratidão. Eles devotaram a vida a ajudar e amar as criaturas fracas e feridas entre nós e o Outro Lado está explodindo de apreço.

Minhas sessões com Charlie e RoseAnn me ensinaram muito. Elas reforçaram minha compreensão da importância do livre arbítrio. As escolhas que fazemos — em particular as gentilezas — geram grandes consequências. Nossas ações são importantes. Tudo que Charlie e RoseAnn fizeram é importante para a energia coletiva superior de todas as almas. São importantes porque eles honraram o dom mais precioso que possuem — a capacidade de amar e curar mesmo as menores das criaturas.

As leituras também foram importantes para mim devido à crença profunda do casal de que as criaturas vivas possuem uma consciência, que, segundo o que acreditavam, permitia que a abelha pudesse entender sua intenção, que sentisse a energia coletiva dos pensamentos das pessoas na orla e que os motoristas da rodovia evitassem os patos.

É esta a consciência que sobrevive ao plano físico.

Hoje o casal (ambos vegetarianos, claro) é reconfortado por compreender que sua família de animais continua compartilhando um profundo laço de amor.

Minhas sessões com Charlie e RoseAnn servem como provas mais profundas de que nossos animais sobrevivem no Outro Lado e que nosso laço com eles é inseparável. Percebi também que, enquanto nossos bichinhos de estimação estão aqui, eles não querem nos abandonar. Com frequência, vejo múltiplos portais para os animais fazerem a passagem e vejo que eles escolhem sempre a última. Reggie, o gato, continuou vivo por sete meses. Outro casal com quem fiz uma sessão tinha certeza de que sua Chihuahua de 20 anos, LaLa, deveria ser sacrificada, mas, em nossa sessão, vi diversos portais, um naquele mês e outro seis meses no futuro. Para sua surpresa, LaLa ficou com eles por mais seis meses – período que permitiu que eles celebrassem o amor infinito que sentiam um pelo outro.

É frequente que animais venham até minhas sessões com mensagens importantes para os que ficaram na Terra. Essas mensagens podem ser relativas à culpa que sentimos com a perda de um animal. Fizemos o certo ao sacrificá-los? Fizemos o suficiente para salvá-los? Causamos mais sofrimento a eles? Qualquer um que já amou um animal provavelmente entende o sentimento. Recentemente, fiz uma leitura para uma moça e dois cães se manifestaram; um grande retriever e um pequeno terrier. Pude ver que o retriever tinha acabado de fazer a passagem e sentia que a mulher nutria um sentimento terrível de culpa.

– Ele está dizendo que você não deveria ficar triste por sua passagem – disse-lhe – Você fez tudo certo. Era hora de partir. E você estava com ele quando se foi e ele quer te agradecer por ser tão gentil, amorosa e por estar lá com ele. Não há nada além de amor, amor e amor vindo deste cachorro para você.

A mulher se debulhou em lágrimas. Contou-me que quando o retriever ficou doente, ela viu que tinha que fazer uma escolha difícil – poderia autorizar uma operação que tinha uma pequena chance de sucesso ou poderia sacrificá-lo. Ela queria fazer tudo em seu poder para ajudá-lo, mas a operação arriscada não parecia certo porque a doença já estava muito avançada. Então ela decidiu não seguir em frente e acabar com seu sofrimento.

Quase instantaneamente ela temeu ter feito a escolha errada, sentiu que não tinha feito o suficiente por seu cachorro e que no momento que ele mais precisou ela o decepcionou. Achava que nunca conseguiria se perdoar.

Quando fizemos nossa sessão, a mensagem de seu amado cão era clara: *Eu estou bem*. Vi que o retriever tinha feito uma dupla no Outro Lado com o cãozinho que teve na infância, um pequeno terrier. Ele estava seguro, feliz e não sentia nenhuma dor. E o mais importante: era grato por seu amor.

– Você não fez a escolha "errada", porque todas as escolhas que fez foi com amor – disse-lhe. – Seu amor profundo e constante por ele é o que levou consigo quando fez a passagem. Nada além do seu amor.

A moça disse que tirou um peso das costas. Todo o amor que sentia por seu cachorro quando estava vivo era retribuído no momento em que ela mais precisava.

O Outro Lado nos mostra que, quando nossos animaizinhos fazem a passagem, eles estão a salvo, felizes e sem nenhuma dor, correndo em vastos campos, voando nos céus, nadando em corais e nos agradecendo por todo o amor que lhes demos enquanto estiveram aqui.

A mensagem do Outro Lado é clara como água: Nossos animais vivem. Eles esperam por nós. Nós os veremos de novo.

21
Os Dois Meteoros

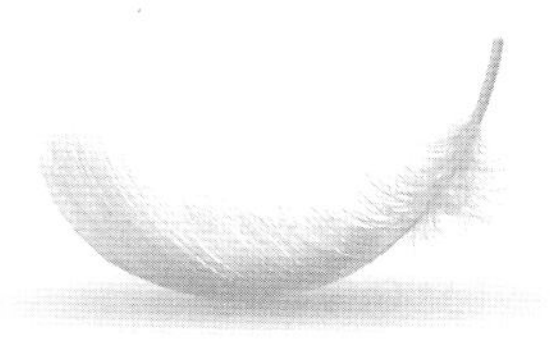

Minhas sessões se tornaram mais aperfeiçoadas e profundas conforme minha confiança crescia e minhas técnicas melhoravam. Cada leitura era um ensino. Aprendia que nada no universo acontece por acidente: cada pessoa que encontramos tem algo a nos ensinar ou a aprender conosco; que o Outro Lado nos supervisiona com grande amor e determinação.

Também percebi que, embora a maioria dos consulentes acreditem no Outro Lado, muitos são incrédulos. Alguns são religiosos e acreditam no paraíso. Alguns aceitam que há um céu, mas não creem que podemos nos conectar a ele. Alguns são profundamente espiritualizados e acreditam em uma força universal e única. Alguns vem até mim com altas expectativas de se conectar com aqueles que fizeram a passagem. Mas alguns daqueles que li definitivamente são céticos.

Um destes foi um homem chamado Jim Calzia.

Jim é um cientista – um geólogo. Nasceu na Califórnia e cresceu na fronteira com o Deserto Mojave e quando criança brincava perto das dunas e formações rochosas que incentivavam sua imaginação. Ele se tornou doutor em geologia e trabalhou para o Serviço Geológico dos EUA por 38 anos, mapeando depósitos minerais, analisando isótopos e determinando a origem e evolução de elementos de terra-rara. Descobriu a verdadeira beleza na terra, nas rochas e nos instrumentos geológicos, mas também encontrou uma espécie de certeza.

Para Jim, a terra era sólida – firme, palpável, substancial. Entender a natureza de tal solidez era no que se fundamentava sua carreira. Ele acreditava no que suas mãos podiam segurar: um bloco de titanita, zircônia, monazita ou algum outro mineral resistente onde sua realidade foi construída.

Sua fé e rocha era sua mulher, Kathy.

Jim conheceu Kathy quando estavam no último ano do ensino médio de Culver City. Uma semana antes do Baile às Avessas, festa na qual as meninas convidavam os caras, Katy, que era bela, popular e extrovertida, chamou Jim para conversar.

– Você gostaria de ir comigo ao Baile às Avessas? – perguntou. Eles tinham 17 anos e ficariam juntos pelos próximos 45 anos.

Eles estavam na faculdade quando se casaram. Estruturaram uma bela vida juntos na Califórnia; Jim como geologista e Kathy como instrutora de enfermagem em um colégio municipal. Tiveram três filhos, Scott, Kevin e Chris. Em 1994, Jim levou o maior susto de sua vida quando Kathy foi diagnosticada com câncer de mama. Ela ficou hospitalizada por um mês e precisou de terapia experimental. A data do baile dos formandos de seu filho Kevin calhou de ser durante a internação da mãe, então Kevin e seu par se desinfetaram, puseram roupas cirúrgicas e passaram a maior parte da noite do baile no quarto de Kathy. Jim também estava lá. Na verdade, ele estava sempre lá.

O tratamento funcionou e Kathy se recuperou.

Tudo estava bem até 2009, ano em que Kathy se aposentou. Jim planejava tirar a aposentadoria na mesma época em que Kathy – o plano era se aposentarem juntos, remodelarem a casa e passarem a melhor idade nela. Porém, poucos dias após a aposentadoria, Kathy foi acometida por uma pneumonia. Ela já havia lutado contra uma pneumonia antes, mas, desta vez, ao invés de melhorar, ficou ainda mais doente. Kathy se internou no hospital. Jim foi com ela e esperava que não fosse nada além de uma medida de precaução.

Seus sintomas não passavam. Os médicos perceberam que o sistema imune dela havia sido comprometido pela terapia experimental de anos antes e naquele momento era ineficaz. Testes comprovaram que ela estava contaminada pelo raro vírus H1N1 – gripe suína. Ela foi levada às pressas para a UTI e entubada. Já não conseguia mais falar.

Ainda assim, Jim tinha fé de que ela se recuperaria e ficaria bem. Kathy lutou batalhas semelhantes e sempre venceu: era uma lutadora. Durante a semana seguinte, Jim raramente saía de perto dela, ainda que estivesse sedada o tempo todo. Kathy recebeu diversas transfusões de sangue e Jim sabia o quanto ela odiava agulhas, então mal podia suportar assistir quando as enfermeiras vinham para a perfurar. Mas sabia que as transfusões eram necessárias e que sua esposa seria forte.

Após cinco dias, as enfermeiras deram o que chamavam de "folga da sedação", uma redução temporária nos sedativos, para que pudesse estar lúcida por um tempo. Os filhos de Kathy se reuniram ao seu redor enquanto ela recuperava a consciência pela primeira vez em dias. Não conseguia falar por causa da sonda, mas podia apontar para as letras em um cartaz. Queria sua escova de cabelo e seu pente, e queria que as flores penduradas na lateral da garagem fossem regadas.

Quando as enfermeiras lhe sedaram novamente, os rapazes foram para casa. Porém, dois dias depois, uma enfermeira disse a Jim que o coração de Kathy estava acelerado, a 160 bpm. Ele sabia que ela estava lutando muito. O medo só o atingiu quando o médico se aproximou uma noite na sala de espera.

– Acho que chegou a hora de deixá-la partir – disse o doutor.

Deixá-la partir? Despedir-se de Kathy? O pensamento nunca havia passado por sua cabeça. Ele não contemplara, nem por um segundo, uma vida sem ela. Deixá-la partir? O que isso significava? Como alguém poderia abdicar de quem significa tudo? Jim estava aterrorizado.

No oitavo dia na UTI, os batimentos de Kathy começaram a diminuir. Era 4h quando uma enfermeira explicou que estavam tendo dificuldade de perfurar seu braço com a agulha de transfusão.

– Não façam isso – disse Jim a contragosto. – Sem mais agulhas.

A enfermeira informou que Kathy não tinha muito mais tempo. Jim telefonou para seus filhos e pediu para se apressarem para o hospital. Cada um teve poucos minutos para dizer adeus. Um a um, eles acariciaram seu braço e beijaram sua bochecha. Então, Jim se inclinou e segurou-a em seus braços.

– Tenho tanto orgulho de você – sussurrou. – Eu sei que você fez tudo que podia. Te amo, Kathy.

Jim sentiu uma mão em seu ombro. Era seu filho, Scott.

– Pai – disse Scott. – Ela se foi.

Nada aliviava o luto de Jim. Era profundo, sem fim. Ele manteve os pertences dela como estavam. Passava a maior parte do tempo no escuro. Não atendia ligações, nem permitia que os amigos lhe visitassem. Ele não sabia ao certo o que fizera nesses meses difíceis e desesperadores; há apenas flashes de memória.

Ele se lembra que esteve com seu filho Kevin, sua nora Maren e a família dela durante seu primeiro Natal sem Kathy. Lembra que exatamente às 11h no dia do Natal, praticamente todos que conheceram e amavam Kathy, mesmo amigos que moravam na Finlândia, acenderam e ergueram uma vela em sua memória. No entanto, exceto por este dia, os meses após o falecimento de Kathy passaram como um borrão, dolorosos e tristes demais para que lembrasse.

Ele poderia ter ficado meses assim, talvez pelo resto de sua vida, mas um dia ele desenvolveu episódios de enxaqueca. Nunca havia enfrentado este problema, embora Kathy costumasse tê-los. Neste dia, Jim viu flashes de luz e sentiu uma dor incapacitante em suas têmporas. Caiu na cama e segurou a cabeça. A enxaqueca o fez pensar em Kathy e ele teve uma espécie de epifania naquele momento.

"Kathy não iria querer isso", pensou. Ela cuidava dele. Construíram uma vida juntos e agora percebeu que estava jogando tudo fora.

Jim melhorou um pouco depois daquilo. Os dois tinham começado a reformar a casa antes de Kathy falecer. Ele continuou de onde tinham parado e se certificou de fazer cada detalhe da maneira que ela queria que fosse. Estava prestes a instalar um forno elétrico novo quando o eletricista que trabalhava para a família se opôs.

– Não, não e não, Kathy me contou o que queria – disse o homem. – Ela queria um forno a gás, um gourmet. Tinha escolhido um fogão com botões vermelhos.

Jim instalou o fogão que Kathy escolheu.

Pouco tempo depois, Jim dirigia para casa vindo de uma reunião familiar pela estrada 101 próximo a Shell Beach quando viu um brilho diante de si. Olhou para a noite escura além do para-brisas e viu dois meteoros cortarem o céu em direção à praia. Eram incrivelmente brilhantes e rápidos, e, enquanto desciam até a Terra, ele se preparou para o impacto. Olhou para a estrada por um momento e depois olhou para os meteoros de novo, mas eles tinham sumido. O céu estava quieto. Era como se tivesse imaginado tudo aquilo.

Naquela noite, Jim visitou o irmão de Kathy e perguntou se ele ouvira algo sobre meteoros gigantes em Shell Beach. Mas ele não viu e nem os demais a quem Jim perguntou.

Algumas semanas depois, ele recebeu uma ligação de seu filho Kevin.

— Há algo que preciso que veja — disse ele.

Kevin enviou um vídeo de uma sessão que sua esposa, Maren, teve com uma médium sensitiva. E a médium era eu.

O que aconteceu é que a sessão com Maren foi poucas horas após Jim ter visto os meteoros.

— Só assista — disse Kevin. — Confie em mim.

Jim e seu filho Scott assistiram à sessão juntos. Quase de imediato, Jim percebeu que eu fazia gestos com as mãos que lhe eram familiares. Eram como os de Kathy.

Ele se inclinou para frente e escutou-me descrever uma série de eventos familiares, nascimentos e acontecimentos que eram exatamente como a própria esposa os descreveria.

— Como ela sabe dessas coisas — perguntou-se. — Por que ela está agindo como Kathy?

Ele ouviu Kathy falar através de mim por uma hora.

Então, ao fim da sessão, Maren me perguntou:

— Kathy já tentou alguma vez contatar Jim desde que faleceu?

Jim prendeu a respiração. Não conseguia processar o que estava vendo e ouvindo. Ainda assim, precisava ouvir a resposta.

— Ah, e como! — disse a Maren. — Ela tentou e tentou e tentou. Mas, todas as vezes que se aproxima, ele afunda mais e mais na escuridão. Ela não quer causar danos, mas continua tentando. Ela tentou até mesmo meteoros!

Jim deu um pulo.

— Preciso ver esta mulher em pessoa — disse.

Pouco mais de um ano tinha se passado quando realizei minha sessão com Jim. Encontramo-nos na casa dos pais de Maren, em Huntington Staion, Long Island. Tudo que sabia dele é que sua mulher morrera um ano antes. Jim estava claramente nervoso. Era alto, com uma cabeleira começando a ficar grisalha e olhos que sorriam junto com a boca. Ele não era novo, mas parecia jovial. Sua expressão era assertiva e amigável, e sua energia era aventureira ainda que estável. Era o tipo de pessoa com quem gostaria de passar um tempo. Mas também podia sentir a profundidade de sua tristeza.

Sentamo-nos e li sua energia por um minuto ou dois. Então, quase de imediato, sua esposa interveio. Ela me mostrou uma imagem clara.

— Sua esposa está me mostrando que sua casa está desarrumada — disse. — As paredes foram derrubadas, o piso retirado e o teto está sendo rebaixado. Tudo está de cabeça para baixo.

Jim sacudiu a cabeça e sorriu. Ele estava no meio de uma reforma. As paredes, o piso, o teto — tudo estava exatamente como descrevi.

— Também estou vendo o que parece ser um fogão — disse. — Um fogão com botões vermelhos.

Jim começou a chorar.

Kathy me mostrou detalhe após detalhe para validar sua presença, incluindo a marca de uma mão em uma parede.

— Vejo uma marca de mão na parede e ela diz que vê você tocar nesta parede da cozinha — disse.

Jim balançou a cabeça e sorriu.

— A cozinha era seu cômodo favorito — explicou ele. — Todas as manhãs, quando entro lá, eu toco a parede para cumprimentá-la. Toda as manhãs.

— Ela reconhece isso — disse. — Ela toca você de volta.

Kathy então me mostrou algo em uma gaveta — um pequeno frasco de esmalte.

— Kathy está rindo disso — contei a Jim. — Ela está rindo e dizendo: "Implique com ele! Pergunte para que precisa do meu esmalte."

Jim começou a rir também.

— Ela está certa — disse ele. — Eu guardei seu esmalte, deixo ele na garagem. É do mesmo tom de vermelho do meu carro, então eu uso quando preciso retocar a cor do carro.

Algo no fato de Jim ter guardado o esmalte da esposa foi comovente para mim. O esmalte foi dela e agora era dele e eles usavam de formas completamente diferentes, mas era indispensável para ambos. O pequeno frasco era um ponto na costura do tecido de suas vidas — um que continuava a uni-los, transpondo o alcance do tempo e espaço.

Minha sessão com Jim me ensinou o quão persistentes são as tentativas feitas pelos nossos entes queridos de se comunicar do Outro Lado — e como precisamos mudar nossa percepção de mundo para que possamos estabelecer esta conexão.

Jim e eu nos falamos por mais de uma hora. Kathy comunicou diversos outros detalhes íntimos. Jim continuava a sacudir a cabeça, perguntando-se como eu poderia saber disso. Porém, é claro que eu não sabia. Eu só estava transmitindo o que Kathy me dizia.

Ao fim da sessão, Jim parecia abalado. Ele se levantou, respirou fundo algumas vezes e então me abraçou.

— Sinto que estou falando com Kathy — disse. — Achei que nunca mais conseguiria falar com ela de novo.

Ele me pediu para marcar outra sessão, mas sabia que não era necessário.

— Você não precisa de mim — disse a ele. — Não precisa de mim para falar com Kathy. Ela está em tudo ao seu redor. Basta que se atente aos sinais. Quando algo acontecer, preste atenção.

Ele foi para casa, comprou um caderno e começou a escrever tudo que lhe parecia fora do comum. Escreveu sobre a roseira que os colegas de Kathy deram a ela quando ela se aposentou e plantaram no jardim da frente; logo após a morte de Kathy, as rosas floresceram. As rosas eram maiores, mais brilhantes e mais magníficas do que quaisquer outras flores no jardim.

Escreveu sobre seu aniversário de casamento e como ele e Scott saíram para jantar em um restaurante que não iam há muito tempo. A primeira coisa que se sobressaiu no cardápio foi um prato chamado camarão com mel e nozes — aquele era o prato preferido de Kathy.

Escreveu sobre a pomba branca que voou até a garagem enquanto estava consertando seu carro, como ela pousou, olhou para ele e como ele a encarou de volta; olharam-se por um longo tempo até ela voar para longe. Jim a viu partir e disse em voz alta, ainda que só ele pudesse ouvir.

— Foi a Kathy.

Jim até mesmo voltou ao trabalho, aceitando o cargo de geologista emérito e continuando seus projetos de pesquisa no Vale da Morte, na Califórnia. Não haviam árvores lá, nem colinas e nada verde. Para ele, no entanto, o Vale da Morte era um lugar belo e estável, cheio de rochas e minerais que podia segurar em suas mãos. E foi naquela paisagem de infinito marrom que encontrou algo que era tão real para ele quanto tudo o que existe na Terra: encontrou Kathy.

— Sinto que ela está aqui — diz Jim. — Sinto que ela está sempre próxima e se comunicando. Sinto que nosso amor é o mesmo de sempre.

Jim acredita em algo que a ciência não consegue provar — que, um dia, eles irão se reunir. A sessão abriu seus olhos e seu coração.

— Posso ver uma situação na qual eu e Kathy nos encontramos — diz ele. — Tenho as ferramentas de que preciso para continuar. Para viver como Kathy gostaria que eu vivesse.

Jim não precisa mais de dois meteoros cruzando o céu. Tudo o que precisa é uma simples pomba branca. Ou um prato de camarão com mel e nozes. Ou qualquer outra coisa que o faça lembrar de Kathy e do amor que compartilham.

— Acho que Kathy estaria orgulhosa de mim — diz ele. — Sei que está.

E quando Jim finalmente acabou de renovar a casa que compartilhava com sua esposa, pôs uma placa de bronze na porta da frente: CASA DA KATHY.

22
Windbridge

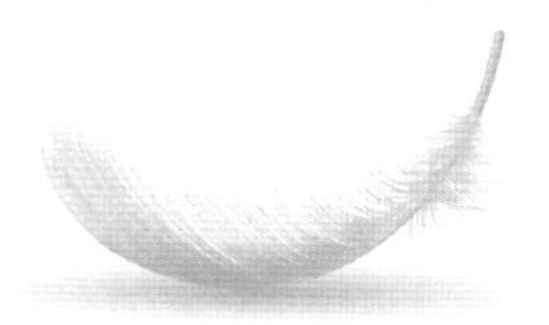

A busca pelo meu propósito neste mundo nunca esmoreceu. Como professora, estimulava meus alunos a buscar incessantemente o conhecimento; como médium sensitiva, colocava em prática esta lição. Eu ainda precisava de respostas para as questões importantes.

Phran e Bob Ginsberg sugeriram que eu procurasse o Windbridge Institute for Applied Research in Human Potential [Instituto Windbridge de Pesquisa Aplicada do Potencial Humano, em tradução livre], uma instituição composta por cientistas dedicados à pesquisa de fenômenos ainda sem explicação na área da ciência tradicional. Windbridge, cuja base é no Arizona, tem como cofundadora a Dra. Julie Beischel, que também é diretora de pesquisa. Duas médiuns da Forever Family Foundation, Joanne Gerber e Doreen Molloy, também faziam parte da equipe de médiuns de pesquisa em Windbridge. Amei a ideia de poder usar minhas habilidades não só para ajudar pessoas enlutadas, mas para embasar pesquisas científicas.

A declaração de missão de Windbridge estabelece que a organização "se incumbe de perguntar: 'O que podemos fazer com o potencial que existe em nosso corpo, mente e espírito?' Podemos curar uns aos outros? A nós mesmos?... Podemos nos comunicar com nossos entes queridos que fizeram a passagem?"

Descobri que Windbridge oferece triagem e certificação rigorosas para pessoas com habilidades mediúnicas. É um processo de oito passos, que inclui uma leitura quíntuplo-cego, criada para eliminar quaisquer possibilidades de fatores externos – leitura fria, viés de seleção, vazamento de informação e até telepatia – influenciarem os resultados. Em uma leitura quíntuplo-cego, as pessoas que monitoram o experimento são privadas de toda informação. Não sabem nada sobre os desencarnados (termo usado para os entes queridos falecidos) nem qual o médium realizou qual leitura ou nem mesmo quais leitores foram designados para qual consulente.

Por anos, ansiava descobrir a razão de eu ter tais habilidades e as implicações disso a nível pessoal, psicológico e fisiológico. Parecia que conseguiria encontrar estas respostas em Windbridge. Enviei um e-mail para a Dra. Beischel e disse a ela que queria fazer o teste.

Dra. Beischel é bacharel em ciências ambientais e doutora em farmacologia e toxicologia pela Universidade do Arizona. Quando ainda era estudante, sua mãe se suicidou; após o ocorrido, consultou-se com uma médium sensitiva. Ela achou a sessão importante e adquiriu uma curiosidade pelo paranormal.

Sua resposta à minha requisição foi rápida, orientou-me a responder um questionário que abrangia minha história pessoal, nível de educação, problemas de saúde, habilidades psíquicas específicas e coisas do tipo. Em seguida, fui submetida a um teste de personalidade baseado no Indicador de Personalidade Myers-Briggs, que mede extroversão, assertividade e outros traços de personalidade. O terceiro passo foi uma entrevista com dois médiuns certificados pelo instituto. A função deles era certificar qual era minha motivação, se eu seria uma boa colega de equipe e se eu estava interessada em avançar o campo da ciência de parapsicologia – este tipo de perguntas. Tive conversas maravilhosas com os médiuns que me entrevistaram. Na verdade, ao me ouvir responder às perguntas, fiquei surpresa comigo mesma. Era como se o Outro Lado me guiasse durante esta parte do processo.

– Onde você se vê aqui a cinco anos, no âmbito do trabalho mediúnico que você faz? – perguntou um dos médiuns.

Ouvi-me dizer que meu comprometimento como médium teria prioridade em minha vida e que estava animada porque trabalharia com uma equipe de luz do Outro Lado – crianças que fizeram a passagem – para transmitir as mensagens de que a vida continua no Outro Lado e que a morte não existe. Via como minha missão ajudar os outros a viverem a melhor versão de sua vida aqui e agora. Falei sobre a vontade de fazer parte de Windbridge para que o funcionamento da mediunidade pudesse ser explorado. Isto me dava força e confiança para falar com outros médiuns que estavam no mesmo momento que eu e entendiam como era viver com o conhecimento de que o Outro Lado é real. Todos entendemos as mesmas verdades. Sorri ao descobrir que passei na etapa da entrevista.

Na próxima etapa do processo havia uma entrevista com a Dra. Beischel, conduzida por telefone. Ela me perguntou sobre meu processo e minhas intenções – por que queria me inscrever para receber a certificação de Windbridge e como pretendia usar meu dom. Após cerca de uma hora, ela me informou que eu iria para a próxima fase: Etapa Cinco.

Nesta parte do processo, iriam me pedir para fazer uma leitura remota para dois consulentes voluntários escolhidos pelos pesquisadores de Windbridge e deveria tentar me conectar com um ente querido específico daquele consulente que fizera a passagem. Ainda que não soubesse daquilo na época, os desencarnados que foram selecionados eram muito diferentes, intencionalmente – uma pessoa jovem e uma idosa, por exemplo –, para desencorajar leituras gerais que pudessem ser aplicadas a ambos.

Não seria fornecido a mim um nome ou o relacionamento daquela pessoa com o falecido. Tudo que me ofereceriam seria o nome da pessoa que partiu. O pesquisador que selecionou os consulentes daria à Dra. Beischel os nomes daquele que partira. Então ela me telefonaria, daria o nome de um dos falecidos e faria perguntas específicas sobre a personalidade, aparência física e interesses do desencarnado, além de como ele ou ela morreu.

Nem a Dra. Beischel nem eu sabíamos qualquer coisa da alma que partira ou do consulente. E mais, o próprio consulente não saberia nada sobre mim e saberia os resultados da minha leitura apenas mais tarde. Tudo que teria para trabalhar seria um nome.

Este protocolo garantia que a única forma que pudesse conseguir informações fosse através do falecido. Será que funcionaria? O desencarnado saberia onde me encontrar quando fosse feita a chamada? Eu seria capaz de me conectar sem o consulente presente ao telefone – ou sequer ciente de que a leitura estava acontecendo? O que tinha acabado de concordar em fazer? Pedi ajuda para as únicas pessoas que sabia que entenderiam a ansiedade que estava sentindo: Kim e Bobbi. Descrevi o processo para elas.

– Vai funcionar – Kim me garantiu.

– O Outro Lado vai saber exatamente onde encontrá-la e passar sua mensagem – disse Bobbi.

No dia marcado eu estava nervosa. Sentei na cama e esperei a ligação.

– A desencarnada que você deve contatar se chama Mary – declarou a doutora, contundente. – Para começar, por favor me diga sua aparência e como fez a passagem.

Tinha começado. Não tinha tempo para ficar nervosa porque, de uma só vez, recebi um incrível fluxo de informação. De repente, eu estava descrevendo Mary, identificando sua conexão com a consulente, desenhando um retrato dela e de sua vida. Ela me mostrou que tinha cerca de 1,70m, cabelos loiros, olhos claros e tinha cerca de 80 anos quando fez a passagem. Mostrou seus hobbies: jardinagem, leitura e andar de bicicleta. Contou-me que era casada e teve dois filhos. Logo, me direcionou para a área do peito, para indicar a causa da morte. Eu senti sua falta de ar. Ela me mostrou um hospital. Tive a impressão de que estivera doente há um tempo e fizera a passagem devido à doença e não como resultado de um acidente. Durante a leitura, mal podia acreditar como as informações chegavam até mim tão facilmente.

Após quinze minutos, a Dra. Beischel me agradeceu. Disse que em uma semana no mesmo horário me contataria para a segunda leitura. Desliguei o telefone um pouco atordoada, saí do quarto e fui para a cozinha, onde meus filhos brincavam em silêncio. Minha mãe estava tomando conta deles enquanto eu estava na chamada.

– Como foi a entrevista? – perguntou ela.

– Foi uma experiência incrível – respondi. – Na hora que ouvi o nome, senti alguém se manifestar e me dar todas as informações. Eu não sabia se seria capaz de fazer isso sem o consulente presente, mas o Outro Lado sabia como me encontrar.

– Isto é maravilhoso – disse minha mãe. – Parece que tudo correu muito bem.

— Bom, só existem duas possibilidades: alucinei e criei toda uma história de vida ou funcionou.

Uma semana depois, a Dra. Beischel me ligou para a segunda leitura. Ainda que as coisas tivessem corrido bem na última vez, eu estava muito nervosa. Ela me disse que o nome do espírito era Jennifer. Assim como da última vez, as informações transbordaram. As palavras e imagens chegavam tão rápido que parecia que eu estava redigindo um romance. Desta vez, vi uma mulher jovem, provavelmente na casa dos 20, que me mostrou seu cabelo castanho-escuro e olhos verdes. Mostrou que gostava de música e tocava flauta. Vi que ela tinha família aqui: mãe, pai, um irmão e uma irmã. Ela destacou um membro da família, sua mãe. Parecia que ela queria dizer à sua mãe que estava bem. Mostrou-me que sua passagem foi devido a uma doença que se alastrou mais rápido do que a família tinha antecipado. Não houve um momento de despedidas porque ela estava inconsciente quando fez a passagem.

A sensação de receber a informação era empolgante. Ao mesmo tempo, não estava recebendo nenhum feedback e, por causa disso, não fazia ideia da relevância do que estava dizendo. Nem a doutora. Ao fim dos quinze minutos, ela me agradeceu e disse para esperar os resultados em poucas semanas.

Dra. Beischel transcreveu as fitas das minhas duas leituras e as enviou em um e-mail para o pesquisador de Windbridge — para outro que não aquele que originalmente entrevistou os consulentes. Além disso, ela censurou os nomes dos falecidos, para que o pesquisador não soubesse que leitura pertencia a qual consulente.

O pesquisador então enviou um e-mail com os dois resultados para os consulentes que, sem saber qual leitura era sobre eles, avaliaram cada um dentre aproximadamente cem itens de cada lista que melhor se aplicavam para seus entes queridos. Eles pontuaram cada informação quanto à precisão, com notas de 0 a 6. Uma frase que fazia sentido e exigia pouca interpretação recebia uma pontuação alta. Uma que precisava de muita interpretação para se tornar relevante, recebia pontuação baixa. Por exemplo, se acertou na mosca, a informação recebia 6 pontos. Se a frase era verdade, mas era sobre um parente diferente, receberia 2. Frases que não tinham relevância alguma recebiam 0. As notas inferidas para cada frase seriam adicionadas a uma pontuação agregada. Ao fim de cada avaliação, cada consulente escolhe qual leitura ele acreditava ser a sua.

Para passar nesta etapa do teste, cada consulente deveria identificar a leitura correta para o seu parente falecido e tê-la pontuado mais de 3,5. A pontuação para a leitura que não era para aquela pessoa tinha que ser 2,0 ou menos.

Duas semanas após a segunda leitura, quando estava arrumando a mesa para o jantar, Dra. Beischel me ligou. Pedi para as crianças ficarem quietas e rapidamente levei meu telefone para o quarto com o coração acelerado. Tivemos uma conversa banal por um minuto antes de cairmos em um silêncio desconfortável. Sentia-me como um aluno naquele momento apavorante antes de receber os resultados de uma prova. Perguntei-me se ela estava enrolando porque tinha más notícias.

– Então, tenho o resultado do seu teste – disse ela, finalmente. – Você passou nessa etapa.

Uma onda de alívio me acometeu e eu fiquei emotiva, mas me controlei porque sabia que aquelas duas leituras eram só o primeiro estágio desta parte do processo.

As leituras que realizei eram chamadas de leitura sem consulente. Na próxima etapa, leria para os mesmos consulentes e tentaria me conectar com os mesmos parentes falecidos, só que desta vez o consulente estaria na chamada, junto com a doutora que não identificaria o consulente, nem o relacionamento deste com o desencarnado ou sequer o nome do consulente – apenas o nome de quem fez a passagem. O consulente também era orientado a ficar em silêncio pelos primeiros dez minutos de leitura.

Uma semana depois, na hora marcada, Dra. Beischel me ligou; o consulente estava na linha.

– Consulente, por favor pressione um botão de seu telefone para mostrar que está pronto – instruiu. Ouvi o toque – o consulente estava na chamada.

Ela me contou que deveria mais uma vez tentar me conectar com Mary.

– Pode dar início – disse.

De imediato, o Outro Lado me ofereceu o nome da consulente, Lisa, e seu trabalho: ela era uma enfermeira. Recebi imagens que me informavam que Mary era a avó de Lisa e que ela tinha sido uma figura materna para a moça. Os próximos dez minutos passaram sem sequer uma pausa para respirar – tamanha era a velocidade das informações. Senti a mesma euforia das leituras anteriores.

Após os dez minutos, a Dra. Beischel instruiu a consulente, que disse uma palavra – "oi" – e então que respondesse às informações com "sim", "não", "talvez", "mais ou menos" ou "não sei". Neste momento da leitura, o segmento de interação veio até mim. A avó de Lisa começou a me contar coisas da vida de sua neta. Ela estava solteira e tinha um cachorrinho. Era trabalhadora e tinha terminado a faculdade. Era mais próxima de sua avó do que de sua mãe biológica. A avó de Lisa agradeceu pelos cuidados da neta quando estava doente e por estar com ela quando fez a passagem.

Ao fim da leitura, Lisa me agradeceu. Disse que foi maravilhoso ser capaz de se conectar com a avó novamente. Senti-me exultante por ter acertado o relacionamento da consulente com a falecida e ainda mais feliz por Mary ter me oferecido o nome de Lisa! Estava grata pelo bom trabalho de Mary em comunicar informações.

Uma semana depois, foi realizada a segunda leitura com consulente presente. A Dra. Beischel pediu que me conectasse a Jennifer novamente. No mesmo instante, o Outro Lado me informou que a consulente na chamada era uma mãe cuja filha, Jennifer, fez a passagem. Então, ouvi a filha cantar uma música peculiar: o jingle da empresa de frios e embutidos, de Oscar Mayer. Era assim: *Oh, I wish I was an Oscar Mayer wiener* [...]

Vi a palavra *Massachusetts* e então Jennifer me mostrou um lago de águas claras onde parecia que cristais brilhavam sobre a superfície em um dia quente de verão. Vi pinheiros majestosos e imponentes. Contei tudo isso à minha consulente silenciosa.

Na segunda parte da leitura, quando o consulente poderia falar, descobri que ela era a mãe de quem fez a passagem. Mais tarde, naquela mesma ligação quando a leitura tinha acabado, a consulente perguntou se poderia dizer algo rápido para mim. Ela queria confirmar porque o jingle da Oscar Mayer era tão importante para ela.

– Tenho a foto da minha filha no dia de Halloween – disse-me. – Ela está vestida como uma salsicha Oscar Mayer. Ela amava aquela música e cantava o tempo todo.

Algumas semanas depois, a Dra. Beischel me encaminhou um e-mail desta consulente e descobri que seu nome era Jeanne. Ela queria validar outra informação que havia dito. *"Eu moro na floresta, próximo a um lago"* – escreveu. *"E quando você disse a palavra 'lago', eu estava olhando para ele. E quando você falou do sol refletido na água, o sol rompeu as nuvens e brilhou no lago. Fiquei toda arrepiada."*

Que momento marcante. Jeanne estava olhando para o mesmo lago que sua filha me descrevia. O lago e sua casa, como me disse, era rodeado de pinheiros. Jeanne extraiu disso que sua filha estava ao seu lado e que ela descreveu com precisão o lago para que sua mãe soubesse que estava com ela naquele momento.

Após as leituras, as consulentes pontuaram a informação que lhes dei. Os dias passaram e, apesar de me sentir confiante, estava ansiosa para receber a confirmação de que passei nesta etapa do teste.

Na noite de Halloween, logo após voltar de uma saída para pegar doces com meus filhos, enquanto ainda estava usando meu chapéu preto de bruxa e capa, verifiquei meu e-mail e vi uma mensagem da Dra. Beischel na caixa de entrada. Minhas mãos tremiam. Eu sabia que o e-mail continha os resultados da última etapa. Não houve telefonema, cerimônias, trompetes ou confete. Só um e-mail que podia tanto dizer: "Parabéns, você passou para a próxima etapa" ou "Obrigada, mas acabou para você."

– Garrett, chegou o e-mail – disse.

– Abra – disse ele.

– Abra! – as crianças entraram na conversa.

Esperei mais um tempo antes de abrir o e-mail. Todas as vezes que fui clicar nele, minha mão involuntariamente se afastava do teclado. Por fim, respirei fundo e cliquei no e-mail.

"É com alegria que informo que você passou com sucesso pelas primeiras cinco etapas da triagem" – escreveu ela. *"Fico feliz de convidá-la para continuar cumprindo os passos restantes e o treinamento. Parabéns!"*

Com os olhos nadando em lágrimas, virei para Garrett e as crianças, incapaz de falar.

– O que houve? – perguntou, preocupado. – Você passou?

— Sim — gritei enquanto me desfazia em lágrimas. Minha família se juntou ao meu redor e envolveram-me em um abraço.

— Por que a mamãe está chorando se ela passou no teste? — perguntou Hayden.

— Porque ela está feliz — disse Garrett, abraçando-me mais apertado.

Além das minhas emoções, no entanto, tinha algo que ninguém mais sabia pois não contei a ninguém. Eu fiz uma promessa no dia que concordei em ser testada no Instituto Windbridge — uma promessa para mim e para o Outro Lado. Concordei que, caso passasse no teste, nunca mais duvidaria de minhas habilidades. Ou eu era uma médium, a comunicação com os mortos era real e os desencarnados saberiam como me encontrar e falar comigo e me oferecer informações válidas, ou tudo aquilo não era verdade.

Mas agora eu sabia. O Outro Lado fez a parte dele.

Agora era minha vez de fazer a minha.

Na última linha do e-mail da Dra. Beischel, lia-se: "*Por favor, deixe-me saber se deseja continuar participando do processo de triagem do Instituto.*"

Decidi que honraria minha conexão com o Outro Lado e me dedicaria a desenvolver minhas habilidades e usá-las para ajudar a maior quantidade de pessoas possível. Isso incluiria me tornar uma médium de pesquisas e permitir aos cientistas que me estudem para aprender mais sobre minhas habilidades. Na mesma hora, escrevi em resposta dizendo que sim, queria continuar. Havia mais três passos a cumprir — treinamento de pesquisa mediúnica, treinamento de participantes de pesquisa e treinamento de luto. O treinamento era projetado para me ensinar a história da mediunidade e ciência pelos últimos séculos, educar-me na questão ética de concordar em ser estudada por cientistas em Windbridge e transmitir as crenças do instituto sobre como ajudar melhor os consulentes durante e após uma leitura. Completadas estas etapas, recebi um certificado por e-mail. Eu era oficialmente uma médium de pesquisa certificada pela Windbridge. Era uma dentre dezenove médiuns de pesquisa licenciados no país. O certificado do instituto significava que eu poderia participar de experimentos e eventos da Windbridge e ajudar o instituto a avançar suas pesquisas sobre o paranormal. Estava extasiada. Poderia trabalhar em Windbridge os aspectos científicos e com a Forever Family Foundation em auxílio aos enlutados. Senti-me conectada ao Outro Lado e honrada de fazer parte de uma equipe de luz.

Enviei um e-mail para Phran com a notícia de que consegui um certificado da Windbridge e agradeci por ter me guiado até a Dra. Beischel. Telefonei para Kim e Bobbi e encorajei-as a fazerem o teste – e fico feliz em dizer que Kim também se tornou uma médium certificada de Windbridge. (Bobbi perdeu o prazo do teste, que já tinha encerrado na época em que ela os contatou.)

Em dado momento, descobri minha pontuação para a segunda sessão de leituras – aquela em que os consulentes estavam presentes. A pontuação de uma foi de 90% de precisão nas minhas leituras. A outra consulente deu a pontuação de 95%.

O que tudo isto queria dizer? Eu me perguntei que conclusões a doutora poderia extrair do teste.

– Como cientista, não posso declarar com certeza que médiuns se comunicam com os mortos – disse ela. – Mas o que posso dizer é que os dados corroboram com esta possibilidade. A ciência está avançando nesta direção; está chegando perto. Meus dados apoiam a teoria de que a comunicação com a consciência daqueles que morreram é possível.

Mas, para mim, o certificado significava outra coisa. Significava que me qualifiquei para a próxima etapa da minha jornada.

PARTE TRÊS

23
Píer Canarsie

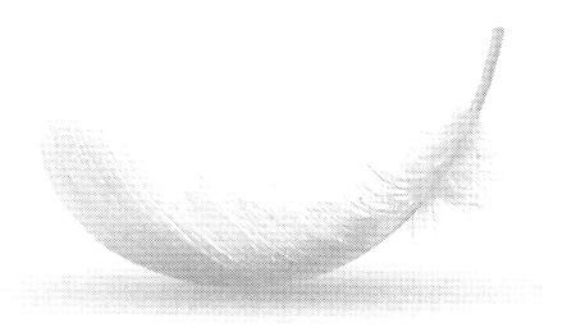

Em novembro de 2010, recebi uma ligação repentina de meu amigo Anthony, que me pediu para realizar uma sessão com a amiga dele, Maria, o mais rápido possível. Disse que ela estava em uma situação desesperadora: seu pai estava desaparecido há dez dias. Ninguém sabia onde estava ou se ainda estava vivo.

Eu agendei uma ligação com Maria no dia seguinte. Ela estava dirigindo quando atendeu. Pediu um minuto para estacionar e, no silêncio, podia sentir sua tristeza e confusão. Também conseguia sentir alguém insistente do Outro Lado. Uma figura paterna. Não era o que eu queria ver. Não queria ter de dizer isto a ela. Seria difícil, mas eu não tinha escolha. Tinha que honrar o que estava recebendo do Outro Lado.

— Maria, tenho algo a dizer — falei quando ela estacionou, com a maior gentileza possível. — Eu sinto uma presença paterna se manifestar do Outro Lado. Ele pede para dizer que o nome dele é John.*

Logo descobri que minha leitura ocorria durante uma investigação policial em aberto.

---

* Os nomes de algumas das pessoas mencionadas neste capítulo foram alterados para proteger suas identidades.

A investigação havia começado quase duas semanas antes, em 4 de novembro de 2010, um dia frio e chuvoso. Certa manhã, um homem chamado John, de 72 anos, estava em casa no Queens, Nova York. Sua esposa Mary estava com ele. Por volta de 12h30, Mary se preparou para ir ao seu trabalho com alunos de educação especial. Ela não se sentia bem naquela manhã e John lhe disse que estava preocupado, pois ela não havia comido ainda.

– Não se preocupe – disse a ele. – Vou comer quando voltar.

Então Mary se despediu e saiu.

Em qualquer outro dia, John provavelmente ficaria em casa para almoçar ou talvez faria uma caminhada. Mas naquele dia John saiu pela porta e caminhou pela chuva congelante. Não usava um casaco, apenas moletom. Não levou dinheiro. Nem sua bombinha para a enfisema pulmonar.

Quando Mary voltou para casa duas horas depois, chamou por ele, mas não teve resposta. Procurou pela casa, mas ele não estava ali. Quando encontrou suas chaves e sua carteira, um sentimento terrível de pânico se assentou em seu coração. Seu dia comum não era mais comum.

A família significava tudo para John. Ele trabalhou duro para sustentar a mulher e as três crianças. Era um paisagista profissional e plantava tomates no quintal de casa. Aqueles que o conheciam lhe descreviam como uma alma honesta e gentil.

Quando se aposentou, passou a ajudar sua filha Maria a cuidar de seu bebê.

Porém, no ano anterior ao sumiço dele, John começou a mudar. Tornou-se mais introvertido, calado. Passou a se irritar fácil e a ficar mal-humorado. Às vezes, ele falava de dores passadas – algo que tinha lhe chateado décadas antes – e reclamava daquilo como se tivesse acabado de acontecer. Maria o levou a um neurologista e ele foi diagnosticado com doença de Alzheimer em estágio inicial.

Sob a supervisão da mulher e dos filhos, John começou a se tratar do Alzheimer, mas a medicação o deixava apático e isolado. Sua família tinha dificuldade de ajudá-lo.

– Estávamos em negação – explicou Maria. – Achávamos que os sintomas eram apenas velhice. Estávamos no começo do processo, tentando entender o que era melhor para ele. Mas podíamos ver que ele estava piorando.

Então, no dia 4 de novembro, ele foi embora. Quando sua esposa não o avistou em casa, entrou no carro e dirigiu pela vizinhança na tentativa de encontrá-lo. Após vinte minutos ela estacionou e ligou para a filha.

– Seu pai sumiu – disse ela.

– Como assim "ele sumiu"? – perguntou Maria.

– Ele só sumiu. Suas chaves e sua carteira estão em casa, mas ele não.

– Okay – disse Maria, rapidamente se recompondo. – Vamos ligar para a polícia.

Naquela noite, os três filhos de John dirigiram pelo Queens em busca dele. No dia seguinte, eles foram a pé pelas ruas, falando com donos de lojas e colando pôsteres.

– Fomos a cada uma das lojas da avenida, uma após a outra – disse Maria.

Na última loja, um salão de bronzeamento artificial, mostrou a foto de seu pai para a jovem operadora de caixa.

– Ai, meu Deus – disse ela. – Eu vi seu pai ontem!

A operadora de caixa esteve na padaria local na hora do almoço quando viu John do lado de fora da loja, pedindo 5 dólares a alguém. Saber disso acendeu uma centelha de esperança em Maria. Pelos próximos três dias ela ficaria dentro do carro estacionado de frente para a padaria, esperando para ver se seu pai voltaria.

Enquanto isto, uma busca na vizinhança que começou com alguns amigos e parentes distribuindo folhetos se tornou uma das maiores caçadas da história do Queens. Por quase duas semanas, um grupo enorme de investigação, que incluía a polícia montada, helicópteros, cães de busca, repórteres da TV e um pequeno exército de voluntários vasculharam cada esquina do lugar em busca de qualquer sinal de John.

Mas não havia nenhum sinal de seu pai. Ele desapareceu sem deixar rastros.

Foi quando recebi uma ligação de meu amigo Antony e marquei minha sessão com Maria.

Quando disse que seu pai estava se manifestando do Outro Lado, Maria começou a chorar. Esperei que se recompusesse e então contei o que John me mostrava.

No dia 4 de novembro, John saiu de casa confuso e desorientado. Embora não tivesse dinheiro, entrou em um ônibus e depois em um trem. Andou por ruas que conhecia e outras que não. Entrou em uma padaria e outros lugares que fizeram parte de sua rotina. Mas ele andava a esmo — não tinha um destino, nem uma direção a seguir. Então, em minha tela de leitura ele me mostrou uma placa onde lia-se CANARSIE. Após isso, ele me mostrou água e então um cais. Não tinha ideia do que significava, mas transmiti à Maria.

— É o Píer Canarsie! — arfou ela. — É no Brooklyn, na fronteira com Queens. Era o lugar favorito do meu pai no mundo todo. Ele costumava nos levar até lá quando éramos pequenos.

O cais de 100m, construído atrás do Canarsie Park, próximo ao Belt Parkway do Queens, projeta-se na Jamaica Bay e é um ponto de pesca popular — as pessoas pescam carta-de-verão e anchova durante a temporada. John amava os peixes dali e quando envelheceu gostava de caminhar pelas tábuas de madeiras em direção à água. Após o seu sumiço, o Píer Canarsie foi um dos primeiros lugares onde a família procurou por ele, mas não acharam nenhuma prova de que ele esteve ali.

Então John me mostrou o que fizera assim que chegou ao cais. Com a maior gentileza possível, contei a Maria o que via.

John parou para recolher pedras, que pôs nos bolsos do moletom e andou até o fim do cais. Estava escuro, frio e o cais estava vazio. Ele passou por baixo da grade e entrou na água.

– Dentro de dois minutos – disse –, seu pai se afogou.

Porém, no exato momento em que fez a passagem, sentiu um terrível sentimento de arrependimento.

– John diz que sente muito que vocês estejam passando por isso, procurando por ele – contei. – Achava que seu corpo seria achado em um dia ou dois, mas a maré o levou para longe. Se desculpa por toda a confusão que causou. – Ele mostrou duas letras, *M* e *A*, e entendi o que ele queria dizer. – Não tem por que procurar seu corpo agora. Ele não será encontrado até a chegada de um mês que começa com *Ma*, Março ou Maio. A corrente marítima não o devolverá até então.

John me mostrou que se suicidou porque sentia medo do que estava acontecendo com ele por conta da demência. Maria rapidamente validou isto.

– Ele acreditava que se tornaria um fardo para a família e não queria que isso acontecesse – disse para Maria. – Então, assim que afundou, percebeu o erro terrível que cometeu.

Queria poupar a família de um terrível incômodo e por isso se suicidou. No entanto, percebeu que tirou de seus entes queridos um grande presente.

A doença de John, que parecia um destino doloroso e miserável, seria uma ótima oportunidade para compartilhar e aprofundar o amor gigante e incondicional que sentiam uns pelos outros. Quanto mais doente ficava, mais precisaria de cuidado e atenção de sua família – mas na escuridão de sua doença havia lições que ele ainda precisava aprender, e outras que precisava ensinar.

Talvez uma das lições fosse a paciência. Talvez compaixão. Talvez amor incondicional. Ou uma compreensão do nosso poder de cura, ou superar o medo da morte. John privou a si e sua família da chance de aprender estas lições. Não via que o ato de cuidar dele – de oferecer conforto a alguém pelo qual se sentia profundamente grato – não diminuiria o amor de sua família por ele e sim aumentaria. Não percebeu que deixar sua família cuidar dele no momento mais vulnerável de sua vida lhe daria a chance de celebrar esta conexão profunda, poderosa e de amor.

A decisão de John os privou deste presente.

– Ele diz que sente muito – disse a Maria. – Está repetindo várias vezes: “Me desculpe”.

Após nossa sessão, Maria contatou o detetive Frank Garcia, da polícia de Nova York; ele estava encarregado do caso de desaparecimento de seu pai. Ela passou a informação que lhe contei durante nossa sessão.

– Preciso que você procure na água – disse. – Meu pai está na água.

O detetive Garcia concordou em ajudá-la a procurar seu pai. Juntos, passaram cinco horas de um dia frígido e chuvoso escalando as rochas que cercavam Jamaica Bay. Estava tão frio que as mãos e pés de Maria ficaram dormentes, mas ela continuou procurando – os dois continuaram. Porém, ao fim, a busca não teve resultados. Onde quer que John estivesse, não seria achado naquele momento.

– Entrarei em contato se souber de algo – o detetive prometeu a ela. – Não se preocupe, vamos achá-lo.

Março chegou e foi-se sem notícias. O inverno deu lugar à primavera.

No primeiro dia de maio, Mary telefonou para o detetive Garcia.

– Este é o mês em que o acharemos – disse ela – Um mês com as letras *Ma*.

– Estaremos atentos – o detetive prometeu.

Mas o mês de maio começou, terminou e nada tinha acontecido.

No início de Junho, o detetive Garcia recebeu um telefonema da guarda costeira. Durante os exercícios da equipe em uma das ilhas da Jamaica Bay, um oficial percebeu algo que a maré levou à orla. Eram restos humanos – não um corpo todo, apenas um crânio. A guarda costeira coletou os restos e enviou para o teste de DNA. Demorou vários dias, mas quando vieram os resultados, eles identificaram o crânio como sendo de John.

— Quando você os encontrou? — perguntou o detetive Garcia.

— Há alguns dias — respondeu o oficial da guarda costeira — Em maio.

O detetive ligou para Maria e contou-lhe as notícias. Ele também explicou o porquê dos restos terem demorado tanto para emergir. Quando um corpo entra na água no inverno, ele atinge o fundo do oceano e é levado pelas marés. Quando o clima esquenta, é provável que o corpo suba à superfície. O restante do corpo de John apareceu, por fim, não muito distante do Píer Canarsie, onde fez a passagem. Ele esteve naquelas águas este tempo todo, só não conseguia ser achado.

— Isso nunca aconteceu antes — disse o detetive para Maria.

— O quê?

— Isso — disse. — A forma que a sensitiva nos deu o passo a passo de quando e onde acharíamos seu pai. Tudo o que ela disse aconteceu com exatidão. Nunca tinha visto isso antes.

Mas para ela não foi surpresa alguma.

— Estava em paz quando o detetive me ligou — disse. — Já sabia que meu pai estava no céu.

John *estava* no céu. Mesmo aqueles que cometem suicídio vão para o paraíso. Lá, eles se curam e então continuam sua jornada de crescimento e descobertas. Também tentam ajudar seus entes queridos na Terra a se curarem. Estava seguro e era amado no céu, mas se manifestou para pedir perdão — e para dar paz de espírito à sua família.

Para Maria foi difícil perdoá-lo a princípio. Sua decisão causou-lhes muita dor. Mas, com o passar do tempo, conseguiu perdoá-lo. Entendeu o porquê de ter feito aquilo. E sabia que o amor que eles tinham não acabaria com sua passagem. Nunca acabaria.

Porém, como seria se John tivesse aprendido estas lições antes de afundar nas águas escuras? E se a família abordasse a questão de sua doença como uma parte de um plano maior – como uma chance de crescimento para todos e um aprofundamento na questão do amor e da compaixão? Imagine como seria se todos pudéssemos ter este tipo de clareza enquanto ainda estivéssemos aqui na Terra. Imagine como seria se pudéssemos ver na doença e na adversidade as oportunidades de expandir nosso amor ao nível da alma.

A verdade é que podemos alcançar este nível de clareza. Basta que vejamos e apreciemos os fios de luz e amor que nos unem, nos bons momentos e nos ruins, nesta vida ou na próxima. Precisamos honrar a luz entre nós.

John viu esta luz um pouco tarde demais. Mas agora compartilha as lições que aprendeu; e pelo dom do amor compartilhado, ele continua vivendo e sua luz ilumina o caminhar por este mundo.

24
Resolva a Charada

Eu não anuncio meus serviços como médium sensitiva. Estava claro para mim há muito tempo que quem tiver que fazer uma sessão comigo irá me encontrar, de alguma forma. Então quando meu amigo John disse que um de seus amigos, Ken, iria me contatar para agendar, prometi que tentaria marcar o quanto antes.

A sessão foi pelo telefone. Quando me abri para a leitura de aura, de imediato vi algo muito distinto – uma combinação estonteante de cores. Era como um arco-íris, só que mais cheio e muito mais intenso. Cores sobre cores sobre cores, todas puras, vibrantes e explosivas. Era algo que nunca tinha visto em uma sessão.

– Meu Deus, sua aura é magnífica – disse. – Não é uma aura normal.

Geralmente, a aura básica de uma pessoa varia de uma a três cores dentro de um círculo em minha tela. Mas a dele era gigante e expansiva, com cores rodopiando não apenas dentro do círculo, mas também fora.

Vi um belo verde, que sinalizava sua abertura às novas ideias. Vi branco, que significava domínio sobre as provações da alma. Vi rosa, uma expressão de seu amor abundante pela humanidade. E também havia um azul brilhante e extraordinário.

– Azul é sinal de nobreza do espírito – disse a Ken. – Esta cor sugere que você está num nível espiritual muito superior. Você é alguém que está aqui para ajudar a curar e ensinar à humanidade. E o jeito que o azul está ligado às outras cores... significa que sua energia está sendo transmitida para o mundo e você está trazendo mudança para outras pessoas.

Geralmente olho para a aura de alguém por apenas alguns minutos, mas a bela energia de Ken fazia com que eu quisesse me estender no assunto.

– Você tem um efeito balanceador e curativo nas pessoas – continuei. – E acima de você vejo a cor branca e quando vejo esta cor na aura de alguém, significa que a pessoa está obtendo sucesso no teste encarnatório, que é um desafio pelo qual a alma passa quando está na Terra. Mas seu teste não se limita a você. Vejo uma energia definida de professor em você, mas ela se expande para além da sala de aula. Você veio à Terra em um nível espiritual avançado e ainda assim há uma humildade em você, uma modéstia. É muito bonito. Você não só teve sucesso no seu teste; também vai ajudar outras pessoas a completarem seus desafios. O que quer que esteja fazendo aqui ressoará após sua passagem e trará ao mundo cura e amor. Uau.

– Desculpe ficar nesta questão da aura por tanto tempo – disse, por fim, – mas não vejo algo assim com frequência.

Quando continuei após a leitura da aura de Ken, ouvi um belo coro de gratidão.

– Ouço muitos "Obrigados" chegando do Outro Lado – disse. – Estão me arrepiando. De alguma forma você ensina aos outros sobre o Outro Lado. Sinto que você sabe mais do que eu sobre isso, entende?

Ken me disse que sim.

– Há crianças lá que estão lhe agradecendo por... por trazer paz aos seus pais – continuei. – São muitas, mas você não está relacionado a elas. É um obrigado em nome de todas as crianças, que agradecem pelo trabalho que faz. Quando as pessoas fazem a passagem e analisam a vida, percebem que poderiam ter ajudado pessoas quando estavam aqui. No seu caso, você já tem esse conhecimento, mas ainda está aqui. Você ajuda a trazer este conhecimento para a vida das pessoas. O que vejo é muito bonito. Muito mesmo.

Uma mulher começou a insistir em se comunicar com Ken.

– Estou recebendo a mensagem de que alguém cujo nome começa com *R* está se manifestando e está conectada à sua avó.

– Sim – disse Ken. – O nome dela de fato começava com *R*.

– Seu nome era Ruth?

– Sim! – disse Ken.

– Ela me diz que você é um pacificador – continuei. – Diz que é um papel que você cumpre. O que devo dizer, e acredito que ela tenha mencionado isso porque é de outro país, é que uma coisa que você aprendeu foi que não viemos até aqui de um país específico. Quer dizer, tendemos a acreditar que nossa nacionalidade era nossa identidade. Mas podemos olhar para nós mesmos como simplesmente companheiros humanos e não sermos tão identificados pela nacionalidade, porque estamos todos conectados. É uma forma evoluída e curativa de se pensar e você está muito ciente disto, e esta é uma das mensagens que você tentará compartilhar.

Então, compreendi que o homem com quem realizava a sessão estava numa missão espiritual – era um homem cujo trabalho ressoaria muito após sua passagem, além de trazer amor e cura ao mundo.

Muito tempo depois, descobri que Ken era na verdade o Dr. Kenneth Ring, um professor emérito de psicologia da Universidade de Connecticut e um dos principais estudiosos no campo de EQM – experiências de quase-morte. Uma EQM é descrita como uma experiência mística ou transcendente relatada por pessoas que estiveram às portas da morte. Durante diversas décadas, Ken criou sua reputação como representante da existência de um pós-vida. Em seu lindo livro *Lições da Luz*, explora diversas histórias marcantes sobre EQM. Sua mensagem é que precisamos parar de temer a morte. "O que encontraremos será belo, mais bonito do que é possível exprimir em palavras" escreve. "Porque a verdade é que estamos conectados a outro mundo."

A informação que se manifestou em minha leitura com Ken Ring (que de alguma forma dizia que ele havia ajudado um grande número de pessoas) foi validado pelo que descobri sobre as EQMs. Estudos sugerem que milhões de pessoas ao redor do mundo já tiveram essa experiência. Este fenômeno ocorre em todos os países, idades e religiões. Acontecem com cristãos, hindus e muçulmanos, com pessoas idosas e jovens, com pedreiros e CEOs, com aqueles que creem em eventos místicos e com os mais céticos.

Era isto que o Outro Lado queria me mostrar sobre Ken Ring – seu trabalho trazia amor, cura e compreensão para milhões de pessoas. Ele estava mudando a maneira como as pessoas acreditavam na existência em si. Ele trazia mudanças reais e significativas para o mundo.

Simplificando: Ken Ring era um Trabalhador da Luz.

Trabalhador da Luz é um termo que uso para descrever pessoas que estão neste planeta para ajudar a ensinar e curar outras pessoas. São aqueles que ajudam outros a encontrarem seus dons e tornarem-se a melhor versão de si e estes, por sua vez, podem usar sua luz para ajudar outros. Minha leitura para Ken foi de grande importância para mim, porque mostrou o poder que tem um Trabalhador da Luz – o poder que todos têm: o de trazer cura e compreensão ao mundo. E reforçou a importância de apreciar e explorar nossa conexão com o Outro Lado – de honrar a luz que nos une.

Apesar do trabalho de Ken sobre a ciência do pós-vida, ele não sentia nenhuma vontade de entrar em contato com um médium psíquico. Mas então, sua colega lhe contou sobre a primeira leitura que fez e disse que mudou sua vida. Poucos dias depois, por coincidência, outro colega disse a mesma coisa. Dentro de poucas semanas, quatro colegas compartilharam com ele a experiência que tiveram com um médium psíquico e todos disseram estar profundamente emocionados com a experiência. Foi aí que Ken me telefonou.

A verdade é que ele tinha sim um motivo para consultar um médium psíquico. Sentia dificuldades com uma questão que tinha a ver com seu pai, que fez a passagem quando Ken tinha 17 anos. Durante a maior parte de sua vida, Ken sentia que seu pai ainda estava com ele. Não tinha visões ou ouvia vozes nem nada do tipo – apenas sentia a presença de seu pai. Sentia sua essência como se fosse uma força que o guiava em sua vida. O que mais sentia era o amor de seu pai, ainda que estivessem separados.

Muito tempo após nossa leitura, Ken escreveu sobre estes sentimentos em um livro de memórias: "Sempre senti o amor de meu pai como um fato primordial em minha vida, mesmo quando foi forçado a se separar de mim. E quando eu morrer espero ter a própria confirmação deste sentimento e, por fim, possa vê-lo mais uma vez de braços abertos esperando para me dar as boas-vindas."

No momento da leitura, Ken queria saber se o que sentia era real.

Diversos membros da família de Ken se manifestaram durante a sessão, todos de uma vez, um falando por cima do outro, insistindo em ser ouvidos. Sua mãe veio, e então por parte de mãe, uma moça chamada Mary, que era forte e insistente. Ken disse que era sua tia Mary. E então o Outro Lado mencionou alguém com um *D* no nome.

– David está na Terra? – perguntei. Ken disse que seu filho se chamava David. – Também estou recebendo o nome Kathryn.

Este era o nome da filha de Ken. O Outro Lado também me contou sobre seu neto Max.

Seu pai estava ali também, mas permaneceu em segundo plano.

Após um tempo, ele perguntou sobre seu pai e foi só então que o desencarnado se aproximou.

– Sinto que ele fez a passagem antes de seu tempo – disse. – Seu tempo juntos foi abreviado. E ouço ele se desculpar por isso. Está se desculpando com você, pelo que entendi. É como se, de certa forma, ele o tivesse desapontado. Como se tivesse feito a passagem sem dar a você tempo o suficiente com ele. Estou vendo a área do peitoral, ocorreu algo nesta área. Não houve tempo para despedidas.

Ken disse que não estava em casa quando o pai morreu de um ataque cardíaco.

– Seu pai está dizendo "Me desculpe" – disse a Ken. – Sinto que ele está dizendo que deveria ter cuidado mais da saúde.

Então, Ken perguntou:

– Você consegue vê-lo?

– Não acho que ele seja alto – disse. – Ele tinha menos de 1,80m? – Ken me confirmou que sim. – Ele tinha cabelo escuro? – Ken aquiesceu. – Em algum momento, ele teve um bigode? – mais uma vez, disse que sim – Ele acha graça do bigode, acha que parece bobo com ele. Está fazendo piadas com isso – Ken deu uma risada.

– Sinto que seu pai estava tentando construir algo quando estava aqui – disse. – Não digo que estava tentando construir uma casa, mas sim algo que fazia sozinho... e isto foi interrompido, deixado incompleto. Ele não ficou nada feliz com isso. Quando fez a passagem, sua reação foi: "Ei, espera aí. Está de brincadeira?! Primeiro: o Outro Lado é real? Segundo: não vou poder terminar aquilo?' Ele estava irritado com isso."

Ken entendeu o que eu queria dizer. Seu pai era um artista que morreu no meio da criação de diversas obras.

– Seu pai diz que, no Outro Lado, ajuda você com o trabalho – disse. – De alguma forma ele organiza as coisas no Outro Lado e isso ajuda seu trabalho aqui.

– Então meu pai está me ajudando?

– Está ajudando não só agora como por muitos anos – disse. – Já que não pôde ajudar fisicamente, teve que fazer isso de lá.

– Sempre senti isso – disse ele. Então continuou – Você pode não ser capaz de responder esta pergunta, mas estou curioso. Gostaria de saber se na hora da minha morte eu verei meu pai.

Do Outro Lado eu ouvi uma risada.

– Mas é claro! – disse-lhe. – Seu pai está rindo de você! Ele diz: "Você está perguntando coisas que já sabe a resposta!" Seu pai está fazendo piadas, rindo e dizendo: "Primeiro haverá um túnel e uma imensa luz e então, se preferir, irei cumprimentá-lo primeiro e logo verá todos nós aqui." Você tem que acreditar que todos os seus entes queridos vão lhe cumprimentar. E seu pai será o primeiro da fila.

A realidade de um pós-vida, a presença contínua dos nossos entes queridos que fizeram a passagem, o poder de nossa conexão com o Outro Lado, o fulgor da luz que nos une – para Ken, não eram apenas dados de estudo. Eram presentes que recebíamos do Outro Lado.

E em nossa sessão, eles eram presentes de seu pai.

– Algo a mais espera por nós quando morremos e nós seremos amados – disse Ken em uma conversa recente. – O que encontramos será belo, mais bonito do que palavras podem expressar. Porque a verdade é que estamos conectados a outro mundo.

Mas mesmo dado o seu trabalho em campo, apesar de tudo que tem feito, ele percebe que no fim das contas, "todos têm que resolver a charada do pós-vida por si. E eu acredito que existe um belo pós-vida. Acredito que nunca estamos sozinhos".

25
A Diretora

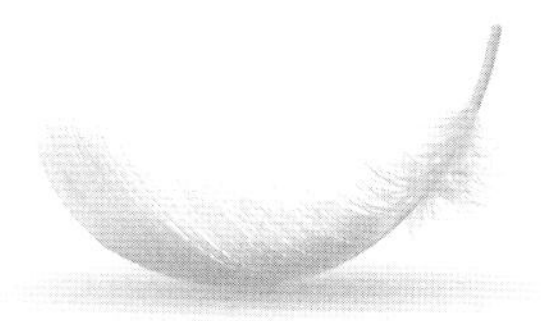

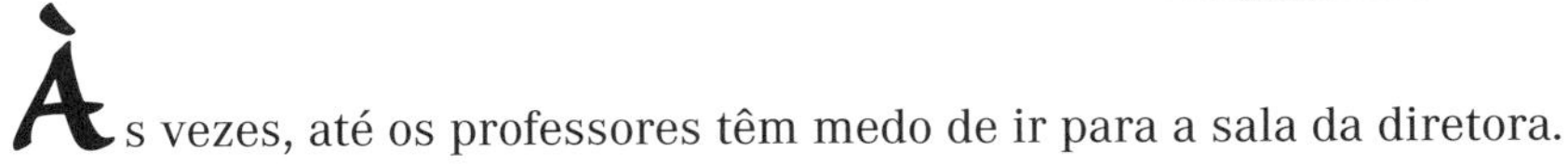

Às vezes, até os professores têm medo de ir para a sala da diretora.

Eu lecionava na Herricks High School há dezesseis anos e ninguém sabia de minhas habilidades como médium sensitiva, exceto por aquele colega para quem eu disse que mudaria de carro e de namorada, e minha melhor amiga, Stephanie, que também lecionava literatura e era minha confidente. Esforcei-me muito para manter isso em segredo e certifiquei-me de que meus dois caminhos não se cruzassem... Até que um dia se cruzaram.

Uma colega cuja energia eu gostava bastante, Suzanne, veio até mim após as aulas.

– Fui a um seminário de desenvolvimento espiritual no fim de semana – disse ela – e o nome Laura Lynne Jackson foi mencionado.

Senti um nó no estômago. Suzanne explicou que assistiu a uma aula de Pat Longo, uma instrutora espiritual e curandeira renomada, e que mencionou uma sessão que teve comigo.

– É você? – perguntou. – Você é a Laura Lynne Jackson mencionada?

Concordei, embora por dentro estivesse em pânico.

– Não se preocupe – disse Suzanne, sorrindo. – Seu segredo está seguro comigo.

Pouco tempo depois, concordei em participar de um evento da Forever Family Foundation em uma universidade de Long Island. O evento era para pessoas que perderam entes queridos. Sentia-me razoavelmente confiante de que ninguém da minha escola saberia disso. Estava errada.

"Quero te avisar de antemão" – Suzanne escreveu em um e-mail. "Danielle (outra professora no departamento de Suzanne) comprou ingressos para o evento e está organizando um passeio com outros professores. Todos estaremos lá."

Quando contei a Garrett o que estava acontecendo, ele não hesitou.

– Você tem que contar à diretora o que faz – disse.

Garrett estava certo. Precisava saber se minha participação no evento comprometeria minha carreira como professora. Se a diretora dissesse que não poderia fazê-lo, teria que cancelar – e isso ia me destruir. Sabia que tinha capacidade de ajudar muitas pessoas em sofrimento e, talvez fosse capaz de mudar algumas vidas. Mas se isso significasse perder meu emprego, eu não poderia ir.

E então andei pelo caminho longo e solitário que levava até a sala da diretora.

Jane, que era diretora da Herricks Gigh School há muitos anos, sempre foi uma educadora. Criada em Long Island por uma mãe irlandesa e um pai grego, começou como professora de educação especial e passou os próximos quarenta anos no sistema. Em nossa escola, ela era responsável por mais de 1.300 crianças de origens diversas. Além disso, de alguma forma ainda conseguia tempo para ensinar uma turma noturna de professores que queriam se tornar administradores. Ela era uma educadora comprometida e prática, uma bela pessoa de alma generosa. Eu a admirava e a respeitava muito; em nossos onze anos juntas, convivíamos muito bem.

Ainda assim, enquanto me aproximava de seu escritório, eu estava tão nervosa quanto um estudante que foi mandado para a sala da diretora.

Respirei fundo, entrei e sentei na cadeira em frente à sua mesa.

— Preciso contar uma coisa — comecei, tentando fazer as mãos pararem de tremer — Eu... eu tenho uma vida secreta fora da escola, uma que ninguém sabe sobre.

Jane parecia preocupada. Mais tarde, descobri que o primeiro pensamento dela foi: "*Laura é uma prostituta?*"

— Não sou uma pessoa extremamente religiosa, mas estou ligada à espiritualidade — continuei, tentando encontrar as palavras certas. — E tem o trabalho voluntário que faço aos fins de semana, e farei parte de um evento no mês que vem e queria ter certeza de que você e a administração o aprovam. E este trabalho voluntário... o trabalho que eu faço é... é para ajudar pessoas a compreender coisas sobre seus entes queridos. Pessoas amadas que fizeram a passagem.

Jane olhou para mim com intensidade.

— Então você... — disse ela. — É sensitiva?

Assenti.

— Você é... Uma daquelas pessoas?

— Sim — disse a ela.

— Uma médium?

— Sim, uma médium sensitiva.

Jane manteve os olhos fixos nos meus. Tentei não tremer na cadeira ou desviar o olhar. A verdade estava sobre a mesa.

Então Jane se inclinou sobre sua mesa e perguntou, sussurrando:

— Laura, você consegue ver alguém próximo a mim neste momento?

E simples assim, os portões se abriram. Era como se o Outro Lado tivesse planejado isto o tempo todo. As mensagens vieram vertiginosamente. Eu não esperava fazer uma leitura para Jane — não queria lê-la. Mas alguém no Outro Lado estava insistindo muito e a pergunta de Jane foi a abertura que aquela pessoa precisava. Era a mãe de Jane, que falecera há décadas.

— Ouço Margaret — disse. — Sua mãe está me dizendo que o nome dela é Margaret.

O queixo de Jane caiu. Ela levantou, contornou a escrivaninha e fechou a porta de seu escritório. E então sentou-se novamente, inclinando-se.

– Sim – disse. – Seu nome era Margaret.

– Sua mãe a criou com pulso firme – continuei. – Ela era católica ortodoxa e impôs tantas regras a você e sabe que era difícil às vezes, mas quer que saiba que tudo que fez foi por você e pelo seu futuro, porque ela lhe ama muito.

Os olhos de Jane se encheram de lágrimas.

Então, ouvi outra palavra.

– Morfina. Sua mãe está dizendo algo relacionado à morfina. Ela diz que você sempre perguntava aos médicos sobre a morfina e quanto deveria ser dado a ela, e quer agradecer por estar tão envolvida, preocupada e por ter tornado mais fácil o fim da vida dela.

Ela estava com o rosto entre as mãos. Continuei. Havia algo sobre o filho de Jane e sua carreira na área de cinema, sobre sua filha e um bebê que via no Outro Lado esperando para vir como filha dela. O Outro Lado estava repleto de informações sobre Jane. Antes que percebesse, quarenta minutos haviam se passado e o sinal tocou. Jane contornou a mesa e abraçou-me.

– Seu dom é lindo – disse ela.

Concordamos em nos falar mais tarde. Após o 6° tempo, vi Jane esperando por mim do lado de fora da minha sala.

– Você poderia vir me ver depois do 9° tempo? – perguntou.

Senti como se tivesse levado um soco no estômago. Temia que ela tivesse ligado para o supervisor do distrito escolar e este tivesse vetado minha participação no evento. Ansiosa e distraída, de alguma forma consegui dar minhas três aulas restantes. Senti o mesmo medo de antes quando andei até a sala de Jane.

Quando a assistente de Jane me viu, ficou com o rosto vermelho. Outra secretária corou e desviou o olhar. Percebi que Jane devia ter lhes contado sobre mim. De repente, eu parecia diferente para elas e não sabiam como agir na minha frente.

Então Jane me encaminhou para dentro. Ela parecia solene.

— Preciso lhe perguntar algo — disse, suavemente.

Preparei-me para más notícias.

— É sobre meu marido — disse Jane.

Senti as portas abrirem novamente. Sentei-me de frente para Jane e falei tudo.

— Ele está aqui — disse. — Seu esposo está aqui. Ele fez a passagem há alguns anos.

— Cinco anos — disse Jane.

— E vocês foram casados por um longo tempo.

— Por 35 anos — complementou.

— Seu esposo está aqui e quer que você saiba... que ele amou o que você está fazendo com a casa.

Jane sorriu e começou a chorar de novo.

— Mas ele me diz algo sobre pássaros — continuei. — Os comedouros de aves. Ele diz que você não está enchendo os comedouros com a frequência que deveria e quer que os encha. Ele quer que os pássaros voltem.

Jane limpou as lágrimas. Era apenas um pequeno detalhe, mas, para ela, era pessoal e íntimo, algo que os dois compartilharam, algo que era só deles. Os comedouros de pássaros eram importantes para seu esposo — e realmente ela não estava enchendo. Era uma validação.

Seu esposo ficou conosco por um longo tempo. Ele me ofereceu diversos detalhes de sua vida juntos, tudo para provar que estava aqui. Após um tempo, ela me interrompeu.

— Laura — disse. — Poderia perguntar algo a ele por mim? Preciso saber... O que ele sente sobre... meu atual marido?

Mais tarde viria a saber que Jane era assombrada pela culpa de ter casado novamente. Ela era uma pessoa tão forte e generosa e vivia com muito orgulho e propósito, mas também era humana, e sua força não podia afastar o sentimento de que casar de novo era trair seu primeiro esposo e a memória de seus 35 anos juntos. Ela ainda estava em luto pela perda e a culpa se tornou um fardo que ela acreditava ser necessário carregar.

— Como ele se sente sobre meu novo esposo? — perguntou de novo, quase implorando.

A resposta veio forte e clara.

— Jane — contei — foi ele quem trouxe seu novo marido até você.

Ela congelou. Seu primeiro esposo insistiu, então continuei a falar.

— Diz que seu novo esposo é brincalhão e que gosta disso nele. Gosta da personalidade do seu esposo. Mas ele diz...

Hesitei, surpresa com o que estava ouvindo.

— Seu primeiro esposo diz que a bunda dele é mais bonita.

Jane riu.

— Está me dizendo que tudo o que sempre desejou a você é a felicidade. Por isso enviou um novo marido. Ele quer que seja feliz, isso não mudou e nunca mudará. Nem quando você o deixou partir, Jane. Especialmente naquele momento.

Não era o tipo de conversa que esperava ter com a diretora. No dia seguinte, ela me puxou de lado novamente e fez uma pergunta sincera.

— Qual é a sua visão do mundo?

A resposta veio fácil.

— Eu vejo a Terra como uma sala de aula — disse. — Todos fomos trazidos aqui para aprender lições e ajudar uns aos outros. Mas o mundo real é o espiritual. E este é um mundo de luz e amor.

Jane me deu sua benção para continuar a lecionar e ser médium sensitiva. Elaboramos um protocolo para o que dizer aos alunos se descobrissem, mas fora isso voltei à rotina como professora. Em algum momento daquela semana ela ligou para o superintendente e explicou minha situação. Graças a sua recomendação, o distrito permitiu e meu emprego estava a salvo. A assistente do superintendente até me pediu uma leitura para ela.

— Pessoalmente não acredito nessas coisas — o superintendente confidenciou a Jane.

— Eu também não acreditava — disse Jane. — Até agora.

Por dezesseis anos, vivi com medo de ter meu segredo exposto e tudo isso porque me convenci de que as pessoas não iriam me aceitar por quem eu sou. Por alguma razão, acreditava que se meu segredo fosse descoberto eu seria excluída, ridicularizada, demitida ou os três. Nunca imaginei que as pessoas ao meu redor fossem me oferecer apoio. Então deixei que as minhas decisões fossem governadas pelo medo.

Quão contraproducente o medo pode ser! Quão incapacitante e ineficaz! Estava até mesmo preparada para desistir do meu trabalho como médium. E então, no fim das contas, Jane me ofereceu um apoio maravilhoso. Não só aceitou meu dom, mas o apoiou. Todo aquele medo, receio e preocupação me acorrentaram sem necessidade alguma por dezesseis anos.

Mal posso expressar quão bom foi finalmente me libertar do medo.

Soube mais tarde que minha leitura para Jane teve um efeito profundo em sua vida. Antes daquele dia, ela não pensava muito sobre um pós-vida. Ela se considerava uma pessoa espiritualizada, mas também era muito pragmática. Tentava ser boa, honesta e afetuosa, mas também aceitava que sua existência era finita. Se existisse algo além da vida, ótimo. Mas ela não refletia sobre. Ela não achava que fosse relevante. Só tentava receber o máximo que podia de sua vida terrena atual.

Porém, após nossa leitura, sua visão de mundo mudou.

— Eu estava satisfeita com só morrer — disse-me. — Mas agora estou aberta a algo verdadeiramente maravilhoso que pode acontecer depois. E assim minha vida se tornou um estado de prontidão. Nosso propósito é experienciar a conexão que temos com este mundo de luz e amor e vivermos nossa melhor vida agora.

26
Toque os Fios

Em 2013, Phran e Bob Ginsberg me convidaram para ser médium facilitadora no retiro anual da Forever Family Foundation. O evento se chamava "Transforme o Luto: Conexões e Cura entre Mundos" e aconteceria em um hotel e centro de convenções em Chester, Connecticut. Era um cenário lindo, com quilômetros de floresta exuberante e um deque sobre uma lagoa adorável sombreada por árvores. Phran me disse que o evento foi planejado para "lidar com os desafios da perda e do luto e focar maneiras de nos comunicarmos com nossos entes queridos falecidos e manter um relacionamento com eles".

Tinha acabado de chegar e fazer check-in no quarto quando meu telefone tocou. Atendi e tudo que ouvi foi silêncio, então desliguei. Poucos minutos depois, tocou de novo. Mais uma vez, ninguém estava na linha.

Naquela noite, recebi seis ou sete ligações de ninguém. Na 4ª vez, comecei a pensar que algo estranho estava acontecendo. Uma ou duas ligações não eram nada de mais. Mas seis ou sete? Seria um trote? O que era estranho é que nenhum número aparecia no identificador de chamadas. O telefone só tocava.

Depois de um tempo, percebi o que eram as chamadas: alguém no Outro Lado estava tentando se comunicar.

Ligações fantasma eram uma das muitas formas que o Outro Lado utilizava para enviar mensagens. Celulares emitem ondas eletromagnéticas, que são um tipo de energia que o Outro Lado pode manipular. Fazia sentido que eu recebesse ligações fantasma em um evento que chama o Outro Lado. Nestes retiros, vi pessoas cuja angústia em seus corações é tão enraizada que mal conseguem respirar. Senti o peso de um luto tão profundo que parecia uma nuvem de chumbo. Mas também vi pessoas encontrarem esperança e propósito na minha frente. Vi lágrimas de amor puro onde antes só havia lágrimas de raiva. Vi pessoas se libertarem de seu luto, como uma criança soltando um balão. Tinha certeza que as ligações fantasma continham algum tipo de lição para mim.

Na primeira noite do retiro, Bob e Phran deram as boas-vindas a todos os participantes e apresentaram a agenda do fim de semana. Senti um casal sentado rígido, isolado, olhando para o chão. O rosto deles estava petrificado. Podia sentir o peso de seu luto. A dor era palpável. Fiz uma prece silenciosa para o Outro Lado: *Por favor, me ajudem a ser um veículo para ajudá-los*. Esperava que quem quer que tivessem perdido me encontrasse.

Mais tarde na mesma noite, reunimo-nos ao redor de uma fogueira externa. Phran me perguntou se eu estaria "aberta" caso alguém no Outro Lado quisesse se manifestar.

– É claro – disse a ela.

Depois que todos se reuniram ao redor do fogo, cantamos músicas para levantar o astral. Quando as músicas pararam, uma tristeza silenciosa retornou. Senti o puxão. Era hora de fazer uma leitura.

Esperei ser guiada até alguém – sentir o laço. De repente senti um puxão forte na direção do casal triste que vi mais cedo. Caminhei até eles, do outro lado da fogueira. O puxão ficou mais forte. Quem quer que quisesse se comunicar com eles estava sendo muito insistente. Parei em frente a eles e dei passagem ao visitante.

– Vocês perderam um filho – disse.

Fred e Susan eram casados há vinte anos e criaram três filhos, Scott, Tyler e Bobby. A vida deles em Thunder Bay, Ontario, seria familiar a de muitos – uma mistura de treinos de hockey, jogos de beisebol, atividades escolares e trabalho de casa. Os três rapazes eram extremamente inteligentes e atléticos, apesar de Scott, o mais velho, ser o mais extrovertido e um líder natural. Ele era o tipo de garoto que começava a cantar no meio de uma aula e, de repente, a turma cantava junto e de alguma forma aquilo fazia os professores ficarem ainda mais encantados com ele.

No ensino médio, Scotty foi eleito presidente do grêmio estudantil e rei do baile de formatura. Praticava diversos esportes e era o melhor em cada um deles. Também era um mergulhador certificado. E foi aceito na renomada Canadian Memorial Chiropractic College [Faculdade Memorial Canadense de Quiropraxia].

Próximo ao fim do seu primeiro semestre, voltou para casa para estudar para as provas.

— Todo dia ele se sentava na sala com seus livros abertos. Mergulhava neles. — Susan me contou mais tarde. — Não saía, só estudava. Exceto naquela noite de sexta-feira.

Naquela noite de sexta-feira, Scotty e seu amigo Ethan foram a uma festa, e ele dormiu na casa de Ethan. No dia seguinte, cerca de 13h, Susan e Fred estavam fazendo compras — tinham planejado um suntuoso jantar de Páscoa para a família — quando Susan recebeu uma ligação do irmão de Ethan.

— Scotty caiu da escada ontem — contou a Susan. — Estava desorientado, então ligamos para a ambulância. Ele está a caminho do hospital.

Ela e Fred dirigiram direto para o hospital e foram até o pronto-socorro. Um médico disse que ainda não poderiam ver Scotty. Houve um trauma, mas ninguém sabia a dimensão do ferimento.

— Vamos colocá-lo sob anestesia geral — disse a médica — e então chamaremos o neurocirurgião.

"O neurocirurgião?" Susan pensou. Ele não tinha só caído das escadas? Ela ouviu a doutora contatar o neurocirurgião e congelou de medo.

Esperaram em um quarto particular com Ethan e seu irmão. Susan e Fred entravam e saíam do quarto, ansiosamente olhando para o fim do corredor, onde seu filho estava sendo tratado. Após o que pareceu ser uma eternidade, a médica veio vê-los.

— Ela foi até Fred e falou direto com ele — diz Susan. — Nem olhou para mim. Foi quando soube que era grave.

Houve um inchaço severo no cérebro de Scott, que continuava sedado. O neurocirurgião tentou inserir um tubo para diminuir a pressão, mas estava muito inchado. Os médicos tentaram aumentar a pressão sanguínea de Scott para forçar seu corpo a redistribuir o sangue, e seu coração estava batendo a 250 bpm, mas isso também falhou.

A única opção seria perfurar o crânio de Scotty para aliviar a pressão no cérebro. Um dos médicos que participou da cirurgia era um amigo, que, após o fim da operação, encontrou Fred e Susan na sala de espera.

– Quando iniciamos o procedimento descobrimos muito inchaço no cérebro – explicou o cirurgião. – Não tinha nada que pudéssemos fazer.

Scotty não havia morrido. Mas não conseguia respirar sem a ajuda de aparelhos e a pressão em seu cérebro causou um dano considerável.

– Se fosse meu filho – disse o doutor. – Eu deixaria ele partir. Ele nunca será Scotty de novo.

Foi de repente. Não apenas repentino, mas impensável. Impossível. Susan e Fred, em choque, chamaram Tyler e Bobby para o hospital e encontraram-se com o cirurgião. Sabiam o que viria a seguir, mas queriam enfrentar isso juntos.

–A verdade é que o Scotty não está mais entre nós – disse o cirurgião.

A família tinha de decidir se tiraria ou não o oxigênio dele. No início daquele ano, quando Scott conseguira sua carteira de habilitação, ele concordou em ser um doador de órgãos com entusiasmo. Os médicos explicaram que, por Scotty ser bastante jovem e atlético, tinham chances de coletar alguns de seus órgãos, mas a decisão tinha de ser tomada de imediado. Susan perguntou:

– Como vocês têm certeza que Scotty não vai melhorar?

O médico explicou que havia uma lista de critérios usados para determinar estas situações: não ser capaz de respirar sozinho, dano extremo ao tronco cerebral, falta de resposta à dor e de reflexos. Não havia dúvidas: Scotty se foi.

A família precisou de algum tempo para processar o que ouviu. Em cada coração havia uma certeza do que deveriam fazer, mas, ainda assim, era uma decisão imensuravelmente difícil.

Pediram ao doutor para desligar os aparelhos de Scotty.

Em uma quarta-feira, 4 de abril de 2012, uma equipe de médicos o conduziu em uma maca até a sala de cirurgia para coletar os órgãos. A família o acompanhou até a metade do caminho, mas não puderam ir além das portas do quarto cirúrgico. Na entrada da sala, os doutores se afastaram da maca e os pais e irmãos, um a um, puseram as mãos no corpo de Scott para dizer adeus.

— Adeus, meu filho — disse seu pai, chorando.

— Adeus, Scott — disse sua mãe. — Vamos amar você para sempre.

Os médicos empurraram a maca pelas portas da sala e a família ficou ali enquanto as portas se fechavam.

Em algumas horas, diversos helicópteros aterrizaram no hospital para recolher seus órgãos. Pulmões, fígado, pâncreas e os rins foram para diferentes localidades e implantados em diferentes receptores. O último órgão a ser coletado foi o coração. O último helicóptero surgiu no céu e levou embora o coração do rapaz.

Em casa, seus livros de medicina ainda estão abertos sobre a mesa da sala de jantar.

No retiro, eu li para Fred e Susan por quarenta minutos. O jovem que se manifestou era entusiasmado, determinado e tinha muito a dizer. Ele me ofereceu um nome com *S* e contou-me que sua passagem foi rápida. Aconteceu um acidente, disse, e ele se responsabilizava por isso. Então, ofereceu-me diversas informações de validação, como se entendesse que sua família precisasse ser persuadida a acreditar que estava ali.

— Ele está me mostrando algo verde — disse-lhes. — Uma fantasia verde. Ele quer que eu mencione isso para a mãe dele, porque ela vai rir.

A princípio, Susan parecia chocada. E então, como previu, ela riu.

— Scott se vestiu de Hulk da cabeça aos pés no Halloween — explicou mais tarde. — Eu ri porque é o tipo de coisa que Scott diria para me fazer rir.

Em seguida, Scott me disse para falar sobre os brincos que sua mãe usava. Perguntei se ela tinha ficado indecisa sobre qual brinco usar naquele dia.

— Scotty diz que ele gosta dos brincos que você está usando e que encorajou você a escolher este e não o outro que estava pensando em usar — disse. Susan confirmou que ela tinha escolhido um par, mas, de última hora, mudou de ideia e trocou para o par que estava usando naquele momento. Foi sua forma de mostrar que esteve com ela o dia todo.

Então, direcionei-me a Fred.

— Okay, isto é um pouco constrangedor, mas eu tenho que transmitir as mensagens que recebo — avisei. — Scott quer que eu diga que gosta da sua cueca nova. É um estilo novo, ele diz. Chega daquelas cuequinhas apertadas.

Foi a vez de Fred ficar chocado.

— Scotty sempre me zoava por causa das minhas cuecas samba-canção — explicou Fred, mais tarde. — Então, há alguns dias eu comprei cuecas novas estilo boxer. Ninguém sabia que eu fiz isso.

— Ele também me diz para implicar com seus sapatos — continuei —, mas está rindo porque diz que agora você tem sapatos suficientes para durar dez anos.

Susan e Fred se entreolharam e riram.

— É verdade — disse Fred. — Tem um estilo de sapatos que eu gosto muito. Olha, tipo esse aqui que estou usando agora. E eles entraram em promoção, daí pensei: “Por que não comprar?” e encomendei um monte no site.

Em seguida, Scotty me mostrou um jardim e eu senti um amor abundante.

— Scotty está me mostrando um jardim que o conecta a ambos — disse. — Ele diz que vocês se sentam no jardim e que ele se senta lá com vocês. É muito bonito. É lindo que passem um tempo ali, se conectando com ele. É um lugar calmo para fazerem isso.

— Plantamos um jardim em sua memória — disse Susan. — Chamamos de jardim do Scotty. É muito especial para nós.

— Vocês não precisam de mim para ver, sentir e ouvir Scotty — disse-lhes. — Vocês já estão fazendo isso. Quando sentam com ele no jardim. E o fazem quando compram roupas íntimas ou escolhem brincos. Ele está sempre com vocês. Ele ainda é parte da família.

Susan e Fred estavam tão profundamente envoltos em seu luto quando chegaram que me preocupei em não serem capazes de encontrar uma saída para isso. Mas, no final, Scotty cuidou de tudo isso. Quando se manifestou ele foi muito divertido. Nos fez rir e sorrir! Ele se manifestou como o Scotty que sua família tanto amava.

Mas a coisa mais importante que ele compartilhou foi seu entusiasmo.

— Ele diz que está tão animado porque o que vocês fazem em seu nome permite que ele continue a fazer a diferença aqui na Terra — contei. — Ele está muito agradecido de poder ter um impacto aqui mesmo que esteja no Outro Lado. Está surpreso e animado. Vocês trabalham juntos como parte do time de luz que ajuda outros — vocês dois aqui e Scotty no Outro Lado. E isso o deixa muito feliz.

Não sabia ao que Scott se referia naquele momento, mas descobri depois que no ano após sua morte, seus pais organizaram um jantar anual em memória do filho para angariar fundos para caridade. Eles agendam o evento no sábado mais próximo ao seu aniversário em novembro. O primeiro jantar, realizado em um restaurante popular de Thunder Bay, reuniu mais de trezentas pessoas e angariou US$ 36 mil para a caridade que ajuda a alimentar crianças na África Ocidental. Desde então, conseguiram milhares de dólares para um grupo chamado Crianças da Síria e mais de US$ 50 mil para crianças famintas em Mali.

— Chamamos de Jantar do Scotty — disse Susan. — Scotty amava demais as crianças e sempre amou ajudá-las. Diversos jovens vem até mim e dizem que Scotty fez a diferença na vida delas.

Ele precisava que seus pais entendessem o quão grato estava pelo que faziam em seu nome.

Havia mais uma mensagem para eles antes de terminarmos.

— Scotty agradece a vocês por terem vindo a este retiro de luto — disse. — Ele está dizendo que tentou fazer vocês virem até aqui e que quase não vieram. Está muito feliz de terem decidido vir. Ele não quer que vocês lidem com o luto sozinhos.

Existe uma razão para eu aceitar participar com prazer dos retiros de luto. Quando chego, vejo o quão aflitas estão as pessoas e quando vou embora, vejo que estão mais leves devido ao ato de compartilhar seu luto com outros. Ao compartilharmos, reconhecemos que estamos conectados porque somos seres espirituais.

O luto nos causa dor profunda, mas o Outro Lado nos ensina que a dor não é ausência de amor – é a continuidade dele. Os fios de luz brilhantes que nos conectam com alguém nesta vida são conservados no pós-vida. E quando sentimos uma dor insuportável pela perda de nossos amores, é como se estivéssemos tencionando esse fio de amor. A dor é real, pois o fio é real. Nosso amor não acaba, ele continua.

Por fim, a leitura de Fred e Susan me mostrou mais uma vez que o que fazemos na Terra após perder um ente querido é de suma importância.

A maneira mais poderosa de honrar aqueles que fizeram a passagem é espalhar luz e amor em nome deles. Fazer este trabalho não apenas mantém a pessoa presente em nossa vida, mas também permite que nossos entes queridos no Outro Lado ainda sejam uma influência positiva neste mundo.

Tudo é importante! Se corrermos uma maratona de 5km em honra a alguém, aquela pessoa estará correndo ou caminhando conosco. Se organizarmos um jantar de caridade, a pessoa estará em nossa mesa. Nossos entes queridos no Outro Lado sempre sabem o que fazemos e quando nos veem espalhar luz em seus nomes, é de grande importância para eles. O Outro Lado quer que nossas existências sejam honestas e empolgantes. Viva a vida mais brilhante e intensa que conseguir. Eles estarão conosco.

Quando transformamos tragédias em esperança, nossos amores do Outro Lado não apenas veem este esforço como os celebram.

Naquela noite, após a leitura de Susan e Fred, recebi ainda mais ligações fantasmas no celular. Mas desta vez eu tinha uma ideia de quem estava me passando um trote. Encontrei Fred e Susan no café da manhã no dia seguinte e contei-lhes sobre as ligações fantasma.

— Sinto que foi Scotty quem me ligou — disse. — Sinto que ele quer que eu diga a vocês que ainda está ao seu redor e falando com vocês. E que não precisam de mim para sentir esta conexão. Acredito que ele esteja se divertindo e se gabando do que pode fazer.

Mais tarde, descobri que as ligações de ninguém não eram apenas tentativas do Scotty de manter abertos os caminhos que o ligavam aos seus pais; pelo visto, Scotty amava se expressar através da eletricidade.

— Quando criança, era fascinado pela eletricidade — disse Susan — então não me surpreende que ainda tenha essa paixão.

A própria Susan teve experiências estranhas com celulares.

— Estávamos na Flórida e vi que tinha uma mensagem no telefone — diz ela. — Eu tentei ler, mas estava em branco. Disse: "Scotty, se for você, pode fazer melhor do que me enviar uma mensagem em branco."

Mais tarde, naquele mesmo dia, havia 95 mensagens em branco em seu celular.

Tempos depois, Fred e Susan continuam os Jantares do Scotty e buscam novas formas de honrar a conexão que existe entre eles e seu filho.

— Sentimos que nosso papel de manter sua luz brilhando neste mundo é fazer coisas em seu nome — diz Susan. — É uma forma de ele continuar a ter uma influência positiva nas pessoas. Ele ainda pode fazer a diferença neste mundo.

— Não significa que a gente não sinta falta dele diariamente — diz Fred. — Não significa que o luto vá embora. Mas é mais fácil por saber que Scotty está sempre ao nosso lado e ainda é parte da nossa equipe.

27
A Fênix

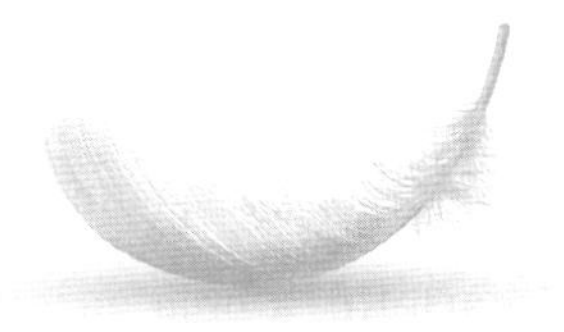

No mesmo retiro de luto onde conheci os pais de Scotty, fiz uma série de leituras para dez a quinze pessoas de uma só vez. No último dia do retiro, quando comecei minha quarta e última sessão, senti a energia do laço me guiar para um homem e uma mulher sentados juntos. Ao me aproximar deles, uma imagem apareceu – era sombria e perturbadora. Quanto mais via, mais perturbadoras se tornavam. Via imagens de batidas de carro e destruição. Vi chamas e fumaça.

– Alguém está se manifestando para você – disse ao homem. – Ela me diz que morreu em um acidente de carro.

O homem olhou para mim com lágrimas enchendo seus olhos.

Certa noite, em 1966, Frank McGonagle e sua esposa Charlotte entraram em seu carro esportivo, um Truimp TR4, e dirigiam de Boston a Swansea, Massachusetts, que ficava a uma hora de distância, ao sul. Tinham acabado de comparecer ao velório do tio de Frank e estavam ansiosos para voltar para casa onde se encontravam os quatro filhos pequenos. Quando faltavam apenas alguns quilômetros, em uma rodovia silenciosa, Frank dirigiu até um cruzamento e parou no momento em que o semáforo mudava de amarelo para vermelho.

Em seguida, um carro se chocou contra a traseira do carro dele a toda velocidade. O impacto foi devastador. O carro foi lançado no meio do cruzamento e chocou-se com um parapeito. O cheiro de gasolina se alastrou. Três adolescentes saíram de outro carro e correram até o Triumph. Eles se enfiaram pela janela do lado do motorista e puxaram Frank para fora. Assim que o fizeram, o tanque de gás explodiu.

Chamas engoliram o carro. Frank também estava em chamas. Ele caiu e rolou pelo chão, tentando apagar o fogo. Estava usando um sobretudo que protegeu a maior parte de seu corpo. Mas sua cabeça estava exposta e ele sofreu queimaduras de 3° grau no rosto, nas orelhas, no couro cabeludo e no pescoço. Frank não se lembra de ter sido puxado para fora do carro ou rolar na estrada. Na verdade, ele mal consegue se lembrar da batida em si. Lembra de acordar no pronto-socorro e de um médico lhe dizer que sua mulher não sobreviveu.

Charlotte, a bela garota de cabelos cacheados do Texas por quem se apaixonou a primeira vista – o amor de sua vida, mãe de seus filhos, seu tudo – tinha partido. Charlotte estava no sétimo mês de gravidez. Em um piscar de olhos, a vida que tinham construído juntos desapareceu.

Em minha leitura com Frank, o Outro Lado não me deu nenhum detalhe sobre sua vida após a batida, mas podia ver que foi difícil. A verdade é que, quando Frank acordou naquele quarto de hospital, estava num tipo de inferno.

Deram-lhe uma injeção cavalar de morfina e tinha um tubo de traqueostomia em seu pescoço.

– Desde aquele momento, me senti responsável pela morte dela – disse-me Frank. – Senti que abandonei o navio. Não pude me perdoar por deixá-la para trás.

Frank passou os próximos três meses no hospital. Corria risco de morte devido às queimaduras, mas conseguiu se recuperar. Pior do que o dano físico, no entanto, era a culpa e o sentimento de que houve uma injustiça, que quase o incapacitou. Quando ainda estava no hospital, recebeu a visita de um padre, que sabia que o motorista do outro carro que tinha causado o acidente, um jovem chamado Richard, queria encontrá-lo.

– Ele quer pedir o seu perdão – disse o padre.

– Padre, se você o trouxer aqui – disse Frank, – eu vou matá-lo.

Os amigos e familiares ajudaram Frank a se recuperar e criar os quatro filhos. Mas tentar manter a família unida sem Charlotte era quase insuportável. Por vezes, Frank contemplou o suicídio. Cerca de dezoito meses após o acidente, ele se casou com uma enfermeira que trabalhava no hospital onde foi tratado, mas o casamento estava condenado desde o princípio.

– Eu não estava bem – explicou Frank. – Não tinha resolvido nenhum dos problemas de culpa, raiva e luto.

Dez, vinte, trinta anos se passaram e Frank ainda estava sofrendo.

Então ele foi a uma palestra de Fred Luskin, um doutor que falava para uma plateia de vítimas de queimaduras. Lusking falava do poder do perdão, como o perdão ajudava aquele que é perdoado, mas também quem perdoa. Luskin criou uma situação persuasiva na qual o perdão poderia mudar as dinâmicas de uma tragédia.

– Eu tive que encontrar Richard – disse Frank, mais tarde – E tinha que perdoá-lo.

Frank descobriu que Richard tinha sido condenado por direção perigosa. Pagou uma multa e perdeu sua carteira por um ano.

– Certo dia, falei com um vizinho que conhecia Richard – disse Frank. – Ele me contou que Richard nunca mais dirigiu depois daquela batida.

O vizinho ajudou a organizar o encontro entre Frank e Richard na casa paroquial local. Frank chegou primeiro e estava nervoso demais para sentar. Olhou pela janela e viu um carro estacionar. Um homem saiu do banco do passageiro e andou hesitante até a entrada. Frank respirou fundo. Ouviu os passos e viu a porta abrir devagar.

Finalmente ambos estavam na mesma sala, a alguns metros de distância. Por um longo tempo, nenhum dos dois disse uma palavra sequer. Frank lutava com um mar de emoções.

Enfim Frank falou:

– Obrigado por vir. Sei que precisou de muita coragem para estar aqui.

Richard olhou para cima. Seus olhos estavam vermelhos e ele tremia.

– Eu sinto muito. – disse. – Eu sinto muito, muito mesmo.

– Olha – Frank continuou. – Eu sei que você não queria que isso acontecesse, mas aconteceu. Algumas vezes eu também fui irresponsável no trânsito. No fim das contas, sei que você não teve intenção de fazer isso.

Os dois homens conversaram por meia hora. Frank percebeu que Richard tinha se punido com muito mais severidade do que qualquer outra pessoa poderia.

Por fim, os dois enxugaram as lágrimas, apertaram as mãos e disseram adeus. Richard foi embora e Frank o viu caminhar até a calçada e esperar sua carona. Enfim um carro estacionou e Richard entrou. Frank percebeu que não era o único perdido em um mundo de luto.

Dois dias mais tarde, Frank estava ao telefone com sua filha Margaret. Contou-lhe que encontrou com Richard e o perdoara. Enquanto falava, uma pergunta simples se formou em sua cabeça:

Agora que você o perdoou, por que não se perdoar?

Depois do ocorrido, as perspectivas de Frank mudaram drasticamente.

– Me tornei capaz de ser mais objetivo sobre o que aconteceu – diz ele. – Foi como matar meu ego. Eu me tornei mais um observador do que um participante. O encontro com Richard deu início a este processo. Enquanto o via ir embora eu me senti mal por ele, senti uma pena muito grande. Podia ver o quão ferido e magoado ele estava e provavelmente seria para sempre. Foi uma completa inversão de como eu me senti depois do acidente, quando provavelmente teria matado ele. Estava começando a ver o poder do perdão.

Aos poucos, Frank começou a se libertar da própria culpa. E quando o fez, experimentou o poder do perdão em seu processo de cura.

Mas se libertar do luto era outra questão. Existia uma questão profunda que ele não conseguia simplesmente responder: O que aconteceu com Charlotte? Num minuto ela estava com ele e no outro tinha partido. Para onde ela foi? O que aconteceu com ela? Até onde Frank sabia, seu relacionamento com Charlotte terminou abruptamente naquele dia distante e o amor poderoso entre eles simplesmente se extinguiu.

Frank se lembrou do dia em que a mãe e o pai de Charlotte foram visitá-lo no hospital após a colisão. Este momento o enchia de medo. Charlotte era sua única filha, uma deusa inteligente, bela e solar. Porém, quando a mãe dela entrou no quarto de Frank, sentou em uma cadeira ao lado de sua cama e disse:

– Frank, Charlotte ainda está com você. Ela veio até o meu quarto e quer que você saiba que ela está bem. Não está sofrendo. A Charlotte está no céu com o bebê e está muito feliz. Ela quer que você melhore e seja um pai forte para seus quatro filhos. Ela quer que você seja feliz.

Através do torpor da morfina, a única coisa que se passava na mente de Frank enquanto ouvia a mãe de Charlotte era: "*Ela está falando um monte de besteiras*", pensou. "*Está delirando de luto.*"

Seria preciso mais de quarenta anos para que isso mudasse.

Em 2006, um amigo incentivou Frank a assistir um seminário organizado por um médium sensitivo. Este amigo achava que poderia ajudar Frank em sua jornada. Frank era cético, mas concordou em ir. Durante o seminário, ouviu diversos sensitivos evocarem detalhes sobre seus parentes falecidos. Um dos sensitivos até levantou uma placa com as letras CC – as iniciais de sua falecida esposa Charlotte, cujo sobrenome de solteira era Carlisle. Foi o suficiente para que Frank mudasse de opinião sobre o Outro Lado. Ele agora acreditava que era possível se conectar com Charlotte de novo.

Durante minha leitura com Frank, Charlotte se manifestou com muito mais clareza do que tinha se manifestado nas leituras anteriores. Ela me mostrou como, nos anos que se seguiram ao acidente, vigiou-o e o conduziu à sua atual esposa Arlene, que era a mulher que estava ao seu lado.

– Ela quer agradecer à Arlene por tudo que ela fez por você – disse a Frank. – Ela diz que você tem muitas pessoas, muitos guias e entes queridos, que estão cuidando de você no Outro Lado.

Charlotte comunicava um sentimento profundo de orgulho pelo que seu marido vinha fazendo desde a batida. Parecia que existia uma grande equipe de pessoas elogiando e celebrando Frank.

— Eles estão dizendo que você merece uma salva de palmas pelo trabalho que fez nesta Terra — continuei.

Mais tarde, descobri que Frank passou esses trinta anos ajudando outras vítimas de queimaduras a encontrar formas de viver normalmente. Ele começou a trabalhar para uma organização nacional de apoio a vítimas de queimaduras chamada Phoenix Society for Burn Survivors [Sociedade Phoenix para Sobreviventes de Queimaduras] prosseguiu até se tornar presidente do conselho do grupo. "Eu acreditava mesmo que uma das razões principais para eu ter sido poupado" — escreveu em um informativo — "foi para ajudar outros sobreviventes de queimaduras e suas famílias. Não é minha obrigação, é um privilégio."

E, naquele momento, Charlotte se manifestou para expressar o quão orgulhosa estava de seu esposo por tudo que tinha conquistado. Era uma cascata de alegria e afeto — uma expressão pura de amor.

— Charlotte vê o quanto você devolveu ao mundo e como não permitiu que o que aconteceu lhe tornasse uma pessoa amargurada — contei-lhe. — Ela quer reconhecer tudo que você fez em homenagem a ela.

Os olhos de Frank nadaram em lágrimas. Ele acreditava que Charlotte cuidou dele e foi parte de toda sua jornada desde o início. Ele acreditava que ela tinha levado Arlene até ele. E acreditava que tinha visto ele ajudar centenas de outros sobreviventes, tudo em memória dela.

— Tudo que fiz foi para honrar Charlotte — contou-me mais tarde. — Era uma maneira de fazer com que ela não tivesse partido completamente. Descobrir que ela tem orgulho de mim, que está feliz com o que faço, bem, isto é muito reconfortante.

E, ainda assim, Charlotte não foi a única que se manifestou durante a leitura.

— Frank, vejo um espírito que não nasceu — disse a ele. — O espírito morreu durante a batida também. Frank, é seu filho.

Frank me encarou, incrédulo.

— Seu filho está se comunicando e quer que eu ateste que ele também está feliz de ver que você está ajudando outras pessoas — disse a ele. — Seu filho está muito, muito orgulhoso de você.

Quando a colisão aconteceu, Frank e Charlotte ainda não tinham escolhido um nome para o filho que viria ao mundo. Com o passar dos anos, sempre que pensava no filho que perdeu, o chamava apenas de "menininho".

E agora no retiro de luto, seu menino não era mais um neném – era um belo espírito de luz e amor. Ele não foi capaz de conhecer Frank em vida, mas estava se comunicando naquele momento e expressava amor e orgulho.

Frank pôs as mãos sobre o rosto e chorou.

Por décadas, Frank guardou caixas de rolos de filme no closet de sua casa. Eram filmes caseiros antigos, com imagens arranhadas, tremidas, silenciosas e descoloridas de Frank, Charlotte e seus filhos na infância. Para ele eram lembranças de uma vida que lhe foi tirada. Não conseguia suportar assisti-los de novo após a morte de Charlotte. Mas após a nossa leitura Frank pegou as caixas.

– Tem mais ou menos duas horas de filme – contou-me mais tarde. – Acompanha o nascimento das nossas crianças e continua até a hora da batida. Converti tudo para o digital e editei. Queria fazer isso pelos meus filhos. Queria fazer isso por Charlotte.

O vídeo curto conta a história de uma família bonita e feliz. Charlotte sorri e acena para a câmera. Os filhos cambaleiam e caem no chão. Nele há alegria, risadas e amor – bastante mesmo. Frank deu o filme aos filhos para que pudessem se lembrar de Charlotte como ele se lembrava. Também queria que seus onze netos assistissem ao filme para que pudessem saber quem foi sua avó.

– É outra forma de honrar Charlotte – disse ele.

Quando o retiro acabou, fui para casa, em Long Island, e pensei muito na história de Frank. O que tornava tudo incrivelmente emocionante para mim foi como ele conseguiu encontrar forças e coragem de transformar a escuridão de sua vida em uma luz brilhante e linda. Percebi que sua história poderia mudar nossa perspectiva sobre o significado de luto.

Em certas culturas, existe a tradição de encarar uma tragédia sozinho – como se "bancar o durão" fosse uma qualidade admirada acima de tudo.

Mas pesquisas sobre o luto mostram que se isolar de outros em momentos de luto é, na verdade, prejudicial para o processo de cura.

A princípio, Frank sofreu sozinho. Eventualmente, gravitou em direção aos grupos de sobreviventes de queimaduras e foi ali que a cura começou de fato.

– Homens são ensinados a serem como John Wayne – disse Frank. – Nos ensinam a não chorar ou compartilhar nossa dor. Porém, quando comecei a compartilhar minha história com outros sobreviventes, pude ver o quanto isso ajudava.

Quando ele perdoou o homem que causou a colisão, foi capaz de direcionar o ato de perdão a si, o que o permitiu se tornar disponível para outros.

O universo foi designado para que estejamos presentes uns para os outros – não fomos feitos para nos retrair e encarar sozinhos a dor e o luto. Fomos feitos para honrar os brilhantes fios de luz e amor que nos unem, porque o amor dos outros é a maior força curativa de todas. Por que nos afastaríamos desta força poderosa? Estamos destinados a fazer parte de um ciclo vasto e infinito de receber o amor dos outros e então transmitir este amor a outra pessoa.

Curamo-nos do luto quando compartilhamos nossa dor, damos e recebemos amor.

Atualmente, todas as manhãs quando acorda, Frank entra no banho e agradece.

– Eu tenho uma lista longa de pessoas com quem falo – contou. – Falo com Charlotte todos os dias e peço que continue a me ajudar. Falo com os entes queridos que perdi, meus espíritos e guias. Sei que muitas pessoas seriam céticas em relação a isso, mas mudei minha crença em como o universo funciona.

E mesmo nos dias em que ele ainda sofre e sente falta de Charlotte, encontra conforto no conhecimento de que ela realmente não partiu.

– Acredito que Charlotte ainda está comigo – diz ele. – Acredito que meu menininho está comigo. Acredito que todos meus entes queridos estão aqui, me dando amor. O que percebi é que tudo tem a ver com amor. Quando você ama alguém, é para sempre.

28
O Bonsai

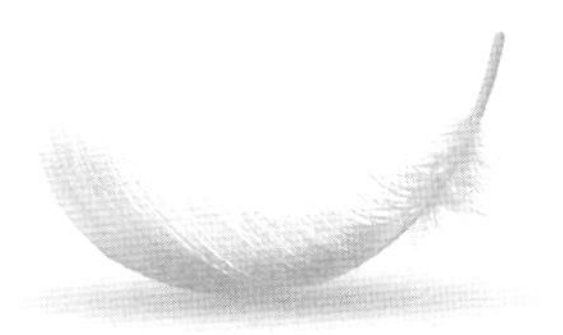

No decorrer de minhas leituras, o Outro Lado me ajudou a responder muitas das grandes questões com as quais lutei durante muito tempo.

Por que estamos aqui? Para aprender. Para dar e receber amor. Para sermos agentes da mudança positiva do mundo.

O que acontece quando morremos? Perdemos o corpo, mas nossa consciência permanece.

Qual é nosso verdadeiro propósito na Terra? Crescer por meio do amor – e ajudar outros a fazer o mesmo.

O Outro Lado também me ajudou a responder uma pergunta que ainda confunde muitos pensadores: Temos o livre-arbítrio para determinar o curso de nossa vida ou nossos futuros já estão programados? O Outro Lado me mostrou um modelo de existência que é generoso o suficiente para abarcar tanto o livre-arbítrio – a habilidade de agir de acordo com nossa própria vontade – e pré-determinismo, que é a crença de que todos os eventos e ações são decididos de antemão. É um modelo incrivelmente simples que chamo de "livre-arbítrio vs. pontos de fatalidade".

Nossa existência foi determinada por uma grande quantidade de pontos de fatalidade que já existem antes de nascermos. É um contínuo de todos os eventos cruciais, momentos decisivos e pessoas importantes que constituem nosso tempo na terra. Pense neles como estrelas no céu noturno, uma coleção de faróis espalhados em um grande quadro.

O Outro Lado me mostrou como criamos ações que nos movem de um ponto de fatalidade para o próximo. Somos nós que conectamos estes pontos. Tomamos decisões que nos movimentam de um ponto a outro e, no processo, moldamos e criamos a imagem de nossas vidas.

Cada um de nós vem a esta vida com dons únicos e contribuições a fazer. Encontrar e honrar quem verdadeiramente somos sempre nos ajudará a transitar pelos pontos de fatalidade.

Devemos aprender a reconhecer nossa própria luz. Devemos sempre deixar nossas verdades, dons e luz guiarem nossos caminhos.

Não há caminho "certo" e "errado", apenas lições diferentes que aprendemos em caminhos diferentes. No entanto, de fato existem caminhos altos e baixos, e os altos tornam mais fácil aprendermos nossas lições. Se honrarmos nossas próprias verdades, nossos dons únicos e nossa própria luz, criamos uma imagem muito bonita, de fato. E se o fizermos constantemente, estaremos em nosso verdadeiro caminho.

Enquanto escolhemos qual caminho seguir, nossos entes queridos no Outro Lado esperam que façamos a melhor escolha – e algumas vezes até "mexem os pauzinhos" para nos ajudar a encontrá-la. Eles querem que sejamos nossa melhor versão e conquistemos felicidade e satisfação.

No fim das contas, porém, a decisão só depende de nós e é aí que entra o livre-arbítrio. Às vezes tomamos decisões que nos levam ao caminho do medo ao invés do caminho do amor. Quando isto acontece, podemos nos desviar do percurso e nos perder.

Mas não devemos esquecer nunca que temos a capacidade inata de honrar o chamado e voltar ao caminho verdadeiro.

Durante uma sessão com uma mulher chamada Nicole, que conhecia da escola onde lecionei, uma presença muito forte emergiu com mensagens urgentes para seu pai, Mike. Explorei algumas destas mensagens com Nicole, mas estava claro para mim que o Outro Lado queria chegar a Mike. Pedi a Nicole que passasse as mensagens para seu pai e alguns meses depois Mike me contatou para fazer a leitura.

Normalmente, eu não sei nada sobre o consulente, mas com Mike, alguns fatos foram mencionados durante minha sessão com sua filha. Sabia que ele tinha dois filhos adultos, vivia em Los Angeles e escrevia roteiros. Eu também tinha uma sensação do que o Outro Lado estava tentando dizer a ele. Ainda assim, precisava que o Outro Lado se manifestasse novamente para que tudo fizesse sentido.

Comecei a ler sua energia. A parte esquerda da minha tela estava imersa em uma luz brilhante e laranja.

– Laranja está relacionada à criatividade e arte – expliquei. – Sua energia o marca como um artista. Seus guias estão me dizendo que desde os 11 anos você já sabia que era um artista. Sabia que era isso que queria fazer.

– Mas também posso ver que aos 11 anos, isto foi desestimulado. Durante a maior parte da sua vida, você não honrou sua essência intrínseca. Sua vida se tornou uma batalha contra suas paixões e o amor próprio, e a maior parte de sua vida foi confusa e você buscava por respostas de dentro para fora.

– Sim – disse Mike, à meia voz. – É tudo verdade.

– Posso ver que sua infância foi difícil – continuei. – Seu pai tinha muitas dificuldades, era retrógrado e não conseguia superar estes problemas. Uma grande parte de sua dificuldade foi encontrar sua voz e superar todas as coisas que seu pai impôs a você. Ele foi uma energia muito agressiva em sua infância.

Mike suspirou e disse:

– Sim, de fato.

As pessoas no Outro Lado estavam insistindo para se comunicar, então dei permissão.

– Vejo sua mãe e seu pai no Outro Lado – disse a Mike. – Mas seu pai está afastado e contido. Ele está atrás de sua mãe, então ela vai falar primeiro.

A mãe de Mike começou a banhá-lo de amor. Às vezes eu me sentia sobrecarregada pela força e intensidade do amor de certas pessoas, e esta era uma dessas ocasiões.

— Mike — disse. — Sua mãe diz: "Não escolhi te abandonar." Você precisa saber disso. Ela diz que nunca teria escolhido te abandonar.

Mais tarde me explicou que sua mãe morreu durante uma cirurgia de peito aberto quando ele tinha 19 anos. Mas devido ao casamento difícil que tinha com seu pai, ele acreditava que de certa forma ela desistiu de viver. Por conta disso, passou grande parte de sua vida se sentindo abandonado.

Sua mãe foi insistente durante a leitura.

— Ela diz que sente muito não ter feito mais para te proteger do seu pai, mas quer que saiba que ela nunca escolheria partir. Ela não queria deixar o filho sozinho com o pai.

Naquele momento, Mike interrompeu a leitura para me contar a história do dia em que sua mãe morreu.

Seu pai telefonou para ele e disse que sua mãe estava doente, mas era tudo que sabia. Então Mike entrou em seu Thunderbird 1957 e dirigiu para casa vindo de Boston, que ficava a quatro horas de distância.

— Quando estava dirigindo, um clarão de luz iluminou o carro — contou. — E eu sabia que era ela, podia sentir seu alívio e também me senti aliviado. Senti-me exultante. Ela tinha vindo me dizer que estava bem. Que tinha se libertado de um casamento ruim e um corpo incapacitado, resultado de um AVC anos antes. O sentimento feliz e de leveza de sua libertação durou por toda a viagem de volta para casa. Eu sabia no meu coração que ela tinha encontrado a paz.

Naquele exato momento em que a mãe de Mike veio até ele em seu carro, o relógio em seu painel congelou.

— Nunca mais funcionou — disse ele.

Quando Mike chegou a casa, encontrou seu pai afogado em lágrimas. Era a primeira vez que o via chorar.

— Sua mãe morreu — disse.

Mas ele já sabia disso.

— Sim — e sem dizer mais nada foi para seu quarto.

O relacionamento de Mike com seu pai, Mario, era definido pela falta de afeto e uma falha de conexão. Com 1,90m e mais de 120kg, a presença de Mario era fisicamente dominante. Acreditava fortemente que um homem nunca deveria demonstrar suas emoções.

Mike sabia que não podia compartilhar com seu pai o que havia acabado de vivenciar em seu carro, então nem tentou. Na verdade, Mike nunca contou sua experiência a ninguém.

A importância daquele momento – a oportunidade que Mike e seu pai perderam de compartilhar algo importante – encheu-me de tristeza.

– Mike, tem uma parede entre você e seu pai – disse. – Todos em sua família eram uma ilha. Pela maior parte de sua vida você esteve fragmentado – dividido entre ser você e ser a versão que seu pai exigia que fosse.

A urgência do Outro Lado de se comunicar com Mike começava a fazer sentido. Ele sofreu danos severos por causa do que aconteceu com ele na infância – algo relacionado a seu pai. Décadas depois, ele ainda lutava com essas mesmas questões. Era como se o universo tivesse roubado algo dele quando era criança e agora quisesse devolver.

E foi aí que o pai de Mike finalmente se manifestou.

Veio tímido a princípio, com a cabeça baixa, tentando pedir desculpa.

– Começou quando você tinha 3 anos – disse a Mike. – Ele... Seu pai batia em você quando você tinha 3 anos? Ele está envergonhado e me mostrando que batia em você. E você era tão pequeno...

– Se eu fizesse algo ruim, ele me perseguia pela vizinhança – disse Mike. – Eu corria para casa e me escondia no armário, ele me achava e me batia.

– Mike, seu pai está com a cabeça curvada, se arrastando e murmurando desculpas – contei-lhe. – Ele teve que assistir o que fez com você e ele pede desculpa. Ele começou a bater em você quando tinha 3 anos, me dói ver isso, e preciso te dizer que você não fez nada de errado. Era só um menino indefeso e inocente. O problema era seu pai. E você precisa saber disso porque ainda sofre com isso.

– Você era como uma criança que seguraram debaixo d'água até quase se afogar. Quando o seu pai finalmente te soltou e você emergiu, mal podia respirar e está ofegante até hoje. Mas você precisa saber que não é sua culpa. Seu pai se responsabiliza por tudo que aconteceu.

Então Mario me mostrou uma linha do tempo com um evento marcado quando Mike tinha 9 anos. Houve outro marco aos 11 anos. Eu não conseguia entender o que eram esses eventos, mas conseguia dizer que desviaram Mike de seu curso.

— Você escolheu um caminho para si que não é autêntico – disse a ele. – Ao invés disso, seguiu um modelo que seu pai lhe impôs. E agora seu pai está chorando no Outro Lado. Diz que o que fez com você foi imperdoável e chora envergonhado. Ele está muito envergonhado, triste e arrependido do que fez.

Eu não conseguia ver exatamente o que aconteceu com Mike quando ele tinha 9 e 11 anos. Seu pai não foi claro sobre isso, estava tomado de remorso.

Mas então Mike começou a falar. Ele me trouxe lembranças de sua infância em Long Island. Tinha uma coleção de bichinhos de pelúcia que amava muito. Um macaquinho amarelo de cauda longa, um urso pardo pequeno; eram oito ou nove no total.

— Eles eram meus melhores amigos – disse Mike. – Cresci em uma casa na qual ninguém se abraçava ou beijava, mas poderia abraçar e beijar meus bichinhos o quanto quisesse. Podia me relacionar com eles. Então eu os amontoava do meu lado da cama e os abraçava todas as noites.

Certo dia, quando ele tinha 9 anos, Mike chegou da escola e descobriu que seus bichinhos tinham sumido. Procurou por eles freneticamente, mas não conseguiu achá-los em nenhum lugar. Seu pai os colocou no lixo.

—Meu pai disse que só mariquinhas brincam com bichos de pelúcia e por isso os jogou fora – disse Mike.

Dois anos depois, aos 11 anos, Mike encontrou uma caixa de papelão grande na frente da casa de um vizinho e a colocou na garagem da família. Então abriu a caixa e a ajeitou para que se tornasse uma tela gigante. Todos os dias ele corria para casa depois da escola para trabalhar em sua pintura. Era uma paisagem com montanhas, árvores e córregos. Era sua obra-prima. Fazer aquilo fazia com que se sentisse vivo. Naquela pintura conseguia ver um reflexo da própria luz bonita. Ele viu e entendeu seu dom único e seu verdadeiro eu.

Certa tarde, quando voltou da escola, entrou pela porta da garagem e viu que sua pintura tinha sumido. Foi até sua mãe e perguntou o que aconteceu.

— Seu pai jogou fora – disse ela.

Mike não precisava perguntar o porquê. Ele já sabia. Já tinha ouvido seu pai repetir isso com frequência: só mariquinhas pintam.

— Até hoje consigo lembrar o choque de abrir a porta da garagem e não ver minha pintura — contou. — Depois disso, nunca mais pintei. Desliguei completamente meu lado artístico.

Ao invés disso, Mike escolheu um caminho mais prático, que o levou a se tornar gerente de vendas da Johnson & Johnson. Era um bom trabalho, mas era só isso: um trabalho. De vez em quando, conforme envelhecia, tentou pintar novamente, mas nunca conseguiu realmente. Ou pensava em escrever algo, mas então desistia. Ele não acreditava mais em si.

Seu impulso de criar algo — bem como dons e habilidades que encapsulam o cerne de seu ser — permaneceu dormente por décadas.

O universo, no entanto, não quer que enterremos nossos sonhos sob camadas de dor e dúvida. Mike me disse que há muitos anos após o divórcio ele se inscreveu para terapia em grupo. Uma amiga insistiu que ele fosse. Poucas semanas depois, o terapeuta perguntou ao grupo o que eles tinham a dizer uns sobre os outros. Todos os nove participantes disseram que o achavam um babaca.

— Estava em choque — disse ele. — Não percebi que era assim que as pessoas me viam. Eu ainda não sei como expressar emoções, então eu desdenhava das pessoas, seja com gestos ou usando um tom de voz ruim. Enquanto dirigia para casa naquela noite, pensei: "*Bem, eles são um grupo de pessoas sensíveis que estão dizendo a mesma coisa. Acho que tenho que prestar atenção nisso.*"

Aquele deve ter sido o primeiro momento de introspecção verdadeira na vida de Mike.

Após isso, sua vida começou a mudar. Ele nunca teve amigas, mas agora começou a se abrir a amizades femininas e descobriu que podia se expressar de formas que nunca tinha cogitado.

— Conseguia conversar sobre coisas que nunca falei com homens — disse ele. — Foi aí que a porta se abriu para mim.

Mike começou a sentir uma atração para o oeste da Califórnia e finalmente foi. Planejava ficar por um curto período, mas mudou de planos no último minuto e continuou lá para escrever. Dirigia pela ponte em Sausalito quando olhou para a direita e sentiu uma grande explosão de energia. Era como se o lugar estivesse chamando por ele.

— Eu disse a mim mesmo: "Algo aqui está me chamando" — lembrou. — "Tudo que preciso fazer é ir."

Mike se instalou em uma cidade pequena chamada Tiburon. Lá, começou a trabalhar em um romance e em roteiros. Foi a primeira vez na vida adulta em que retomava seu lado artístico. Foi mais ou menos nessa época que fizemos nossa sessão.

— Estes próximos anos serão muito, muito importantes para você — contei. — Você vai crescer muito. Esperou por tanto tempo e agora sua hora chegou. Será uma grande cura em sua vida. Está redefinindo a si e o significado de ser homem.

Ainda que Mike tenha sido corajoso o suficiente para se reconectar com seu lado artístico, ainda não tinha certeza de fazer a coisa certa.

— Sim, voltei a ser um artista — contou-me — mas não tive tanto sucesso. Então, de certa forma, meu pai estava certo.

— Não! — disse. — A questão não é ganhar milhões de dólares. Diz respeito a você finalmente aceitar a jornada. O sucesso estava em finalmente tomar este caminho. E ao fazer isso você está se empoderando! Está dizendo "Minha voz é importante! O que sinto é importante! Quem sou é importante!" Isso é uma grande vitória.

Neste momento, o Outro Lado me mostrou a imagem de um bonsai e eu entendi o simbolismo. Bonsai são árvores pequeninas que crescem em vasos que restringem seu crescimento. As árvores são podadas, moldadas e torcidas pelo design do dono. O bonsai era Mike.

— Você foi tolhido — disse-lhe. — Foi podado e retorcido pela sua infância. Foi incapacitado e não lhe permitiram crescer. Nunca conquistou autorrealização. Nunca entendeu sua energia. E nunca se permitiu ser a pessoa que queria ser.

— Quero que visualize um bonsai pequeno — continuei. — Agora quero que imagine o chão tremendo e estrondando e, de repente, uma árvore enorme se agiganta no chão e esta árvore grande e bela dispara em direção ao céu, crescendo tanto quanto uma sequoia! Este é o seu lugar no universo. Você não é mais um bonsai. Você está crescendo e crescendo e nada pode lhe parar!

Minha sessão com Mike durou noventa minutos. Era claro que ele estava lutando, ainda aprendendo, tentando passar pela provação de sua alma. Porém, o mais importante era que ele reuniu coragem para encarar o desafio. Pela primeira vez em sua vida adulta, encontrou uma maneira de honrar quem ele é, de honrar seu chamado.

E melhor ainda, Mike não estaria sozinho nesta jornada. Tinha alguém sempre ao seu lado ajudando-o.

— Seu pai diz que foi covarde — disse-lhe. — Sente muito pelo que fez, mas nem sabe por onde começar. Ele sente que nunca será capaz de compensar tudo que tirou de você. No entanto, diz que quer tentar. Quer ajudar com sua arte. E está do seu lado agora.

Após o fim da leitura, Mike se sentou no sofá e pensou na oferta de seu pai. Estava pronto para deixar seu pai ajudá-lo? Estava pronto para perdoá-lo? Sentiu uma lágrima escorrer por seu rosto e depois outra. E de repente estava rindo. E então chorou de novo. Sentou no sofá e riu e chorou por um longo tempo. Emoções — ah, as emoções! — transbordavam dele como água.

— Estava quase histérico — contou mais tarde. — Eu estava muito sobrecarregado por ter revisitado aqueles momentos da minha infância. Ouvir meu pai pedir desculpas pelo que fez sabendo que ele é um cara durão, foi chocante. Meu pai admitir que cometeu erros foi o que tornou a cura possível.

Nos dias subsequentes à sessão com Mike, senti o Outro Lado tentando romper as barreiras com certa agressividade. Não estava surpresa de saber que era o pai de Mike.

Ele tinha um pedido. Na verdade, era mais uma exigência. Sentia que não tinha feito o suficiente na sessão para convencer a seu filho de seu remorso. Precisava da minha ajuda.

Esta foi uma situação muito rara para mim. Não é frequente que alguém se manifeste assim, exigindo ajuda. Mas minha leitura com Mike ainda estava fresca em minha mente e pude sentir o desespero de seu pai. Então eu atendi seu pedido.

Alguns dias depois, Mike encontrou dois pacotes em sua caixa de correio. Em um, encontrou um bichinho de pelúcia – um cão azul sorridente. No outro, encontrou um pequeno bloco de papel de desenho e um kit de lápis de cor. Ele encarou os conteúdos das caixas, perguntando-se de onde vieram e o que significavam. Então, encontrou uma nota no fundo de um dos pacotes. Nela, lia-se:

Querido Mike:

Isto, na verdade, foi dado pelo seu pai, que me instruiu a enviar como um pedido de desculpas – você sempre foi um filho maravilhoso, mas ele estava cego demais pelos próprios problemas e não conseguiu celebrá-lo e apoiá-lo da maneira que deveria. Ele não sabe como amar da maneira correta. E envia-lhe amor e pede seu perdão. Ele tem orgulho de tudo que você conquistou. Com amor, seu pai.

Mike pôs os itens na escrivaninha e lá permaneceram desde então e servem de inspiração quando ele se senta para escrever. Ele está cada vez mais perto de conseguir que algo maravilhoso aconteça – ele pode sentir, assim como eu – e sente-se mais encorajado que nunca.

E, após uma vida inteira, está pronto para permitir que seu pai o ajude a seguir seu melhor e mais elevado caminho.

29
EEGQ

Desde o falecimento do meu avô, quando saí correndo da piscina, movida por um ímpeto que não conseguia explicar, vivia com medo de que algo estivesse errado comigo. A princípio, tinha medo de estar amaldiçoada. Com o tempo, desafiei esta crença – experimentei, explorei, investiguei. Consultei-me com uma médium sensitiva, que me ajudou a enfraquecer o medo. Fui a um psiquiatra, que me disse que não era maluca ou nasci com defeito. Participei de testes científicos para medir minhas habilidades e passei em ambos. Pouco a pouco deixava meu medo para trás.

Ainda assim, uma questão perdurava e eu ansiava pela resposta: Tinha algo de diferente no meu cérebro?

E então, para minha surpresa, encontrei alguém que poderia me responder.

Em novembro de 2013, participei de uma conferência sobre o pós-vida em San Diego e minha amiga e colega médium Janet Mayer me apresentou ao Dr. Jeff Tarrant.

Jeff é um psicólogo licenciado e certificado em neurofeedback, uma modalidade terapêutica que avalia e treina a atividade das ondas cerebrais. Lecionou para turmas de neurociência, biofeedback e mindfulness na Universidade do Missouri, e também gerenciou uma clínica de terapia e bem-estar em Columbia, Missouri. Hoje, ele dá palestras e tem um consultório particular. Amei sua energia desde o momento que o conheci.

Quando Jeff descobriu que eu era uma médium sensitiva, pediu para testar meu cérebro e concordei. Marcamos uma data para que ele trouxesse seus equipamentos para Nova York. Encontramo-nos na casa de Bob e Phran Ginsberg, em Long Island, numa manhã nublada de março de 2014. Jeff montou seus aparelhos na sala de estar e então sentou de frente para mim à mesa enquanto assistentes faziam anotações.

— Irei pedir que faça várias coisas — disse Jeff. — Relaxe e não pense em nada, mantendo os olhos fechados e depois faça a mesma coisa de olhos abertos. Então faremos com que acione atividade psíquica e finalmente atue como médium.

A cada etapa, Jeff registrava a atividade elétrica de diferentes partes do meu cérebro. Os dados permitiriam que visse quais partes do meu cérebro estavam funcionando naquele momento e comparar meu cérebro a outros considerados normais. O processo era chamado de exame EEGQ, que significa eletroencefalograma quantitativo — que é uma análise estatística da atividade elétrica no córtex cerebral, a camada externa de tecido do cérebro.

Ele me ajudou a colocar uma touca azul Electro-Cap, feita de elastano contendo vinte pequenos eletrodos e fitas conectoras. Os eletrodos, Jeff explicou, estavam posicionados de acordo com o Sistema Internacional 10-20. Para mim, parecia uma touca de natação daquelas antigas, e era tão apertada que sentia que estava fazendo uma plástica. Ele conectou os fios a um amplificador e então ao seu notebook.

Okay, agora quero que você relaxe e não faça nada — disse Jeff. Era mais fácil pedir para eu segurar a respiração por dez minutos debaixo d'água. Sentada ali, quieta, podia sentir minha "porta sensitiva" querendo se abrir e derramar letras, palavras, nomes, imagens, histórias. Fechei a porta com tudo e encarei a garrafa d'água na mesma, tentando focar. Cantei músicas em minha cabeça — *Runaround Sue,* por alguma razão e depois *This Little Light of Mine*. Finalmente, Jeff me disse que aquela parte do teste acabara. Parecia ter passado uma hora; na verdade, foram só três minutos.

A seguir, tivemos uma conversa casual. Mais uma vez, tive que enxotar as intrusões do Outro Lado. Enquanto falava banalidades como o clima, podia sentir o avô de alguém tentando transpor a barreira, a mãe de alguém e também uma figura masculina que eu assumi que fosse um linguista ou cientista do século XIX. Imaginei que eles estivessem tentando se conectar com Jeff.

Por fim, ele me pediu para utilizar minhas habilidades como sensitiva.

— Nada de mediunidade agora — disse. — Mas você pode "soltar a franga" com a sensitividade.

O avô insistente continuou tentando vir, mas continuei fechando a porta. Foquei muito os fragmentos de informação que vinham até mim. O primeiro tinha a ver com Jeff.

— Você está de mudança — disse. — Vejo pinheiros e uma lareira. Há algo de errado com a lareira e tem pisos de madeira que você precisa encerar. Além disso, você precisa de uma nova receita para fazer seus óculos.

— Acabei de comprar este — disse Jeff.

— Está errado — disse. — Pegue outra.

Havia mais imagens para Jeff.

— Abrace sua filha — aconselhei. — Ela vai ter um caminho difícil por um tempo. E diga a sua mãe que ela não é maluca. Ela estava mesmo falando com a mãe dela no outro dia enquanto estava no chuveiro.

Em seguida, recebi mensagens para as outras pessoas no cômodo. Virei para uma mulher que estava fotografando e informei que ela iria se mudar de um apartamento para uma casa. Outro membro da equipe de Jeff precisava ajustar sua dieta. Já outro tinha feito o certo ao comprar um carro mais seguro. Depois de um tempo, Jeff disse que a etapa da sensitividade do teste estava terminada. Desta vez pareceu que eu tinha falado por apenas cinco minutos, mas a leitura se estendeu por 25.

Agora era a hora do trabalho de médium. O avô insistente finalmente teve sua vez.

— Jeff, seu avô se manifestou — disse. — Ouço um som que parece *J* ou *G*.

Jeff assentiu.

Então ouvi o nome claramente.

— Giuseppe. Ele me diz que seu nome é Giuseppe.

Jeff pareceu chocado.

— Sim — disse ele. — Esse era o nome dele.

– Ele me diz que está muito melhor agora onde está porque a esposa está lá com ele – em seguida, a avó de Jeff, que falecera recentemente, se manifestou. – Ela está me mostrando como era aos 28 anos – disse. – E me diz: "Olha só. Eu era uma gostosa, né?"

Outros parentes se manifestaram com mensagens para todos no cômodo. A sessão mediúnica durou sete minutos, embora não parecesse que o tempo tinha passado. Antes que percebesse, Jeff coletara seus dados e o EEGQ acabou.

De volta ao Missouri, analisou os dados e me ligou com os resultados.

– Bem – disse Jeff – A primeira coisa que quero perguntar é se você já sofreu algum tipo de trauma cerebral sério. Um acidente de carro ou uma concussão grave, quem sabe?

Não, nunca sofri nenhum tipo de dano cerebral.

– O que acontece é o seguinte – Jeff continuou. – Sua análise passou pelo que chamamos de análise discriminante de LTC (lesão traumática no cérebro), que resultou em um índice de 97,5% de probabilidade para você. Isso significa que o padrão de ondas cerebrais são quase 100% consistentes com as de alguém que sofreu uma lesão cerebral. Laura, áreas de seu cérebro não estão se comportando normalmente.

Então era verdade. Meu cérebro *de fato* era diferente.

O mapeamento permitiu que localizasse áreas específicas de atividade cerebral anormal. Certas partes eram muito técnicas para que conseguisse entender. Por exemplo, ele me informou que a atividade cerebral no meu córtex cingulado tem sete divergências em relação ao padrão de 4Hz de atividade. Segundo Jeff, sete divergências são fora do comum. Não é algo que eu colocaria no meu currículo.

Porém, outra descoberta produzida pelo mapeamento do meu cérebro fez muito sentido para mim e esclareceu exatamente o porquê de eu ser como era.

Jeff me mostrou uma leitura da atividade das ondas de diferentes partes do meu cérebro. Durante a atividade mediúnica, houve um alto grau de atividade anormal na parte posterior direita do meu cérebro, onde os lóbulos parietal e temporal se encontram (representado pela segunda linha no gráfico a seguir). Ao invés de uma série estável de ondas pequenas – o normal, que indica atividade cerebral –, Jeff registrou uma série de ondas maiores e intermitentes, do tipo que é visto quando uma pessoa dorme profundamente ou quando uma pessoa está em coma.

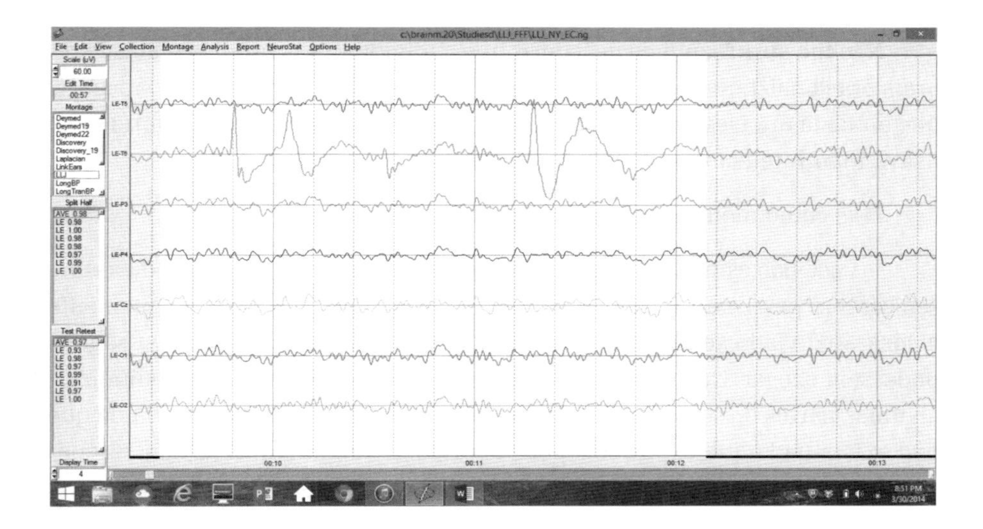

– A voltagem das ondas cerebrais é medida em microvolts, e a variação normal é de 0 a 60 – explicou. – Mas sua atividade em algumas áreas era alta, em 150 microvolts! Você estava quebrando a escala!

Se mostrassem o gráfico a um neurocientista, ele ou ela provavelmente concluiria que o sujeito de teste estaria tendo um AVC. Então o que causou a atividade anormal no meu cérebro?

Jeff explicou que a junção temporoparietal é a área do cérebro associada com algumas funções, como armazenar novas memórias, processar estímulos sensoriais, obter sentido e regulação emocional. Em outras palavras, esta parte do cérebro tem muito a ver com definição de nosso senso de identidade. Por exemplo, quando as pessoas meditam – a prática de relaxar a mente e induzi-la a um nível mais calmo da consciência – estão basicamente diminuindo a atividade autocentrada do cérebro. Essencialmente estão dando um descanso a seus egos.

Mas eu não estava meditando. Estava falando.

Ele ficou intrigado com a atividade em minha junção temporoparietal. Mencionou que pessoas que sofreram ferimentos nesta parte do cérebro tendem a se tornar mais espiritualizadas, complacentes e compassivas. Tendem a parar de se autorreferenciar tanto e, em vez disso, focam outras pessoas. O dano muda seu estado de consciência e é neste estado que elas se tornam mais empáticas.

Não me surpreendi ao descobrir que a atividade das minhas ondas cerebrais era consistente com a das pessoas que são especialmente empáticas. O que eu fazia era elevar a empatia ao máximo – desligava a autorreferência e usava meu intelecto para me conectar com outra pessoa.

Mas como meu cérebro entra neste estado alterado?

– Você não está dormindo, inconsciente ou meditando, mas, ainda assim, seu cérebro parece estar offline – disse Jeff. – É como se você conscientemente colocasse de lado seu cérebro para que outras pessoas e outras mensagens pudessem chegar. Quando você performa atividades sensitivas ou mediúnicas, algumas partes do seu cérebro basicamente não estão funcionando, ainda que não exista nada que explique o porquê disso. De alguma forma, seu cérebro é capaz de se colocar neste estado alterado sozinho.

Isso fez sentido para mim. Quando faço uma leitura, meu ego se dissolve e eu me conecto com algo maior que eu, algo que vai além da minha persona individual. Os resultados do teste parecem sugerir que o portal que permite isso estava em algum lugar do meu cérebro.

O EEGQ também mostrou que as habilidades sensitivas aconteciam em um lado do meu cérebro, enquanto as atividades mediúnicas aconteciam em outro. Estas duas áreas distintas correspondiam aos dois lados da tela que acesso para leituras. Pelo menos isso me mostrou que minha percepção do que acontecia enquanto agia como sensitiva ou médium não era apenas uma realidade estranha que inventei – isso se refletia de verdade no meu cérebro. Eventos estavam ocorrendo nele que não conseguia controlar ou inventar.

Mas o EEGQ resolveu a questão de por que eu era do jeito que era? E provou que eu estava, de fato, recebendo informação do Outro Lado?

– A única maneira real de provar que você está recebendo o que diz receber do Outro Lado é através da informação que você transmite – disse Jeff. – É precisa? É algo que não teria outra forma de você saber? Isso é algo que as pessoas têm que decidir sozinhas.

Em outras palavras, o mapeamento do meu cérebro só provou que algo anormal acontecia nele. E não me ofereceu um nome para o que seria este algo.

Tinha uma última informação do mapeamento cerebral que gostaria de compartilhar.

Jeff concluiu que meu cérebro tem a capacidade de aguentar e processar o fluxo de informação que recebo durante uma leitura. Ele não podia ver o que eu via – ninguém conseguia – mas podia ter certeza de que o que eu disse era processado pelo meu cérebro. A máquina misteriosa que é o cérebro humano tem, no meu caso, um sistema, uma estrutura – um mecanismo plenamente funcional – de processamento dos estímulos visuais que ocorrem quando eu inicio uma atividade sensitiva ou mediúnica. O mecanismo existe. É real.

E pelo meu cérebro ser igual ao de todo mundo – não é um cérebro alienígena ou ciborgue, apenas um cérebro humano normal –, é possível, argumenta Jeff, que este mecanismo exista em todos os cérebros.

– Talvez seja algo que todos temos – disse Jeff. – Talvez, no futuro, teremos a capacidade de ensinar às pessoas como entrar no estado alterado no qual você é capaz de entrar. Talvez seja algo que possamos desenvolver por nós mesmos. Há muita coisa que ainda não entendemos sobre o cérebro.

Pelo menos eu acredito que este mecanismo – este interruptor – exista em cada um de nós. Não sei por que é mais acentuado e funcional em mim, mas acredito que todos somos capazes de diminuir nossa atividade autorreferenciada e permitir que mais informações, de outras fontes, sejam recebidas. Acredito que todos são capazes de focar mais a energia do pensamento para fora de si e em outras pessoas e desta forma podemos nos tornar mais empáticos.

E eu acredito que, quando questionamos e exploramos nosso lugar no universo, superamos os medos e as dúvidas que nos prendem e atrapalham nossa descoberta para um caminho mais elevado.

30
Interligados

Em uma rua lotada de Manhattan na manhã do dia 20 de novembro de 2012, um rapaz complicado chamado Kyle, subiu em seu skate e foi do centro da Penn Station para Greenwich Village.

Kyle cresceu em Long Island; era uma criança extremamente inteligente e linda com energia e curiosidade sem limites. Ele também era difícil de controlar – não porque era mau, mas porque era teimoso. Conforme crescia, ele se retraía; tinha dificuldade de socializar com outras crianças. Então tinha poucos amigos e era um músico talentoso – tocava clarinete e saxofone, competia como baterista e cantava em um grupo à capela. Mas ele se sentia mais confortável sozinho.

Seus pais o levaram a médicos e buscaram respostas, mas nunca houve um diagnóstico definitivo. Depressão, ansiedade, transtorno de humor – ninguém sabia ao certo o que perturbava Kyle. A questão é: ele era altamente funcional. Só dançava conforme outro tipo de música.

Por fim, Kyle desistiu de tentar se encaixar em um mundo no qual se sentia um excluído. Acreditava que nunca seria aceito de qualquer forma, então parou de tentar.

Não por acaso a visão de mundo de Kyle também se tornou mais sombria. Ele não via o mundo como um lugar bom e bonito, mas como hipercrítico e preconceituoso. Havia pessoas que o amavam, mas tinha dificuldade de acreditar na bondade delas. Suas conexões com o mundo começaram a desaparecer. Ele sentia-se excluído, isolado, ignorado. Apesar de ter pais que o amavam e preocupavam-se com ele, acreditava estar sozinho.

E, ainda assim, não desistiu. Continuou tentando fazer as peças se encaixarem. Ele se inscreveu na Universidade de Nova York e esforçou-se para ser um bom aluno. No dia 19 de novembro de 2012, ficou acordado até tarde terminando um trabalho com prazo para o dia seguinte. Na manhã seguinte, entrou em um trem em direção à Manhattan.

Uma das lições mais importantes que o Outro Lado tenta nos ensinar é a realidade de que estamos conectados como seres espirituais. Mas, se isso é verdade, onde se encaixa alguém como Kyle?

Ele não se sentia parte desta conectividade. Não via provas disso em sua vida; em vez disso, via um mundo fragmentado e hostil. Segundo sua experiência, as pessoas eram capazes de ser ruins, insensíveis e nocivas. Não via razão para forjar conexões que provavelmente resultariam em dor. No lugar, aceitou que estava sozinho nesta vida.

Mas estava mesmo?

Se uma conexão espiritual universal existe de fato, por que ele estava alheio a isso? O que tem de bom em uma conexão que não seja universal – se alguém como Kyle é capaz de se sentir excluído dela? E se ele estiver certo? E se não estivermos empenhados em ver a felicidade, o sucesso e o crescimento de alguém? E se em nossa jornada pela vida estivermos de fato completamente sozinhos?

O Outro Lado nos ensina que nunca estamos sozinhos.

Os cientistas também enfrentam a seguinte questão: As várias facetas da existência se movem pelo tempo e espaço por si só ou existe uma força sutil e invisível que as une? Isto levou os cientistas a pesquisarem um fenômeno chamado interligação.

Em seu livro, *Mentes Interligadas*, Dean Radin, um cientista-chefe do Institute of Noetic Sciences [Instituto de Ciências Noéticas], escreve sobre um experimento que explora as relações dos fótons entre si – fótons são partículas subatômicas de radiação eletromagnética. O experimento provou que certos fótons estão conectados de formas que ainda não é possível explicar.

Por exemplo, partículas subatômicas, como elétrons ou fótons que são criadas na mesma situação têm propriedades mensuráveis, como um spin ou a polarização, o que revela que estão intimamente ligadas, não importa o quão distantes estejam. O resultado dessa conexão, como foi revelado por experiências cada vez mais precisas, confirmam a verdade chocante a qual Einstein se referia como "ações assustadoras à distância", porque esta conexão íntima revela que as partículas continuam conectadas em uma completa violação do senso comum e da noção do próprio Einstein sobre a velocidade da luz como a velocidade máxima na qual informação (ou o efeito de uma partícula em outra) pode se locomover. A medida de uma partícula pode afetar a outra instantaneamente. Isso têm implicações profundas na interconectividade do universo inteiro e na nossa própria compreensão da natureza fundamental de espaço-tempo.

Em síntese, a interligação implica que "nos níveis mais profundos, a separação que vemos entre objetos comuns e isolados são, de certa forma, ilusões criadas por nossa percepção limitada", Radin escreve. "A realidade física está conectada de formas que nós estamos começando a entender."

No âmbito visual, o Outro Lado me mostrou um gigantesco feixe de energia de luz, semelhante ao Sol. Este feixe é unificado, mas também é composto de bilhões e bilhões de focos de luz menores distintas como uma imagem que, vista de perto, é formada por diversas imagens menores. Estes bilhões de focos de luz somos nós.

O que percebo é que não podemos mensurar o gigantesco campo de luz – que não pode existir sem nós. Mas também não podemos existir fora deste campo. Nossa existência é definida principalmente pelo nosso lugar nesta enorme constelação energética, não por quem somos enquanto indivíduos. Pode parecer que existimos separados das outras pessoas, podemos perceber as características que nos descrevem e sentir que somos autônomos. Mas nossa energia, nossa consciência, estão inexoravelmente interligadas à de outros.

Aqui vai outra analogia: imagine uma mão com cinco dedos. Cada dedo é diferente, mas cada um está conectado à mesma fonte – a mão. Estão separados, mas conectados. Nós, enquanto humanos, temos experiências completamente diferentes aqui na Terra, mas todas as nossas experiências se afunilam a uma experiência coletiva considerável: a experiência da nossa existência.

Nossa alma, nossa individualidade, nossa existência – não estão isoladas de forma alguma. O universo não é um lugar de separação e sim de envolvimento. Estamos conectados aos outros de maneiras que não entendemos.

No dia 20 de novembro, o trem para Manhattan foi cancelado em razão de danos nos trilhos, então Kyle precisou esperar por outro trem para a cidade. Ele mandou uma mensagem para seu pai reclamando do atraso, que dizia: "Isso é uma droga. Vou me atrasar". Mas conseguiu chegar a Penn Station às 11h. Então, ele subiu em seu skate e foi pela Broadway. Quando chegou ao Union Square Park, virou na Union Square West. De repente, um entregador passou de bicicleta correndo em sua direção, na contramão, enquanto um caminhão grande passava pela sua esquerda. Houve uma colisão. Kyle foi derrubado de seu skate e ficou estirado no chão, imóvel.

Algumas horas depois, quando sua mãe Nancy chegou a casa, viu a mensagem que recebeu de um policial. A mensagem dizia apenas: "Por favor, me ligue."

Naquela noite, a família de Kyle teve de reconhecer o corpo no necrotério.

– Tudo era tão surreal – disse ela. – Ele só tinha 20 anos.

Alguns meses após o funeral, Nancy me ligou. Ela ouviu Dr. Marc Reitman falar de mim – aquele psiquiatra que me ajudou a aceitar meu dom. Dr. Reitman pensou que eu seria capaz de ajudá-la.

Em nossa sessão, Kyle se manifestou na mesma hora, intensa e claramente. Ele queria falar sobre o que aconteceu.

— Ele está me mostrando um veículo e uma batida, mas também me diz que não estava no veículo — contei-lhe. — Também me mostra que não foi culpa dele. Ele mostra as pessoas paradas ao seu redor na rua, uma pessoa segurava sua mão, outra sua cabeça. Diz que foi importante para ele porque, durante seus últimos minutos, ele estava cercado de pessoas que se preocuparam com ele. Não estava só. Alguém o abraçava enquanto ele fazia a passagem.

No outro lado da linha, Nancy chorava. Ela me contou a história do acidente de Kyle.

— Aconteceu em frente a um McDonald's — disse ela. — Um rapaz estava saindo do McDonald's e se continuasse andando, não estaria lá na hora que o acidente aconteceu. Mas ele derrubou algo e teve que voltar para pegar. E quando voltou, o acidente aconteceu bem na sua frente.

Nancy procurou o homem e descobriu mais sobre esses momentos cruciais.

— O primeiro instinto dele foi ir embora — disse ela. — Mas algo o manteve ali. Algo o puxou até a rua. Ele foi a primeira testemunha a ir até Kyle.

Nancy me contou que o jovem ajoelhou ao lado de Kyle e segurou-o nos braços. Ele percebeu que alguém tentou roubar seu skate e, com uma mão, agarrou a pessoa, impedindo-a. Viu outro tentar pegar seu telefone e impediu também.

— Ele sentiu que foi atraído até ali para proteger meu filho — Nancy contou. — Ficou com ele até que a ambulância chegasse.

Kyle estava consciente quando o homem chegou até ele. Por um momento, pôde olhar no fundo dos olhos do estranho, que o segurou ainda mais forte. Então seus olhos se reviraram.

— Outra mulher estava lá também, ajoelhada ao seu lado — disse Nancy. — Ela ficou com ele até a chegada da ambulância. Muitas pessoas ficaram perto. Formavam um tipo de círculo ao redor dele.

— Kyle menciona este jovem por um motivo — disse a Nancy. — E é porque sabe que o homem estava lá por causa da bondade em seu coração. Sabe que ele não queria estar ali, mas ficou mesmo assim. E ficou por ser gentil. E Kyle foi capaz de ver a bondade nele.

Tinha muito mais a dizer. Ele disse a sua mãe que estava feliz agora – que não precisava se esforçar tanto para encaixar as peças do quebra-cabeça. Disse que estava com seu avô, a quem adorava. E que agora entendia as coisas de uma forma que nunca entendeu na Terra.

Nas semanas após a passagem que Kyle, Nancy também começou a ver o seu filho sob uma nova perspectiva. Começou quando uma de suas colegas de classe, alguém que também sofria, veio até ela e disse que ele fez uma grande diferença em sua vida.

– Ela passava por problemas familiares que a deixavam com medo – disse Nancy – e Kyle a fez sentir que tudo ficaria bem. Ele ofereceu à colega sua amizade. Esteve lá quando ela precisou.

Mais amigos foram até Nancy e contaram histórias semelhantes. O rapaz que brigou com os pais e foi expulso de casa – Kyle o levou para casa para que pudesse ter um lugar onde dormir. O rapaz que se afundava cada vez mais nas drogas disse que Kyle o convenceu a se afastar de coisas muito perigosas.

– Muitos jovens, aqueles que não eram populares, aqueles que viviam nas sombras, foram os que me procuraram para dizer o quanto Kyle significava para eles – disse-me Nancy. – Era como se ele desse aos outros exatamente o que procurava para si.

No seu diário, Nancy encontrou uma citação que lhe pareceu particularmente comovente:

> Para o mundo, você pode ser só uma pessoa
>
> Mas para uma pessoa, você pode ser o mundo

– Kyle copiou esta citação e deve ter acreditado nela até certo ponto, mas era como se não conseguisse se convencer de que era uma parte importante de tantas vidas – disse ela. – E então quando ele se manifestou durante a sessão, finalmente percebeu que não estava sozinho, finalmente viu a própria bondade e entendeu seu lugar no mundo. E esta é a maior lição da história de Kyle. Nunca sinta que uma pessoa não pode mudar a vida de alguém.

Minha sessão com Kyle e sua mãe permaneceu comigo de uma maneira muito forte. A lição que aprendeu nos momentos finais de vida na Terra é profundamente bonita. Muitas pessoas enfrentam dificuldades e obstáculos e às vezes afastam-se das pessoas que as amam. O sofrimento de Kyle faziam com que se sentisse sozinho. E então, na circunstância mais trágica de todas, ele aceitou o amor de alguém e naquele instante entendeu que nunca esteve realmente só.

Nancy diz que quando falou com a testemunha, descobriu que ele tinha uma vida difícil e os próprios problemas. Ele também tinha dúvidas quanto ao seu lugar no mundo. Então ele presenciou o acidente e embalou Kyle, facilitando sua passagem desde mundo para o outro. E algo nele mudou. Este momento marcante de conexão começou a curá-lo também.

Para mim, esta prova de nossa existência interconectada é melhor do que qualquer experimento científico jamais poderia ser. Estamos conectados. Estamos interligados. Estamos envolvidos no destino e no futuro dos outros.

Durante minha sessão com Nancy, Kyle mencionou um anel. Brincou, dizendo que ela não trocava os lençóis de sua cama – deixou seu quarto intacto por meses – e disse que, quando finalmente o limpasse, deveria procurar o anel. Ela não sabia do que ele estava falando. Mas uma semana depois, vasculhando suas coisas, encontrou um pequeno anel de prata com coraçõezinhos pretos pintados na parte interna. Quando o colocou no dedo, encaixou perfeitamente. Não o tirou desde então.

Nancy também desenvolveu uma bolsa de estudos em nome de Kyle. É concedida a estudantes que dão os melhores exemplos de liderança.

– É para aquele que sempre está presente para ajudar alguém – disse ela.

Através da bolsa de estudos e dos muitos amigos que comoveu durante sua vida curta, Kyle continua vivo. Na Union Square West, na calçada perto da cena do acidente, há um vaso de flores sob uma árvore. Todo domingo, Nancy ou seu marido visitam o local e colocam flores frescas no vaso. Em dezembro, colocam uma árvore de Natal pequena. Às vezes estranhos os abordam perguntando o motivo das flores e eles contam a história de Kyle.

– E então quando vejo estes estranhos, eles param, dão oi – disse Nancy. – E me dizem: “Sempre que passamos por esta árvore, dizemos oi ao Kyle.” Essas pessoas nem o conheceram e ainda falam com ele todos os dias. E saber que o nome de Kyle ainda está por aí, no ar, é uma benção. Porque Kyle não estava sozinho antes e não está agora.

Nenhum de nós está.

31
A Piscina

Às 7h05, manobrei no estacionamento da Herricks High School, onde lecionava há dezesseis anos. Estacionei na minha vaga, sob uma árvore frondosa perto da entrada traseira. Andei até o corredor dos armários do terceiro ano. Usava minha roupa era comum – calça bege, blusa e cardigã laranjas (minha cor favorita), e carregava meu crachá de professora pendurado no cordão ao redor do pescoço. E em minha mão estava uma garrafa térmica. Então, por que todos estavam me olhando?

Alguns estudantes eu conhecia, outros não, além de alguns professores – praticamente todos pararam o que faziam e me fitaram com sorrisinhos no rosto. Continuei andando e perguntei-me o que estava acontecendo.

Desviei para a sala do departamento de literatura e revisei minhas anotações sobre a matéria de estratégia retórica usando como material a *Narrativa de Vida de Frederick Douglass*. Às 7h25, o primeiro sinal tocou e eu fui até a sala 207. Normalmente, os alunos ainda estão quase dormindo, mas hoje estavam alertas e esperavam por mim em suas carteiras. Existia uma energia estranha e crepitante na sala. Ignorei a atenção e cumpri meu plano de aula.

Quando deu 8h14, o sinal tocou. Ninguém saiu correndo para a porta, como geralmente faziam. Todos estavam imóveis. Por fim, um deles, um menino esperto e extrovertido chamado Owen, que se sentava no fundão, disse:

– Senhora Jackson, você é sensitiva?

Ouvi alguém se engasgar.

Chocada, perguntei:

– Como é que é?

– Você é sensitiva? – Owen repetiu. – Uma médium sensitiva?

Fiquei parada ali, sem fala. Aconteceu. O momento que mais temia.

Descobri rapidamente como aconteceu. Uma das pessoas que se consultava comigo era uma cantora – uma estrela jovem e dinâmica que tinha muitos seguidores nas redes sociais. Há algumas noites ela me convidou para o Barclays Center no Brooklyn, onde faria um show de abertura para uma estrela do pop ainda mais famosa. No pós-show, em seu camarim, tirei uma foto com ela.

Ela postou a foto no Instagram, agradeceu e identificou-me como Laura Lynne Jackson. Ninguém na escola sabia meu nome todo. Quando alguns dos meus alunos viram fotos de uma famosa com sua professora de literatura, eles buscaram meu nome no Google e acharam o website que descrevia minhas habilidades como médium sensitiva.

– Você meio que bombou nas redes sociais na noite passada, Sra. Jackson – foi como um aluno descreveu a situação.

Após vencer o choque que era ter meu segredo revelado, estava pronta para responder à pergunta de Owen. Era algo que tinha ensaiado com a diretora.

– Sim, sou uma médium sensitiva – disse. – Passei por testes feitos por cientistas pesquisadores que certificaram minhas habilidades. Mas esta parte da minha vida está separada do meu trabalho como professora. Então, depois de responder sua pergunta, Owen, não vou gastar mais tempo da aula discutindo isso. Você não precisa se preocupar que eu faça leituras sobre você durante a aula e nem a ninguém de nenhuma turma, então nem peça. Não é adequado gastar mais tempo falando disso.

– A senhora consegue saber quando alguém está colando na prova? – perguntou um aluno.

A verdade é que sim, podia. Durante uma prova no mês anterior, estava sentada em minha mesa, virada de costas para os alunos naquele momento, pois estava marcando a lista de presença rapidamente. De repente, senti um laço de energia me puxando para o fundo da sala. Era como se uma mão em meu braço me puxasse para virar. Segui o ímpeto e vi um menino, na última fileira, tentando esconder um pedaço de papel sob sua mão. Fui até ele e pedi o papel, que agora estava sob sua perna.

– Isso é colar – disse a ele. – Você sabe que não pode.

Ainda assim, não compartilharia esta história com meus alunos e repeti que não iria mais gastar tempo falando deste assunto, mas as perguntas continuaram.

– Como é o céu?

– Meu cachorro está no céu?

– Posso falar com a minha avó que está no céu?

– A senhora pode ler mentes?

– A senhora já trabalhou em algum caso de desaparecimento?

Percebi que eles se sentiam atraídos pelas perguntas sobre minhas habilidades porque experienciavam vidas abertas e questionadoras! Percebi que a maioria das crianças iria querer saber sobre uma estrela do pop e eu tinha certeza que muitos queriam, mas o que me surpreendeu foi quão fascinados estavam com meu dom.

Queria muito responder às suas perguntas, mas sabia que não poderia. Ao invés disso, rapidamente encerrei a discussão e mandei os alunos para a próxima aula.

Este mesmo cenário se repetiu durante os próximos seis tempos de aula. Na última sala, no 8° tempo, dei o mesmo discurso de manter minha vida separada do meu trabalho como professora. Novamente, senti a vontade de compartilhar minha visão sobre o Outro Lado e responder às suas curiosidades. Então fiz o discurso e os enviei para a próxima aula. Mas uma estudante se recusou a partir.

Ela tinha 15 anos, era bonita e muito inteligente. Todos tinham partido quando ela levantou de sua carteira e cobriu o rosto com as mãos, ainda assim, era possível ver que ela estava chorando. Então, ela andou, arrastando os pés, até a frente da sala.

– Sra. Jackson – disse, a voz era um mero sussurro. – Preciso da sua ajuda.

Poucos meses antes, sua mãe tinha se casado, depois de muitos anos sozinha. Seu novo padrasto era um homem amoroso e carinhoso, que mimava tanto ela quanto sua mãe e trazia muita alegria às suas vidas. Mas então, após apenas três meses de casamento, ele foi nadar na piscina no quintal. De repente, ela ouviu sua mãe gritar.

A garota correu para fora e viu seu padrasto flutuando de barriga para baixo. Sua mãe não sabia nadar, então gritava, pedindo que a garota pulasse na água e salvasse seu padrasto.

– Mas eu congelei – disse ela, chorando ainda mais. – Não conseguia me mover. Estava paralisada. Estava com muito medo de entrar na piscina. E não entrei.

Na hora que os paramédicos chegaram, seu padrasto já tinha falecido.

Senti na minha alma a dor, a culpa e o tormento desta jovem. Era de partir o coração. Ela esperou que eu dissesse algo, qualquer coisa, mas eu não sabia o que dizer. Não deveria ler meus alunos. Eu tinha acabado de explicar que nunca passaria deste limite. Mas o tormento que ela carregava era assustador. E eu sabia que poderia definir sua vida se fosse forçada a carregar este tormento para sempre.

– Você pode dizer a ele que sinto muito? – pediu ela. – Por favor?

O que mais eu deveria fazer?

Na verdade, já estava lendo-a. A porta abriu de supetão e seu padrasto forçou a passagem. Ele deixou claro que não foi sua culpa. *"Por favor, diga que a culpa não foi dela."*

Hesitei. Passei as últimas duas décadas mantendo meus dois caminhos separados. Tive uma vida dupla com cautela. E agora tudo que orquestrei estava desmoronando. Será que seria capaz de reconstruir tudo?

– Era a hora dele partir – disse, por fim. – Você não conseguiria salvar seu padrasto mesmo que entrasse na piscina. Sinto que seu coração parou e, por isso ele não resistiu. Você não conseguiria salvá-lo. Nunca foi culpa sua.

A menina parou de chorar e olhou para mim, segurando a respiração. Seus olhos estavam arregalados e seus lábios tremiam.

– Seu padrasto quer que você saiba de algo muito importante – disse a ela. – Ele quer que você saiba que seu melhor presente – o maior que teve em sua vida – foi conhecer sua mãe, poder conhecê-la e ser capaz de passar tempo com as duas. E quer agradecer a você por isso. Ele diz que vocês lhe deram um presente maravilhoso.

A garota caiu no choro. Coloquei a mão em seus ombros. Meus dois mundos estavam colidindo e eu não era capaz de impedir que acontecesse.

Nem tinha certeza se deveria sequer tentar.

32
Angel Way

Dirigia para encontrar minha amiga Bobbi Allison em Long Island. Olhei de relance para a tela de navegação do meu carro na hora que ele me disse para virar na próxima saída.

Uau, esta saída chegou mais cedo do que esperava, pensei. A viagem tinha contabilizado menos de dezessete minutos; achei que dirigiria por mais tempo que isso. Ainda assim, segui o GPS e fui até a próxima saída.

Bobbi é uma das minhas amigas médiuns sensitivas mais próximas e é com ela que estava indo almoçar, em seu novo apartamento. Mal podia esperar para desfrutar a energia que criou em seu novo espaço. O GPS me disse que chegaria em poucos minutos. Então sinalizou que eu deveria virar à esquerda e depois duas vezes à direita. Estranho. Parecia que estava circulando a vizinhança próxima à estrada.

– Você chegou ao seu destino – anunciou a voz do sistema de navegação.

Mas como poderia ser? Não havia casa alguma ali!

– Você chegou ao seu destino – repetiu o GPS, seco.

Liguei para Bobbi.

– Hm, estou confusa – disse a ela. – Meu GPS me fez dar voltas e voltas e me deixou em uma rua à direita de uma saída da via expressa. Você mora por aqui?

– Qual o nome da rua? – perguntou Bobbi. Olhei para a placa.

– Angel Way – disse. Bobbi começou a rir.

– Tá de brincadeira? – perguntou ela. – Não, não moro aí. Você está à vinte minutos de distância. Mas Laura, isso é tão engraçado! Os espíritos devem estar tirando uma com a nossa cara! Angel Way! Muito engraçado!

Ri também. Pelo visto, o Outro Lado também tinha senso de humor. Sabia há muito tempo que ele era capaz de manipular coisas movidas a eletricidade, seja para nos entregar uma mensagem ou para se divertir às nossas custas. E agora descobri que não deveria mais depender tanto do GPS de novo.

Coisas estranhas e maravilhosas acontecem quando me reúno com meus amigos médiuns sensitivos. Existe uma onda de energia que crepita entre nós. Mas a melhor parte é que entendemos – sabemos como é ser "estranho" e percebemos as coisas de um jeito não-convencional; compreendemos a grande responsabilidade de ter estas habilidades intensas. Lamentamos o cansaço que as leituras causam. Comparamos os limites que estabelecemos entre nossa vida "normal" e as paranormais. Juntos encontramos um nível de conforto, apoio e compreensão que não temos em nenhum outro lugar.

Anos atrás, começamos a reunião mensal das garotas sensitivas – ou como chamávamos brincando, "o covil das bruxas". Às vezes, a galera toda aparecia: Bobbi, Kim Russo, Bethe Altman, Diana Cinquemani, todas médiuns psíquicas; Pat Longo, uma curandeira espiritual e professora; e a famosa Dorene Bair, uma "agente da mudança" intuitiva, conforme se lia em seu cartão de visita. Nossas reuniões eram algo impressionante. Digamos que nosso espírito se elevava. O álcool, como mencionei, parecia ampliar nossas habilidades. E nestes encontros, nossa energia só aumentava.

Demos uma de nossas recentes reuniões – Kim, Bobbi e eu – no Fanatico, um restaurante italiano em Hicksville, Long Island, um dos meus favoritos. Sentamos ao redor de uma mesa na parte da frente do estabelecimento e pedimos macarrão com couve-de-bruxelas e azeitonas, acompanhado de abóbora espaguete ao molho marinara e dois pratos do favorito da casa, brócolis crocante. Kim e Bobbi pediram vinho e eu pedi um Cosmopolitan de Gray Goose.

Como sempre, nossa conversa foi leve, divertida e casual – e praticamente sobre o mesmo tipo de coisas que três amigas conversariam. Bobbi nos contou sobre a casa nova de sua filha na Carolina do Sul e como isso foi importante para ela.

— Quanto? — perguntou Kim, incrédula. — Existem bolsas que custam mais do que isso.

Falamos sobre como nosso trabalho era infinitamente recompensante, mas também bastante cansativo. Tínhamos que ter cuidado para não estarmos "ligadas" o tempo todo ou ficaríamos fisicamente doentes. Mencionei como fiz diversas leituras e para um grande grupo em sessões sucessivas e acabei ficando gripada e com uma doença respiratória que me tirou de circulação por três meses. Bobbi disse que estava superando um caso horrível de bronquite porque exagerou no trabalho.

Percebemos que, ainda que agíssemos com a mesma vibração, como disse Kim, também tínhamos técnicas diferentes.

— Vejo os espíritos de forma tangível a minha frente — explicou Kim.

— Eu também — disse Bobbi.

— Isso nunca aconteceu comigo — disse eu.

Mencionei como recebia informação do Outro Lado em uma tela interna dividida em seções específicas. Nem Kim nem Bobbi utilizam uma tela.

— Eu faço psicografias — disse Bobbi enquanto discutia sua habilidade de escrever pensamentos e percepções do Outro Lado sem estar consciente do que escrevia. Isso também não era familiar para mim.

Abordávamos nossa profissão de formas diferentes. Kim e Bobbi tinham professores que as mentoreavam, enquanto eu me desenvolvia sozinha. Isto fez com que Bobbi lembrasse da primeira aula de cura psíquica que participou.

— Eu tinha medo de ir — disse ela. — Tinha medo do que encontraria. Achei que veria galinhas correndo sem cabeça.

Claro, não havia galinhas sem cabeça. E Bobbi amou a aula.

Kim se lembrou de como ela e sua irmã participaram de uma apresentação de uma sensitiva chamada Holly. Esta mulher convidou Kim para participar da sua aula, que tratava dos princípios básicos de desenvolvimento da intuição e contou-lhe que já era uma médium sensitiva de alto nível. Então, recomendou que Kim aprendesse o básico sobre aterramento e proteção, e informou que seus espíritos guias lhe ensinariam o resto.

– Uma médium – Kim nos conta que perguntou – Como você sabe disso?

– Querida, eu sou sensitiva, lembra? – respondeu Holly.

Em nossos jantares, fazíamos leituras umas para as outras, já que estávamos tão sintonizadas em nossa energia. E, invariavelmente, quando liam para nós, perguntaríamos como sabem daquilo, antes de rir diante da pergunta boba.

– Aconteceu alguma coisa com o seu carro hoje, não é? – diria Bobbi.

– Como você sabia disso? – perguntaria Kim.

– Querida, eu sou sensitiva.

Dávamos conselhos umas às outras também, baseado no que víamos do Outro Lado.

– Quando vocês fazem a minha leitura, é uma validação gigantesca – disse Bobbi. – Geralmente é sobre algo que estive pensando, mas não tinha certeza.

– Isso acontece porque é difícil conseguir informação sobre nós mesmas – disse Kim. – Como agora, sei que algo está acontecendo na minha vida, mas ninguém me mostra nada. Nada! E eu estou respeitando isso porque não quero ser infantil e dizer: “Anda logo, eu quero saber!”

– Quando leio para vocês, eu vou para o lado esquerdo da minha tela, que é onde vejo seus guias espirituais – disse eu. – É ali que uma pessoa que as guia sempre fica. E estes guias me mandam mensagens para vocês.

– É como se nossos guias espirituais estivessem juntos – disse Bobbi.

Os guias espirituais são almas que viveram na Terra antes (mas não durante nossa vida atual) e agora continuam suas jornadas no Outro Lado. E como parte de suas jornadas, eles têm trabalhos – assim como nós temos aqui na Terra. Estes trabalhos são focados em ajudá-los a aprender as lições necessárias para que também possam avançar em suas jornadas. Estas almas se tornam guias espirituais e ser um guia espiritual os ajuda a evoluir. Eles são nossos protetores, professores, mentores e torcedores. Intuem-nos através de encorajamento, sinais, afirmações, impulsos criativos, *brainstorms*, instintos e do sexto sentido. Quando falamos sobre honrar nosso chamado, são eles que o fazem. Eles sempre querem que encontremos nosso melhor caminho.

Bobbi estava certa. Nossos guias espirituais estavam trabalhando em equipe.

– Eles se conhecem – disse eu. – Nossos guias espirituais fazem parte da mesma equipe.

Naquela noite no Fanatico, começamos a receber informações umas das outras.

– Estou recebendo muita coisa vinda de você – disse para Kim. – Coisas boas.

– Os guias me dizem que estão trabalhando nos bastidores, mas é tudo que eu sei – disse Kim, que estava passando por um momento decisivo em sua carreira.

– Eles estão me mostrando que você deve parar de forçar a barra e abrir mão do controle – disse eu. – No ano passado, você forçou, forçou e forçou a barra e agora tem que se libertar. Eles controlam o desenvolvimento da situação. Há uma razão para isso. Há um plano em ação. Abrir mão de controlar a situação será um sentimento difícil no começo, mas você precisa fazer isso para permitir que o melhor caminho se mostre para você.

– Bem, enquanto vou por este caminho, eles não me oferecem nenhuma dica – disse Kim.

– Aqui vai uma pista que eles me permitiram ver – disse eu. – Vejo Los Angeles. Com certeza é Los Angeles. Você sentirá o chamado lhe levar a Los Angeles e lhe será mostrado que você é parte do que acontecerá, como eles planejaram. Basta que você honre seu ímpeto e só vá. Eles farão tudo acontecer.

– Para mim, é manifestar – disse Kim, referindo-se à prática de visualizar seu objetivo e fazê-lo acontecer devido à energia de suas convicções. – Agir como se já tivesse acontecido. Agradecemos ao universo pelo que é nosso por direito.

Contei-lhes como manifesto as coisas: escrevendo uma carta para o universo no início de cada ano. Na carta, agradeço ao universo por me ajudar a conquistar diversos objetivos específicos, mesmo que não tenham acontecido ainda.

– Tenho que dar crédito a Pat Longo por me ensinar a fazer isso de forma clara – expliquei. – Foi ela quem me contou o que deveria escrever. Costumava pensar que projetar os pensamentos seria suficiente, mas ela disse que há grande poder na escrita. E ela está certa.

– Eu provo isso ao meu marido todas as vezes – disse Kim. – Ele diz: “Você não pode fazer acontecer”, ao que respondo “Vamos ver”. E quando acontece, ele só sacode a cabeça.

Rimos e falamos sobre como os homens de nossa vida têm seu próprio companheirismo. Às vezes, saímos todos junto e nossos esposos esperam pacientes, enquanto encontramos uma mesa com uma energia adequada para nós. Os homens trocam um sorriso de cumplicidade; entendem que temos que procurar um lugar que “seja certo” para nós.

Naquela noite, eu e as meninas ficamos até fecharem o Fanatico. Fomos embora quando a equipe de serviços gerais estava limpando. Isso acontecia sempre que nos víamos – as horas passavam como minutos.

No caminho para casa, relaxei após a energia espetacular de nosso jantar e agradeci ao universo por me trazer amigas tão especiais. O jantar reforçava, como sempre, o quão conectadas estávamos – e o quanto precisávamos dessas conexões. Todas formávamos uma rede de apoio que nos impulsionava a ser melhores. Tínhamos o amor dos que fizeram a passagem e também nossos guias espirituais.

Mas também tínhamos as pessoas que estavam conosco aqui na Terra. E às vezes o apoio delas é o mais importante de todos. Isso não funciona apenas com minhas irmãs sensitivas e eu. Isso vale para todos nós.

33
A Luz no Fim do Túnel

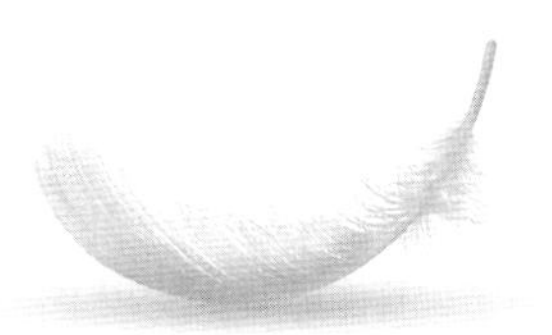

Quando não estou lidando com o Outro Lado, minha vida é bem comum. Basicamente, meu foco é minha família. Para eles, sou apenas "mãe", "mana" ou "Loirinha" (é assim que Garrett me chama). É engraçado que, embora o Outro Lado me transmita informações precisas sobre completos estranhos, não consigo fazer uma leitura confiável dos meus familiares. Conheço-os muito bem e os amo demais. E por eu querer que tudo seja feliz e fácil para eles, não confio na minha habilidade de interpretar as informações que recebo do Outro Lado de forma imparcial, sem que meus sentimentos pessoais se intrometam. É uma das peculiaridades do meu dom – não é sempre que posso usá-lo para ajudar minha família ou a mim. O que, provavelmente, é melhor assim.

Minha irmã mais velha, Christine, que tem quatro filhos lindos, aceita as minhas habilidades sem problema. Quando nos reunimos poucas vezes meu dom se manifesta, mas de vez em quando o Outro Lado insiste em me transmitir certas informações. Por exemplo, Christine menciona um amigo e eu digo, de repente:

– Seu amigo tem um irmão chamado Ted?

Então, ela interrompe a conversa e pergunta:

– Isto é uma conversa ou uma sessão?

Ainda assim, minha irmã me diz que o que faço mudou a forma como vê o mundo. Ela sempre acreditou em um paraíso, mas agora crê que está bem mais perto do que o grande céu azul. Ela acredita que é aqui mesmo, conosco. Acredita que estamos cercados pelas pessoas que fizeram a passagem.

Meu irmão, John, não é tão aberto a esta maneira de pensar. Diz que acredita que tenho um dom intuitivo, mas não consegue crer que a ideia de um Outro Lado é real. É casado e tem três filhos. Quando algo importante acontece na vida deles, sua esposa diz:

– Ligue para sua irmã! Pergunte sobre isso!

Ele não causa empecilhos para as minhas tentativas de conectar sua família ao Outro Lado. E, embora seja estranho, parece que consigo receber informações consistentes para ele. Por exemplo, certa vez eu lhe disse que uma grande oportunidade na Ásia chegaria em três meses. John, que é inteligente para burro e trabalha na indústria de tecnologia, não tinha nenhuma negociação com a Ásia. Mas, durante o prazo que ofereci, a oportunidade surgiu e John acabou em um avião para a Coreia.

Em casa, minhas habilidades não surgiam com frequência. Mas eu lembro de assistir ao Super Bowl com Garrett e as crianças há alguns anos. Percebi que Garrett estava distraído e disparei:

– Ei, é melhor você olhar para a tela – você não vai querer perder o touchdown que vai acontecer agora.

Três segundos depois, um jogador interceptou o passe e correu pelo campo para um touchdown espetacular.

– É melhor desejar que a Máfia não descubra sobre você – disse Garrett.

Perguntam-me com frequência se algum dos meus filhos também possui o dom. Minha filha mais velha, Ashley, uma das almas mais gentis que já conheci, parece ter claras habilidades psíquicas. Ela sente coisas e lê a energia das pessoas muito bem. Por vezes, ela parece saber o que acontecerá. No Dia das Mães, há alguns anos, Ashley e Garrett estavam no carro, indo para casa depois de fazer compras quando Ashley disse de repente:

– A mamãe vai ligar em dez, nove, oito, sete...

E fez a contagem regressiva até o número um. Quando chegou ao um, o telefone tocou. Era eu.

Hayden, meu filho do meio, é um rapaz carinhoso e elétrico. Algo diferente acontece com ele: é capaz de localizar itens perdidos. Seu dom é muito útil.

– Hayden, você sabe onde está o controle da TV? – pergunta um de nós.

Ele fica quieto por um ou dois minutos e então diz:

– No sofá – ou – embaixo da cama.

Funcionou com as sapatilhas de balé também. Na última primavera, disse a ele:

– Hayden, é urgente – temos que sair para o recital da Juliet em cinco minutos e não consigo encontrar a outra sapatilha! Sintonize! Ache-a!

– Okay, um minuto – disse, olhando para cima e para a direita.

Após alguns segundos, ele se levantou, abriu o closet no corredor e enfiou a mão no fundo daquele canto escuro.

– Hayden, não está aí... – eu disse – enquanto ele puxava a sapatilha detrás de um organizador e sacudia no ar.

O lado negativo é que a caça aos ovos na Páscoa não é justa com Hayden por perto. Nem os jogos de Battleship.

Minha filha mais nova, Juliet, é tão iluminada e desenvolta quanto eu na idade dela. Aonde quer que vamos, parece que as pessoas são atraídas por sua energia. Sem falha, eles vêm até ela e lhe dão coisas de graça. Tornou-se uma piada na nossa família: O que será que Juliet ganhará hoje?

Certa vez, quando tinha 3 anos, ela veio até mim e disse:

– Mamãe, tem um menininho loiro perto de mim.

Congelei por um segundo. Era apenas um amigo imaginário ou... era algo diferente?

– Bem – disse a ela. – o menino é bom ou mau?

– Ele é muito legal – disse Juliet.

– Okay – disse. – Então, acho que ele pode ficar aqui.

Juliet sorriu e foi embora saltitando, retornando para sua vida bela e inocente.

Roscoe – nosso Schnauzer miniatura leal e amoroso – era outro membro amado de nossa família. Quando nossos últimos dois filhos nasceram e foram levados para casa, Roscoe deitava ao pé da cama e ficava acordado a noite toda para vigiar as crianças. Uma vez ele até espantou ladrões com seu latido. Ele era um amigo incrível e um membro da família.

Quando ele tinha 10 anos, teve uma convulsão. Corri com ele até o veterinário, que disse que era um caso isolado, nada preocupante e nos liberou para voltar para casa. Mas não achei aquele diagnóstico correto, então o levei a outro veterinário, uma hora depois, para uma segunda opinião. Este veterinário ficou preocupado e fez alguns exames.

Quando estava na sala de espera da clínica veterinária com Roscoe, de repente senti a presença de outro animal na tela onde vejo o Outro Lado. Não estava tentando ler ou contatar ninguém; o animal só apareceu. Reconheci ela – era Thunder, a labradora preta que minha mãe amava e que falecera dois anos antes. Ela e Roscoe foram grandes amigos. Thunder veio beirando o véu – a fronteira diáfana que separa este mundo do Outro Lado em minha tela – como se estivesse animada por algum motivo, e eu sabia o que significava. Já tinha visto isto. Roscoe faria a passagem em breve e Thunder veio cumprimentá-lo.

A verdade é que, não importa o quão aflita estava com a decaída na saúde de Roscoe, saber de sua passagem não era uma surpresa para mim. Alguns meses antes, o Outro Lado tinha me mostrado que Roscoe faria a passagem em breve. A linha do tempo que vi foi de três meses. Desejava desesperadamente estar errada – que, de alguma forma, tivesse entendido errado a mensagem. Afinal, Roscoe tinha a saúde perfeita nos últimos exames de rotina que fizemos. Ainda assim, contei a Garrett na época e comecei a preparar meu emocional para a passagem de Roscoe. Garrett e eu conversamos e decidimos preparar as crianças para isto, com gentileza.

– É possível que Roscoe só tenha mais alguns meses com a gente – disse a eles – então vamos valorizar o tempo que ainda o resta.

Três meses depois, Roscoe teve a convulsão.

Os raios X mostraram que Roscoe tinha um tumor no estômago e hemorragia interna. O veterinário nos direcionou às pressas para a emergência e analisamos nossas opções. Operar Roscoe era uma delas, mas ele claramente estava mal e parecia que iríamos sujeitá-lo a um grande risco sem promessa de melhora. O corpo de Roscoe entrou em choque então informaram que havia grandes chances de ele fazer a passagem durante a cirurgia, sem que estivéssemos ao seu lado. Lembrei o que o Outro Lado me revelara. Três meses tinham se passado. E sabia que Thunder estava ali para conduzir Roscoe. Entendi: era a hora de sua partida. Juntos, tomamos uma decisão. Faríamos a eutanásia.

Garrett, as crianças e eu estávamos com ele quando fez a passagem. Colocamos a mão em seu pelo. Dissemos o quanto o amávamos e agradecemos a ele por ser uma parte tão maravilhosa de nossa vida. Seus olhos marrons olharam nos nossos. E então, ele os fechou e fez a passagem, cercado pelo nosso amor.

Ainda que o Outro Lado tenha tentado me preparar para a passagem de Roscoe, foi devastador. Sabia que sua morte era parte do plano do universo para ele, mas, ainda assim, a perda me abalou. Apesar de tudo que sabia sobre o Outro Lado, ainda sentia falta do meu cachorro carinhoso e me perguntava se ele estava bem.

O veterinário nos disse que poderíamos emoldurar a marca da pata de Roscoe e gostamos da ideia. Esperamos enquanto eles faziam a pegada. Sentei, entorpecida, encarando a parede à minha frente. Por fim, foquei um pôster colado à parede — e sobressaltei-me. Era a imagem de um tamanduá.

O que tinha de tão especial a imagem de um tamanduá em uma clínica veterinária?

Há muito tempo, pedi ao Outro Lado que me enviasse sinais vindos daqueles entes queridos que fizeram a passagem. Costumava pedir borboletas-monarca, mas decidi aumentar o nível do desafio. Comecei a pedir por três sinais em específico — sinais incomuns. Se o universo quisesse me mandar uma mensagem, pedi que me mostrasse um tatu. Ou um porco-formigueiro. Ou um tamanduá.

Por que havia uma imagem grande de um tamanduá nesta clínica? Não faço ideia. Mas eu sei que estava destinada a ver aquele tamanduá e sabia o porquê. Estavam me comunicando que Roscoe chegou em segurança no Outro Lado, que ainda estava comigo e que estávamos conectados pelo amor.

Alguns minutos mais tarde, Hayden e Juliet tiveram que ir ao banheiro. Fui com eles e esperei do lado de fora. Virei para a esquerda e, bem ali, havia uma pequena estátua de cerâmica de um cachorro. Um Schnauzer miniatura branco. O cachorro era idêntico a Roscoe e estava sorrindo. O cachorro estava feliz. E, em suas costas, havia asas de anjo.

Eu sei, alguns diriam que não é grande coisa, só uma coincidência. Mas sei que não era.

No dia seguinte, tive a ousadia de pedir mais um sinal a Roscoe.

– Só me faça ver que você está bem aí – disse, em voz alta, enquanto dirigia. – Faça com que eu saiba ao ouvir a palavra *anjo*.

Assim que pedi o sinal para Roscoe, liguei a rádio. Uma música melosa tocava e a primeira parte da letra que ouvi foi "... *deve ter sido um anjo*..."

Mas, ainda assim – ainda assim – eu não me senti melhor. Quer dizer, milhões de músicas têm a palavra *anjo* nelas, certo?

Mais tarde naquele dia, liguei para a clínica veterinária para acertar nossa conta. A mulher que atendeu a ligação foi tão paciente e gentil enquanto explicava os pormenores da cobrança. Disse que sentia muito pela morte de Roscoe e fez eu me sentir melhor a respeito de tudo que aconteceu. Ao fim da conversa, agradeci a ela e perguntei seu nome.

– Meu nome é Angel – disse ela.

Sorri. Ele se encarregou de me dar outro sinal quando mais precisei.

Foi nosso amor profundo e poderoso por Roscoe que manteve aberto esse meio de comunicação entre nós. Também foi este amor que me trouxe a premonição de que Roscoe faria a passagem, além da visita de Thunder. Anos antes, quando tive o ímpeto de sair da piscina para ver o vovô, semanas antes de sua passagem, não entendia o que era uma premonição. E quando vovô faleceu, odiei-me por saber, de alguma forma, o que aconteceria a seguir. Mas com Roscoe, aceitei minha premonição. Sabia de onde vinha a mensagem e entendi que me foi levada pelo amor. O Outro Lado funcionava somente com amor. Em relação a Roscoe, o Outro Lado nos deu a benção de poder cuidar e celebrar nosso amor sem fim por ele.

E entendia que, na medida do possível, Roscoe não nos abandonou. Nosso adorável e maravilhoso Roscoe ainda está aqui.

Não fomos os únicos na família a ter um encontro profundo com o Outro Lado envolvendo um cachorro. Pouco tempo antes, meu irmão John descobriu que sua amada pitbull resgatada, Boo Radley, estava doente. Ela recebeu tratamento para câncer na mandíbula no passado, mas o câncer agora tinha voltado e se espalhado. Não havia nada que pudessem fazer para extirpá-lo. Ela teria que ser sacrificada.

Boo tinha um lugar especial no coração de meu irmão. Ele a resgatou depois que se mudou para a Califórnia e terminou com sua namorada. Boo estava com ele quando encontrou sua atual mulher, Natasha, e quando cada um de seus três filhos nasceu: Maya, Zoey e o pequeno Johnny. E a cachorra os enchia de amor.

Meu irmão teve dificuldade de encontrar as palavras para contar a Maya, que tinha apenas 6 anos.

Ele sabia que a filha perguntaria onde Boo tinha ido e queria prepará-la para a perda e ajudá-la a superar, mas como poderia dizer que Boo iria para o céu se ele não acreditava nisso de verdade?

Meu irmão pediu ajuda a minha mãe. Ela acredita no céu, mas entendeu que meu irmão estava inseguro, então sugeriu que dissesse à Maya que "algumas pessoas" acreditavam que existia um céu, que era bonito, feliz e que todos, mesmos os cães, são amados lá; que quando vamos para lá nos reunimos com nossos cães.

John seguiu seu conselho. Quando ele falou com Maya, ela disse:

– Papai, você é uma das pessoas que acredita nisso?

– Não tenho certeza – respondeu John, – mas eu realmente espero que seja verdade.

Foi feita a eutanásia em Boo uma semana antes do Natal. John a segurou durante sua passagem. Meu irmão sentiu uma dor imensa e começou a questionar as crenças.

– Se for real, de fato – disse a Boo, – se realmente existe um paraíso, preciso que me dê um sinal. Mas ele só pode vir de uma pessoa: Laura Lynne.

Ele pensou na coleira de Boo e disse:

– Boo, quero que o sinal seja uma estrela dentro de um círculo. Transmita isso a Laura Lynne e eu vou acreditar.

John não contou a ninguém sobre este sinal.

Alguns dias depois, meu irmão e sua família voaram para Nova York para passar o Natal em família. Na véspera do Natal, minha mãe chegou em minha casa com uma garrafa de vinho, muito bem decorada, como sempre são seus presentes. Ela enrolou a garrafa em papel de artesanato e amarrou um cortador de biscoito, no formato de um floco de neve, no topo da garrafa.

No dia seguinte, o dia de Natal, todos nos reunimos na casa de minha mãe. Decidi fazer queijo Brie assado. Minha mãe disse que tínhamos comida o suficiente, mas, por alguma razão, fui compelida a fazer aquele Brie. Guardei os ingredientes: o queijo Brie, damasco em conserva, as nozes e massa folhada, e preparei-me para ir. Mas então vi o cortador de biscoito que minha mãe me deu no balcão da cozinha. E um pensamento me ocorreu: Vou ter massa extra, então por que não corto um floco de neve e coloco no topo do queijo para ele se adequar ao clima natalino?

Na casa da minha mãe, estendi a massa e usei o cortador. Acho que fiz algo errado porque ela parecia uma estrela de Davi ao invés de um floco de neve. Eu estava encantada!

– Vejam isso! – chamei meus irmãos. – Para a ceia, teremos Brie assado com uma estrela de Davi!

Levei a massa restante e a estendi para fazer as bordas do Brie. Percebi que meu irmão me olhava intensamente.

– O que você vai fazer com essa faixa de massa? – perguntou, quase acusatoriamente.

– Vou fazer um círculo para colocar em volta da estrela – disse. – Sei que não é criativo, mas sinto que deveria fazer isso. Aqui, veja.

Meu irmão balançou a cabeça e saiu da cozinha.

Momentos depois ele me chamou de outro cômodo.

– Laura, poderia vir aqui um momentinho? – seu tom era urgente, quase exigente.

— Já vou! — disse.

Quando cheguei perto dele, ainda com massa nas mãos, John tentou falar mas caiu no choro.

— O que houve? O que aconteceu? — perguntei.

— Quando Boo morreu, disse a ela que se isso fosse real, se o Outro Lado fosse mesmo real, ela teria que me mandar um sinal — disse ele. — E disse a ela que tinha que vir de você — soluçava entre as palavras. — O sinal que pedi era uma estrela com um círculo ao seu redor.

E então, ambos choramos.

Percebi que se dissesse que sentia Boo Radley entre nós, ele não teria acreditado em mim. O Outro Lado sabia disso também. Então, fizeram o possível para realizar o sinal de Boo. O Outro Lado me influenciou a criar algo e fez que até mesmo nossa mãe contribuísse para isso. John tinha dado uma tarefa difícil para Boo, mas ela conseguiu! Que grande presente John recebeu!

— Então, você finalmente acredita? — perguntei a ele.

Meu irmão maravilhoso, que foi cético por toda sua vida, pensou por um tempo.

— Eu meio que tenho que acreditar — disse ele.

Todos têm a capacidade de reconhecer estas conexões incríveis com o Outro Lado. Todos estão ligados aos que amam, tanto aqui na Terra quanto no Outro Lado. Além destas conexões, acredito que todos possuem a habilidade de se conectar ao Outro Lado. Talvez nem todos possam achar sapatilhas de balé perdidas, mas quem sabe possam?

Assim como recomendo aos meus filhos, alunos e consulentes, e como espero ter agido com quem leu este livro: encorajo-os a abrir a mente para a ideia de que o universo é maior e mais mágico do que podemos imaginar.

É o mesmo que me digo todos os dias. Aceitei a vida dessa forma.

Agora, aqui vai a parte mais maravilhosa – nada em nossa vida tem que mudar, exceto nossa percepção.

Todos temos experiências psíquicas cotidianas que nos conectam uns aos outros e aos que amamos no Outro Lado. Não acontece de vez em quando, acontece o tempo todo. Desejo que consigamos perceber e celebrar o dom que temos dentro de nós, e que consigamos entender que abrir a mente e o coração pode transformar profundamente nossa vida.

Não haverá nenhum clarão no céu, raios ou trovões. O que acontecerá é que começaremos a olhar para nossa vida de forma diferente. Esta pequena mudança pode transformar sua vida. Pode mudar o mundo. Pode fazer o universo estremecer. E a luz que nos une brilhará ainda mais.

Agradecimentos

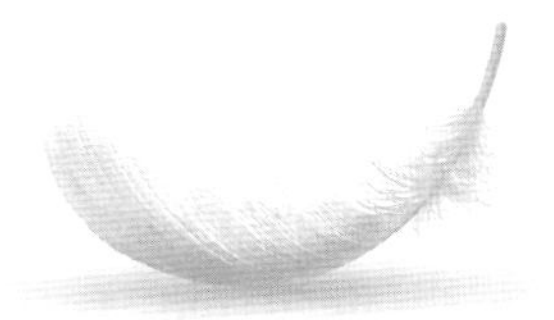

Este livro existe graças à luz e influência de muitas pessoas deste mundo e do Outro Lado.

Alex Tresniowski – você foi parte da jornada deste livro desde o dia que fez o download. Dentro de 24h, você surgiu para me ajudar a esculpir e trazer este livro ao mundo. Não poderia ter pedido um colaborador melhor. Obrigada por toda a luz que me ofereceu. Você é uma das pessoas mais humildes que já conheci e uma benção para este mundo.

Jennifer Rudolph Walsh – você muda vidas e traz luz ao mundo, além de ser a agente e amiga que mais me apoiou. Sua objetividade e paixão são implacáveis e impressionantes. Sou eternamente grata a quem quer que tenha sido a grande força de luz que a colocou em meu caminho. Você me inspira e ajuda a me manter focada. É simples: você muda o mundo. Fico agradecida por estar nesta jornada com você e me abrigar sob sua luz! Continue brilhando!

Julie Grau – sei que foi escolhida a dedo pelo Outro Lado para ser a editora deste livro e que é parte do time de luz. Sua minuciosidade, inteligência e objetividade foram o alicerce da jornada deste livro: obrigada por fazer acontecer. Obrigada por sua paciência, gentileza e amizade. Sei o quão sortuda sou de ter cruzado meu caminho com o seu e sou muito grata.

Linda Osvald, minha mãe – minha primeira e melhor professora, ensinou-me a amar, ser esforçada, caridosa, gentil e a sempre seguir meu coração. É uma grande força de amor neste mundo e fez toda a diferença em minha vida.

Você tornou o cenário da minha infância mais que bonito. E todos os momentos e sacrifícios, todas as vezes que me incentivou, que me disse que eu era forte e maravilhosa, acreditou em mim, me inspirou e me amou incondicionalmente – tudo isso foi importante; meu caminho de luz foi forjado pelo seu amor. Este livro reflete tanto você quanto eu. Sou grata ao que quer que eu tenha feito em uma vida passada para tê-la como mãe nesta. Ganhei na loteria das mães.

John Osvald, pai – por todas as noites cantando no porão e as maneiras que tentou, obrigada. Amo você.

Marianna Entrup, obrigada – por sempre estar presente, seja vindo para nos resgatar em Brant Lake ou oferecendo conselhos médicos, você faz parte de nossa família. Amo você.

Ann Wood – obrigada por toda a gentileza e amor que sempre demonstrou. Você é uma mulher de classe.

Christine Osvald-Mruz – nasci em um mundo de amor como sua irmã. Obrigada por todas as aventuras da infância; algumas das memórias mais felizes que guardo no coração são aquelas de momentos que passamos juntas. Você sempre foi um exemplo incrível e uma inspiração. Sou abençoada e grata por ter uma irmã e amiga muito gentil, inteligente e empática.

John William Osvald – você é uma das pessoas mais amorosas, magnânimas, ousadas e empáticas que já conheci – sem mencionar o melhor cozinheiro que conheço. O fato de tê-lo como irmão e amigo é uma das maiores bençãos desta vida. Você me inspira e me ajuda a crescer e mudar de inúmeras maneiras. O dia que você nasceu foi um dos mais felizes da minha vida. Minha alma já sabia...

Garrett Jackson – muitas coisas bonitas e iluminadas surgiram em minha vida por sua causa. Seu coração e o meu aparentemente são amigos de longa data – e encontrá-lo foi um dos melhores tesouros da minha vida. A vida que construímos é tudo que sonhei e mais. Você me desafia, inspira e ajuda a crescer de maneiras imensuráveis. É um homem de caráter e é uma honra ter uma jornada de vida, familiar e tudo o mais com você. Amo muito você.

Ashley Jackson – minha primogênita iluminada. Você me fez mãe e mudou meu mundo para sempre, insuflando-o com mais amor do que achei ser possível. Sua beleza, inteligência, habilidade artística e luz brilham em cada canto obscuro de minha vida.

Hayden Jackson – meu filhinho gentil que é muito parecido comigo que chega a ser assustador. Você veio a este mundo com sua cabeleira brilhante e encheu meu mundo com ainda mais amor. Você me ensina coisas novas todos os dias – seja sobre ciência e splicing do gene ou a linguagem e profundidade do meu coração, sou muito abençoada por ser sua mãe – e infinitamente grata por ter me escolhido.

Juliet Jackson – você é o brilho do sol encapsulado em um corpo humano – você leva luz, alegria e amor aonde quer que vá. Seu coração gentil e entusiasmo de vida me inspiram e me lembram que posso viver plena e empolgantemente. Você é um presente para todos que a conhecem – mas acima de tudo para mim. Sou muito grata por poder ser sua mãe.

Laura Schroff – o fio invisível que nos uniu certamente foi planejado pelo Outro Lado. O papel de me ajudar a dar vida a este livro é imensurável. Você é um importante feixe de luz neste mundo e tenho o privilégio de não só me deleitar deste brilho como também de lhe chamar de grande amiga. Obrigada por sua orientação infindável e amor nesta jornada. Você me inspira.

Gina Centrello e Gail Rebuck – agradeço por acreditarem no poder desta história desde o começo – e exaltá-la. Estou certa de que vocês fazem parte do time de luz.

Stephanie Nelson – eu definitivamente usei minhas habilidades há uma década e meia atrás, quando nos encontramos pela primeira vez e contei a você, professora estagiária na época, que precisava aceitar uma vaga permanente na escola de ensino médio para que pudesse ser minha melhor amiga e pudéssemos trabalhar juntas. Não poderia pedir uma amiga mais verdadeira. Obrigada por estar comigo nos altos e baixos da vida, e por ser um ponto fixo de luz em meu mundo e coração. E quão bom é o universo por ter feito com que nossos maridos fossem amigos também! Sou grata por Christopher Nelson também!

Dorene Bair – você é uma agente da mudança e conecta tudo de bom em minha vida! Sua energia alegre e positiva é contagiante e eu amo estar perto da sua luz. Obrigada por ser uma amiga incrível e compassiva. Tudo o que você faz é com graça, classe e gentileza. Você me inspira de uma infinidade de maneiras! Você brilha. E ao seu marido incrível, Tom Bair: obrigada pelo papel importante que desempenhou ao ajudar este livro a existir neste mundo!

Gwen Jordan – desde a 8ª série, você esteve lá nas incontáveis aventuras, telefonemas e viagens; nossa amizade era uma constante nas diversas mudanças e décadas desta vida. Obrigada por ser uma ótima melhor amiga!

Marris Goldberg – estar perto ou mesmo falar com você é sempre revigorante. Você vive com paixão e alegria e inspira a todos ao seu redor. Obrigada por ser uma luz brilhante no meu mundo e uma amiga muito incrível.

Danielle Lash – nas nossas viagens para o exterior e aventuras aqui, você sempre trouxe diversão e risadas. Você é uma benção para o mundo, iluminando-o onde quer que vá. Pish, sou muito grata pela sua amizade e existência no meu mundo.

Rachel Rosenberg – alguns amigos apenas sabem que serão amigos para sempre. Você é um deles.

Danielle Hain – pequena, tenho muita sorte de ter sua energia positiva em meu mundo! Você brilha!

Jennifer Schulefand – minha antiga colega de quarto e de casa, estou muito feliz que consigamos nos manter conectadas após tantos anos.

Drew Katz – ainda que eu deseje que tivéssemos nos encontrado sob circunstâncias diferentes, sou grata ao Outro Lado por nos ter conectado. Você é uma pessoa de boa índole, generosa e forte espiritualmente – e sei que seu pai e sua mãe esmuito muito orgulhosos do homem que é. Sinto como se conhecesse sua alma há um longo tempo – e estou muito feliz por estar na luz de sua amizade. Meu amor e gratidão a você e sua mulher maravilhosa, Rachel, sempre.

Litany Burns e Ron Elgas – obrigada por me ajudar a ver e entender meu caminho e por toda a luz que espalham pelo mundo.

Bob e Phran Ginsberg – muito do meu trabalho neste mundo é ligado a vocês. Os dois são as pessoas mais abnegadas, inspiradoras e generosas que já conheci. O trabalho que fazem ao ajudar o próximo a superar o luto e se aprofundar nas mensagens do Outro Lado é imensurável. Sei que são parte de um time de luz incrível. Não posso deixar de agradecer e mencionar sua filha Bailey, que esteve por trás de suas ações durante todo este tempo – e é quem tenho certeza de que me levou à sua porta. Que belo ponto de luz vocês são.

Dra. Julie Beischel – seu comprometimento com a exploração da área científica do pós-vida é mais importante para este mundo do que podemos sequer cogitar. Sou muito grata pelo papel que você e a Windbridge desempenharam em minha vida.

John Audette – sua fé e comprometimento com o trabalho da luz são incríveis. Sei que o Outro Lado trabalha com e através de você para transmitir sua mensagem de amor e permanência da consciência ao mundo. Você é parte do time de luz. Sua amizade foi inestimável para minha jornada. Obrigada por ajudar a iluminar o caminho.

Eben Alexander – sua disposição de compartilhar sua história com o mundo é inspiradora. Obrigada por tudo que nos ensinou. Tenho orgulho de considerá-la uma amiga.

Dr. Mark Epstein – cruzar seu caminho foi um presente incrível. Sou muito honrada por estar conectada a você. Sua luz cura e inspira nosso mundo.

Dr. Brian Weiss – você ilumina o caminho de muitas pessoas na Terra e nos ajuda a entender que nosso maior dom é o de amar e que somos seres eternos. Você me inspira de muitas formas. Obrigada por iluminar minha jornada.

Dr. Gary Schwartz – seu comprometimento em explorar e auxiliar outras pessoas a entenderem as mensagens poderosas que o Outro Lado tem a compartilhar é inspirador. Estou muito feliz pela sincronicidade e pelas maneiras como nossos caminhos se encontraram. Você foi uma parte importante da minha jornada e honro a luz que nos une.

Os professores têm um papel fundamental na iluminação dos nossos caminhos. Para todos os meus muitos professores, sou grata – mas, em especial, à pessoa a seguir, que me ajudou a ver e entender minha conexão com os outros, a potencializar minha luz e acreditar em mim: minha professora do 3° ano, sra. Nolan; minha professora da 4ª série, sra. Margaret McMorrow; meu professor de literatura do ensino médio, sr. Kevin Dineen; e ao meu colega de profissão, o falecido sr. David Bosnick. Agradecer não parece ser o suficiente. Honro e enxergo a luz que nos une. Cada um de vocês é parte de mim, carrego-os sempre em meu coração.

Michelle Goldstein – uma professora que impactou a vida de meus filhos. Que pessoa incrível você é!

Dra. Jane Modoono Philport – você chegou a Herricks High School e imediatamente emanou uma luz maravilhosa. Aprendi muito com você. Sou grata pelo apoio, encorajamento, amor e pela amizade. Gostaria que todos os professores pudessem ter uma diretora como você. Você cria grandeza onde quer que vá.

Nicole Cestari Clark – sou grata pelo universo ter me conectado a uma mulher e amiga tão incrível. Sua energia e paixão são contagiosas e o trabalho que você faz no mundo é repleto de amor. Qualquer um que a conhece e pode chamá-la de amiga tem sorte.

Laura Castillo – sou muito grata a você por ser a babá mais incrível, carinhosa e divertida para meus filhos e braço-direito na minha vida. Existe muita luz em você!

Henry Bastos – obrigada pela beleza e amizade que você traz para minha vida.

Lisa Cappareli – amo sua energia e nossos jantares. Obrigada pela benção que é sua amizade. Nunca fico entediada quando estou perto de Dave e eu aguardo ansiosamente pelas nossas viagens futuras.

Paul e Pam Cain – vocês são um casal muito cheio de luz! Tudo que fazem no mundo é permeado pela sua compaixão e gentileza. Tenho orgulho de conhecê-los.

Trina e Adam Venit – amo saber que meus caminhos me conduziram a conhecer pessoas tão incríveis quanto vocês! Continuem emanando esta luz tão bela!

Starr Porter – que luz estelar você emana neste mundo! Tenho muita sorte por ter encontrado você – e Chris Wagner – no caminho e estarmos conectados por fios de luz.

Sky Ferreira – você criou um caminho de luz através da escuridão. Sei que sua equipe no Outro Lado está orgulhosa de ver que você continua compartilhando seus dons artísticos com o mundo. Sempre torcerei por você e estou honrada de ter sua amizade.

Para sobrinhas e sobrinhos, agregados e família estendida: cada um de vocês traz uma luz bela a este mundo – e sou muito grata por caminhar junto a vocês como família: John, Matt, Willy, Henry e Peter Mruz, John e Laurie Mruz, Cyndi e Alan Switzer, Natasha Khokhar, Maya, Zoey e John Osvald, Aliya e Priya Khokhar, Anika Bashir, Angela e Angela G. F. Jackson, Jimmy, Kerry, Joey, Brian, Kevin e Danny Jackson, John, Emily, Jay e Johnny Jackson, Lucille Weintraub, Brett, Elyse, Gregg, Karen, Jarrett e Carol Weintraub, Jimmy, Ted, Maddy, Teddy e Kenny Wood. E aos meus entes queridos no Outro Lado: Omi e vovô, Dundee Yette, Nani e Apa, Vicki; e os agregados Gary e Alan – ambos eram imprescindíveis no meu coração e no mundo. Obrigada.

À minha família estendida da infância Nancy, Lee, Damon e Derrick Smith, Ellie e Nick Pucciarello – muitas memórias felizes esmuito ligadas a vocês.

Às pessoas que compartilharam suas histórias neste livro, que benção incrível nos deram. Uma das maiores bençãos de fazer este trabalho é nos conectar a pessoas incríveis que, no fim das contas, parecem mais família do que amigos. Esta lista inclui Susan Newton-Poulter e Fred Poulter, Maria Ingrassia, Kenneth Ring, Nancy Larson, Jim Calzia, RoseAnn DeRupo e Charlie Schwartz, Joe e Maryanne Pierzga, Mary Steffey, Frank McGonagle e Mike Cestari. E a todos os membros da família que esmuito no Outro Lado: Scotty Poulter, Kyle Larson, Kathy Calzia, Jessie Pierzga, Charlotte, Elizabeth e outros – honramos vocês e agradecemos por nos unir e compartilhar sua história e luz com o mundo.

Bobbi Allison – uma das minhas almas gêmeas de amizade e uma luz no meu mundo. Obrigada pelo amor e apoio constante e imutável. Que o universo a abençoe infinitamente por toda a gentileza e luz que traz aos outros.

Dr. Marc Reitman – sou grata pelo incrível papel que você desempenhou em minha vida. Você cura e traz luz a este mundo! Sou honrada por conhecê-lo.

Dr. Jeff Tarrant – obrigada por olhar para o meu cérebro, me oferecer respostas e ser um amigo maravilhoso! Sua empolgação de viver pode ser sentida por qualquer um que se vê envolto em sua energia – e sou muito grata por poder ser uma dessas pessoas.

Amy Lewin – por ser um anjo e guiar meu caminho aqui na Terra. Sou eternamente grata pelo papel que desempenhou. Você é uma das minhas pessoas favoritas.

Melissa e Tom Gould – um dos melhores presentes deste trabalho é conhecer pessoas incríveis e maravilhosas como vocês. Sou muito abençoada por conhecê-los e chamá-los de amigos.

Angie Walker, Danielle Perretty, Lynne Ruane, Laura Swan, Rainey Stundis e Anthony e Grace Avellino – a melhor parte deste trabalho é encontrar pessoas que se tornam amigos maravilhosos – e posso incluí-los nesta soma.

Bill, Angela e B.J. Artuso – pelo seu comprometimento a explorar o Outro Lado e a luz de sua amizade. Fico muito feliz por nossos caminhos terem se cruzado.

Ao resto do meu grupo de amigas sensitivas: O que seria de mim sem vocês? Vocês me mantêm com os pés no chão e me fazem rir. É maravilhoso estar com vocês: Kim Russo, Janet Mayer, Bethe Altman, Diana Cinquemani, Pat Longo e o resto da galera.

E aos meus primeiros alunos de desenvolvimento psíquico e espiritual: não poderia pedir por um grupo melhor para explorar nossa conexão uns com os outros e com o Outro Lado! Obrigada por tornar as noites de quarta-feira, pontinhos brilhantes de luz na minha semana: Amanda Muldowney, Janine Martorano, Amy Lederer, Marilyn Pilo, Mary Kennedy, Lisa Johnson, Cathleen Costello, Rosemary McNamara e Linda Pawlak.

Para Laura Van der Veer, Katie Giarla e Maggie Shapiro – obrigada a todas pela ajuda que me deram para tornar este livro real e por responder toda e qualquer dúvida técnica que eu tive, a qualquer hora do dia ou da noite!

Para minha equipe de luz na editora: Sally Marvin, Nicole Morano, Theresa Zoro, Sanyu Dillon, Leigh Marchant, Andrea DeWerd, Greg Mollica e Nancy Delia... Obrigada por cuidar muito bem de mim e do meu trabalho. E ao time da Arrow no Reino Unido: meus agradecimentos a Susan Sandon, Jenny Geras, Gillian Holmes e Jess Gulliver.

Ao resto do meu time de luz na WME, Rafaella De Angelis, Alicia Gordon, Kathleen Nishimoto e Scott Wachs. Sou muito grata a todos pelo papel que desempenharam.

Um enorme obrigada para os trabalhadores da Herricks High School e aos meus ex-alunos (que com certeza me ensinaram mais do que eu a eles). Envio meu amor especial para os atuais e ex-membros do departamento de literatura e língua inglesa – minha família longe de casa: Jane Burstein, Nancy Rajkowski, Barbara Hoffman, Ed Desmond, Steph Nelson, Alan Semerdjian, Jessica Lagnado, Tom Baier, Tom Mattson, Sonia Dainoff, Kelly Scardina, Sarah Kammerdener, Denise Barnard, Lauren Graboski, David Gordon, Mike Imondi, Mike Stein, Karen Meier e Victor Jaccarino. E também Chris Brogan, Louise O'Hanlon, Claudia Carter, Joanne Asaro, Trish Basile, Jane Morales, Michele Pasquier, Joanie Keegan, Andrew Frisone, Bryan Hodge, Gail Cosgrove, Jane Modoono, Suzanne Faeth, Sharon Morando, Danielle Yoo, Tania DeSimone, Rich Gaines, Caryn Krutcher, Nicole Cestari e Deirdre Hayes.

Às pessoas que me permitiram acessar sua energia para que pudesse lê-la: sou grata por cada experiência e conexão.

Ao time de luz do Outro Lado: nada disso seria possível ou existiria sem vocês. Obrigada por me permitir ser uma mensageira e parte de sua luz maravilhosa.

E a você, leitor, sou grata por estarmos nesta jornada de luz juntos.

Sobre a Autora

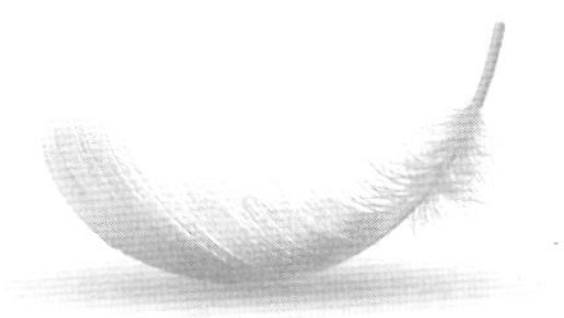

Laura Lynne Jackson leciona literatura inglesa em uma escola do ensino médio e é uma médium sensitiva certificada do Windbridge Institute for Applied Research in Human Potential e da Forever Family Foundation. Ela vive em Long Island com seu marido e seus três filhos. Este é seu primeiro livro.

Encontre Laura Lynne Jackson no Facebook: @lauralynjackson

Este livro foi impresso nas oficinas gráficas da Editora Vozes Ltda.,
Rua Frei Luís, 100 – Petrópolis, RJ.